INNE

OP WEG NAAR MAÑANA

MIRANDA INNES

Op weg naar mañana

Gemeentelijke Bibliotheek
Beveren
Gedecentraliseerd
Bibliotheekwerk

Oorspronkelijke titel *Getting to mañana*
Oorspronkelijke uitgave Bantam Press, onderdeel van Transworld Publishers, Londen
© 2003 Miranda Innes
© 2004 Nederlandse vertaling Uitgeverij Sirene, Amsterdam
Vertaald door Lucie van Rooijen
Omslagontwerp Mariska Cock
Foto voorzijde omslag Peter Williams
Foto achterzijde omslag Dan Pearce
Zetwerk Stand By, Nieuwegein
Uitgave juli 2004
Alle rechten voorbehouden
Uitgeverij Sirene is een onderdeel van Uitgeverij Maarten Muntinga bv
www.sirene.nl

ISBN 90 5831 239 9
NUR 302

Voor Spigs en Leo, Doris en Ted, Judy en Dan,
in liefde en dankbaarheid.

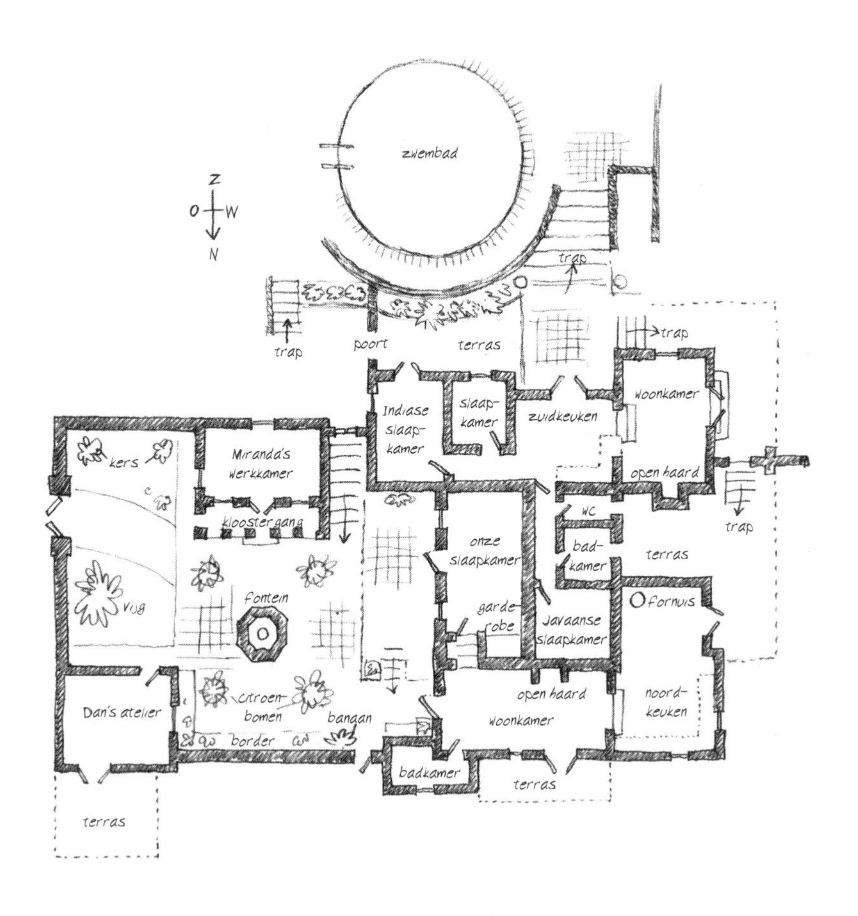

Casa Miranda

INHOUD

2000

2001

PROLOOG

Het is vier jaar later en er valt niets meer te bouwen. De cementmolen is eindelijk naar een nieuwe bouwplaats gereden en wij hebben rust, privacy en het huis bijna vrij op naam. Het enige wat ons rest is de aangename taak om in te burgeren, ons de gewoontes eigen te maken die passen bij deze plek.

Eindelijk heb ik een koele grijsblauwe kamer waar ik kan werken, met een eigen schaduwrijke binnentuin waar rozen omhoogklimmen, en kan ik zitten mijmeren, uitkijkend op een geplaveide binnenplaats met een fontein in het midden en vier citrusbomen, netjes en feestelijk. Ze vervullen de lucht met neroli, de geconcentreerde geur van de oranjebloesem. Mijn Alhambra.

Dan heeft een ruim, wit atelier op de hoek van de binnenplaats op de helling van een heuvel, en vanuit het raam op het noorden kan hij de vlekkerige wolkpatronen op El Torcal bekijken als hij aan het schilderen is. Zijn kamer heeft een weids uitzicht, vol vertrouwen op de rest van de wereld gericht; de mijne is introvert en veilig kalm.

In mijn beleving is dit zoiets als de hemel. Maar het is geen gemakkelijke weg geweest.

1997

NAAR HET ZUIDEN

'Waar zijn mijn voetbalschoenen?' Spigs, in paniek.

'Mam, ik heb vijf pond veertig nodig voor de bus naar de universiteit.' Leo, met een grafstem.

'Ik heb precies genoeg om op mijn werk te komen,' kreunde ik. 'Geen cent meer. Kijk maar of je het van Spigs kunt lenen.' Ongevoelig voor het gemopper van mijn knorrige zoons racete ik naar de voordeur, te laat al voor de wekelijkse dinsdagochtendvergadering op kantoor.

Ik struikelde over de voetbalschoenen, die heel handig op de onderste traptrede waren gezet, en haalde mijn panty open aan het kluwen fietsen in de gang. Een stevige vloek en ik besloot de steeds langer wordende streep winters bleek vlees in mijn verplichte zwarte kousen te negeren. De post bestond uit drie onaantrekkelijke, doorweekte bruine enveloppen. Regen. Waar was in godsnaam mijn paraplu?

Ach, bekijk het maar, dacht ik. Ik heb het gehad met Londen!

Al zo lang ik me kon heugen wapende ik me iedere dag als ik de deur uit ging tegen regeltjes, boetes, een ondoordringbare bureaucratie die erop was gericht om het ons moeilijk te maken, verboden, roosters, deadlines, zwervers, handtastelijke metrogangers, mensenmassa's en regen. Maar het was toch vooral de regen waar ik genoeg van had, dat zware grijze wolkendek dat zorgde voor die geur van natte regenjassen, hordes drogende paraplu's, verregende barbecues, verregende nationale feestdagen, bruiloften, begrafenissen, schoolfeesten, Chelsea Flower Shows, concerten in het park.

Het leek zoveel moeite te kosten om te overleven in Londen, en je kreeg er verdomd weinig voor terug.

Omdat ik zo graag weg wilde uit de stad, was ik al een jaar op zoek naar een leuk huis op het platteland in East Anglia en de omgeving van Bath, maar het begon langzaamaan duidelijk te worden dat er met alle huizen die ik me kon permitteren iets ergs aan de hand was; als het niet om de locatie was, dan wel vanuit bouwkundig oogpunt. Bovendien had ik, naarmate ik langer zocht, steeds minder zin om nog langer deel uit te maken van de ingewikkelde Engelse samenleving.

Maar in januari 1997 moet er iets in de sterren hebben gestaan, want wat er het ene moment nog had uitgezien als een eindeloze, eentonige vlakte, was in een oogwenk veranderd in een ware afgrond, en binnen een week zag mijn leven er totaal anders uit. Tot 7 januari had mijn wereld schijnbaar uitsluitend bestaan uit zekerheden. Al vijftien jaar lang woonde ik met mijn twee zoons Leo en Spigs, die ik in mijn eentje had opgevoed, in een groot huis in Highbury. Al negen jaar lang beet ik me vast in een gezapige relatie met een man die een paar van mijn boeken had vormgegeven. Al meer dan tien jaar schreef ik voor een chic blad over tuinen, onder twee redacteuren voor wie ik graag werkte. Ook had ik een stuk of tien boeken geschreven over de functie van kussentjes en de geneugten van gordijnen, waarvan we met z'n allen rond konden komen en de hypotheek konden betalen. Ik was tweeënvijftig, maar had de energie van een tiener. Toch zat alles, als je wat beter keek, minder gebeiteld dan je op het eerste gezicht zou zeggen.

Mijn relatie met Edward was een trage en pijnlijke dood beschoren. Telkens als ik ernaar keek was er minder van over, totdat er alleen nog maar kwade blikken waren. Ik denk dat hij me als een gevaarlijk en onberekenbaar dier zag. Ik bleef volhouden en probeerde er iets van te maken, want zo iemand ben ik wel, terwijl hij zachtjes naar de uitgang sloop en zijn pantserwagen bij de deur achterliet. Onze genegenheid voor elkaar had een bijsmaak van wederzijds onbegrip gekregen, steeds meer onderwerpen werden onbespreekbaar, steeds meer vragen bleven onbeantwoord, en daar reageerde ik heel eenvoudig op, namelijk dat ik behoefte begon te krijgen aan fysieke warmte.

Na tientallen jaren grijs te hebben geprobeerd, wilde ik nu eens wakker worden in helder zonlicht en tropische kleuren. Ieder jaar rond oktober had ik het met mijn vriendin Hester, die bij hetzelfde tijdschrift over huizen schreef, over Seizoensgebonden Somberheden, en zaten we te dubben of we nou wel of niet zo'n lamp moesten kopen. Het gedelibereer hield aan tot maart, april, soms mei. We hebben nooit zo'n ding gekocht omdat we exotischer remedies vonden voor onze winterse neerslachtigheid: we maakten persreisjes naar India, Barbados of Zuid-Frankrijk. Wij kregen wat zon, het tijdschrift kreeg een verrassend, flitsend artikel over het weven van draagdoeken in Guatemala of de productie van patola in Ahmadabad, wat niet echt van belang was voor iemand die jam maakte in Guildford, maar iedereen was er blij mee. Toen brak de dag aan waarop onze redacteur zelf door het reisvirus werd gegrepen; ze pakte haar rugzak en vertrok. Ze werd vervangen door iemand die tripjes naar het buitenland niet echt aanmoedigde.

Mijn passie voor Spanje kwam niet uit de lucht vallen. Mijn eerste leuke vakantie in het buitenland, op mijn veertiende, had ik doorgebracht in Villa Joyosa, in de buurt van Alicante, in een dorp met stoffige zandwegen geflankeerd door jasmijnhagen. Jocasta, mijn oudere zus, logeerde in de villa terwijl haar man bezig was met de productie van een kostuumfilm waarvoor een stel galjoenen op de glinsterende Middellandse Zee moest dobberen. Ik ging er met mijn ouders naartoe, onze enige vakantie met het hele gezin. We bleven drie weken. Aan mijn bagage was te zien hoe weinig ervaring ik met dit soort reizen had: ik had een geruite zomerjurk meegenomen waarin ik wel een leunstoel leek, en een mandoline. De laatste bleef onaangeroerd, maar ik raakte in de ban van de hitte, het stof, de koele marmeren vlakken in dat verder bescheiden huis, het staccatoachtige commentaar van de oude besjes in het dorp die niet gewend waren om zomaar een leunstoel voorbij te zien wandelen, de banen zonlicht die zich door de kleine, met planten omgroeide ramen boorden en vooral de zoete lucht van jasmijn. Zelfs later verzonk ik in weemoedig gemijmer, zodra ik die kenmerkende scherpe lucht van Spaans sanitair rook.

Jaren later reisden Leo en Spigs iedere zomervakantie af naar Zuid-Spanje, waar ze logeerden bij hun beste vrienden en Londense buren, Kenrick en Kit, in een strandhuis in Conil. Daar maakten de vier jongens blozend hun entree in de volwassen wereld van drank, drugs en vrouwen.

Toen ik een keer onverwacht veel geld bleek te hebben, huurde ik er ook eens een zomer lang een huis en nam de jongens, hun vriend Paul en mijn moeder mee. Dat was heel moedig van me, omdat ze haar geheugen begon te verliezen. Eigenlijk ging het prima zolang ze bij ons was, maar begonnen de problemen toen ze als Niet-Geëscorteerde Bejaarde terugvloog naar huis: ze weigerde pertinent om van de bagageband af te komen en negeerde straal de gebaren van mijn zus, die aan de andere kant van de douane stond om haar op te halen. Drie weken lang was ze echter fantastisch gezelschap. Ze zat eindeloos te kaarten met de jongens, las keer op keer het enige boek dat in het huis te vinden was – ze slaakte telkens bij dezelfde passage een verraste kreet – en zat als een oude hagedis op het strand te zonnebaden en haar benen te bestuderen. 'Prachtige benen,' zei ze dan bedachtzaam, terwijl ze ze goedkeurend streelde.

Ooit waren mijn vader en zij op zoek gegaan naar een huis in de buurt van Alicante, maar om duistere redenen hadden ze de voorkeur gegeven aan een varkensboerderij in Essex. Zij had Ierse voorouders die zich hadden gevestigd in Argentinië, waar ze ook opgroeide. Ze sprak dus Spaans, al was het vreemd genoeg met een Duits accent. Vol bravoure draaide ze gecompliceerde, imponerende zinnen af tegen nietsvermoedende obers of winkeliers in Andalusië, die haar dan verschrikt en niet-begrijpend aankeken. Nu weet ik dat ze in Andalusië niet echt Spaans spreken maar een nonchalant plaatselijk gebrabbel, waarbij de medeklinkers meestal worden ingeslikt en ze zeker niet de Duitse accuratesse gebruiken. Net als ik was mijn moeder dol op Spanje.

Ook het idee om een huis in de zon te kopen was niet echt nieuw voor me. Ik speelde al langere tijd met die gedachte en had een paar jaar eerder met een stel gladde zakenjongens gesproken die zich uitgaven voor makelaars. Hoe dan ook, mijn hart was sneller gaan kloppen toen ze hun portfolio's met belabberd gefotografeerde bouwvallen hadden uitgespreid: eenvoudige witte huizen, zwarte schaduwen, hoge cipressen, bleek geworden door de middagzon. Het waren allebei omhooggevallen kostschooljongens, en door hun glibberige opdringerigheid knapte ik totaal af op de huizen in het Italiaanse grensgebied en Zuid-Spanje die ze probeerden te verkopen.

Ditmaal was mijn behoefte echter acuut. Dus deed ik wat ieder zinnig mens zou doen: ik ging naar Manchester, naar een huizenbeurs in de trieste aula van een school waar het rook naar zweet en kool, en wierp me in de strijd met in anorak gehulde heren en dames met een blauwe kleurspoeling, die de voordelen van golfbanen in Orlando en de Costa del Sol tegen elkaar afwogen.

Ik kon kiezen tussen Frankrijk, Italië en Spanje en een allegaartje van oorlogsgebieden waar de grond goedkoop was. Even dacht ik aan Turkije, Marokko en Slowakije, maar liet de keus toen vallen op Spanje omdat ik me de zwoele avonden nog kon herinneren waarop ik onder de palmen aan zee naar de zonsondergang had zitten kijken. Ik stelde me een idyllische *finca* voor, witgepleisterd met oude rode dakpannen, helemaal afgezonderd en beschut tussen oeroude olijf- en amandelbomen. Binnen twee minuten werd het echter duidelijk dat

Frankrijk of Italië totaal buiten mijn bereik lagen; ik had er niet genoeg geld voor en zou er ook nooit genoeg geld voor hebben, al zagen die statige, fotogenieke stenen huizen met wijnkelders, stallen en intieme binnenplaatsjes er nog zo betoverend uit. De Griekse eilanden waren heel verleidelijk, maar de gedachte dat ik niet alleen een nieuwe taal maar ook nog een nieuw alfabet zou moeten leren, vond ik verschrikkelijk.

Ik voelde vooral veel voor het zuiden van Spanje, waar nog kalme, verleidelijke Moorse invloeden heersten, waar de Engelse stijfheid uit je lijf werd geranseld door rauwe flamencomuziek en het eten hoofdzakelijk bestond uit knoflook waar uit zuinigheidsoverwegingen varkensoor en kippenpoten, pens en varkensingewanden aan werden toegevoegd.

Het landschap van Andalusië was indrukwekkend en tegelijkertijd aangenaam vertrouwd. Grote getande pieken torenden uit boven veldjes die van elkaar werden gescheiden door witstenen snoeren, waar op iedere centimeter graan, olijven, amandelen en kikkererwten werden verbouwd. Witte dorpjes kwamen als suikerklontjes van de heuvels af tuimelen en witte huizen vormden met al hun kamertjes een puzzel van rechthoeken, met daarbovenop verweerde kaneelbruine dakpannen, gevormd op mannendijen. Ik hield van de klank van de taal en vond het geweldig hoe de mensen eruitzagen. Ik hoefde maar woorden als *sierra, duende, flamenco, mesa, aceite, almendra, rincón, chorizo* te horen om blij te zijn dat dat soort dingen bestonden. Prachtig vond ik de vrouwen in hun stippeljurken afgezet met franje, hun glanzende zwarte haar opgemaakt met rozen, de mannen in hun nauwsluitende, flitsende stierenvechterspakken. Ik maakte mezelf wijs dat het op straat en in de supermarkt wemelde van de mensen die zo gekleed gingen.

En dan was er nog het klimaat: warm, droog en stoffig, net als in Caïro, waar ik het levenslicht had gezien. In november verzamelde ik moed en in december keerde ik mijn portemonnee binnenstebuiten. Een van de makelaars uit Manchester had me een dik pak kopieën gegeven met huizen die te koop stonden, onduidelijke zwartwitfoto's. Urenlang delibereerden Leo, Spigs en ik over de voordelen van elk huis en probeerden we op de kaart van Spanje piepkleine gehuchtjes te vinden aan de hand van namen die waarschijnlijk verkeerd gespeld waren. We bespraken het aantal kamers, patio's, het oppervlak, of er water en elektriciteit was, alsof al die vage omschrijvingen de tien geboden waren. Ik bracht uren door in de reisboekhandel om kaarten en gidsen te bestuderen.

We tobden over de voordelen van de ene kluit adobebouwsels boven de andere, analyseerden ieder verkooppraatje van de makelaar. De mogelijkheden die in de catalogus stonden waren om van te watertanden: op de ene pagina stond een samenraapsel van gebouwtjes waar de jongens lekker hun gang konden gaan; op de volgende een huis van waaruit je tussen de bergvalleien door in de verte de zee kon zien liggen, er was weer een ander huis waar we zo in konden, van alle gemakken voorzien. Uiteindelijk kozen we voor een oud huis in een vallei, bestaande uit twee vrij ruime gedeeltes 'die wel een opknapbeurt konden gebruiken'.

De volgende ochtend belde ik met bonkend hart van opwinding (en van angst) de makelaar en boekte een week Spanje voor Spigs en mij om de boel te verkennen. Toen ik de hoorn op de haak legde, wist ik dat ik een bladzijde had omgeslagen en in een nieuw verhaal zou belanden.

BETOVERD

Op 7 januari 1997 landdden Spigs en ik op een koude, miezerige avond eindelijk in Málaga en werden we door Robert, de makelaar, in vliegende vaart naar de afzichtelijke flat gereden die we in Fuengirola hadden gehuurd. Daar bracht ik, stevig ingepakt in één schamele deken, een ijskoude, afschuwelijke nacht door en vervloekte ik het hele rotplan. Er was maar één ding dat me behoedde voor onderkoeling: de gedachte aan een man die ik net had ontmoet, die me volledig had betoverd.

Ik probeerde de verantwoorde pil over Noord-Amerikaanse indianen te lezen die Edward me voor op reis had meegegeven, maar mijn gedachten dwaalden telkens af naar Dan Pearce, naar zijn lach, naar zijn vriendelijke, gulle karakter, zijn grote vierkante beeldhouwershanden en zijn lage stem die vertrouwen inboezemde. Deze overduidelijke pluspunten woog ik af tegen zijn alom bekende reputatie als hopeloze somberaar en het feit dat het hem ontbrak aan ook maar de geringste kennis om te kunnen overleven. Hij denkt nog steeds dat de *groat* een wettig betaalmiddel is. Het was me allemaal van meet af aan duidelijk, maar ik zag liever alleen wat ik wilde zien. Hij was ook de spannendste man die ik ooit had ontmoet, altijd enthousiast, vooral als je je toelegt op het breien van vrolijke mutsjes voor baby's aan wie je ergens in de verte verwant bent.

Spigs en ik werden wakker onder een onafzienbare blauwe hemel en een enorme zon die onze dankbare botten warmde, en toen Robert ons in zijn Mitsubishi Patser kwam ophalen leek het allemaal opeens weer een goed idee. We gingen naar het kantoor, waar onze aandacht werd getrokken door een vage foto van een stel samengeklonterde lage bouwseltjes, knus tegen een flauwe helling gelegen met heuvels eromheen. Dat kwam goed uit, want Robert veegde al ons huiswerk uit de brochure van tafel met de nonchalante opmerking dat die huizen allemaal allang waren verkocht, en dat de rest alleen nog maar te koop stond omdat alle wegen die winter waren weggespoeld door hoosbuien. Dit bleek schrikbarend waar te zijn. Zelfs uit de gloednieuwe zesbaans kustweg waren grote happen verdwenen. Spanjaarden zijn nogal zuinig met pilonnen: omdat er in het hele land maar zes van lijken te zijn, improviseren ze met witgeschilderde rotsen of een grote steen in een draagtas. In elk geval geen geklungel met noodbelijningen van pilonnen.

Het idee was om een krakkemikkig, karakteristiek, goedkoop oud huis te zoeken en dat met wat klussen weer bewoonbaar te maken. Ik zou een bouwval kopen, een badkamer aanleggen, elektrische verlichting die wat aangenamer was dan de kale groenige tl-buizen die zo geliefd zijn bij de Spaanse boerenbevolking en een keuken installeren die iets meer om het lijf had dan een open haard en een emmer water uit de bron. Wie weet zou ik zelfs wel een dak laten maken, deuren die open en dicht konden, ramen met glas erin. We hebben niet veel nodig, dacht ik, alleen het hoogstnoodzakelijke, en de rest zouden we laten zoals het was. Ik maakte mezelf wijs dat het met een paar duizend pond wel moest lukken. Ik zag ons al lekker prutsen aan een krakkemikkige oude bouwval en die uiteindelijk, met behulp van mijn Black en Decker, in volle glorie herstellen. Het was tenslotte de landelijke eenvoud waar ik zo van hield en die ik zo miste in mijn leven in Londen.

Christina, een forse, nuchtere Duitse vrouw de in de streek was komen wonen en met Robert samenwerkte, kreeg opdracht ons mee te nemen op onze eerste strooptocht, in de omgeving van Competa, een prachtig stadje waar het stikte van de

Britten, Duitsers en kunstnijverheidswinkeltjes. Zelfs Spigs werd stil van de tocht. We klemden ons vast aan de autostoelen terwijl we omlaagkeken in kolkende nevelen, en werden pas echt stil toen Christina recht op een binnentalud af reed waar ooit een weg had gelopen maar waar nu, sinds de regen, alleen maar een loodrechte rotswand liep. Op een gegeven moment opperde ik zwakjes dat het misschien makkelijker rijden zou zijn als Spigs en ik uitstapten.

'Als ik eraan ga, dan gaan we met z'n allen,' brulde Christina. Tot nog toe had ze geen blijk gegeven van gevoel voor humor, dus waarschijnlijk meende ze wat ze zei. Toen we eindelijk aankwamen op het hoofdplein van Competa namen we in de zon naast een fontein een zeer welkome borrel, waarna ook wij vervuld raakten van een roekeloze onverschrokkenheid.

We bekeken een huis van een Engelse botanicus. Het had heel veel kamers en flink wat grond, met steile hellingen waar druiven te drogen waren gelegd. Het had een rommelige, verwilderde tuin en er groeide bougainville rondom het terras.

Het huis was spotgoedkoop en lag in een pittoresk deel van Andalusië. Alles zat erop en eraan: elektriciteit, gas, water, zelfs een piepkleine, benauwde studeerkamer. Het had echte badkamers, extra slaapkamers met douches *en suite* en een keuken en buiten een met druiven overgroeide pergola. Spigs was wel gecharmeerd van de eigenaardige instructie in een van de wc's: 'Bruin en goor, trek dan door; is het water, dan pas later'. Wat was er dan mis mee? Het was gewoon geen liefde op het eerste gezicht, en het weinige dat de eigenaar had gedaan beviel me niet.

Christina kende geen genade. Die middag moeten we wel twaalf huizen met haar hebben bekeken, merendeels *fincas rústicas* (eenvoudige boerenbouwsels) met twee kamers, in uiteenlopende staat van verval. Er was er een boven in een vallei met uitzicht op de zee die in de verte lag te glinsteren en met rozen, lavendel en een vlak terras (vlak terrein is een ware verrukking in verticaal gebied) dat verleidelijk was, maar piepklein. Verder was er een huis met twee minuscule kamers dat uitkeek op dat van de botanicus waar niets op aan te merken was, qua comfort of anderszins, en een stuk duizelingwekkende grond. Wat je voor je geld kreeg varieerde enorm.

We gingen ook kijken naar een stel afgelegen huizen, overwegend van Denen en Zweden. Ze waren allemaal heel klein, en elk verbouwd huis had wel iets vervelends. Een paar van de huizen die niet waren verbouwd waren prachtig en lagen aan het eind van stille zandweggetjes waar het rook naar zondoorstoofde dennenbomen (in januari al), maar ze waren allemaal píepklein.

Tot slot gingen we kijken naar een huis van claustrofobische afmetingen aan de rand van een fraai dorpje in Nationaal Park Sierra Nevada, waar we in de schemering aankwamen. Het had een piepklein binnenplaatsje propvol planten, en bij sommige kamers moest je je dubbel buigen om binnen te komen. Het had geen tuin, totaal geen ruimte en ik voelde me er zo opgesloten als een bromvlieg in een lucifersdoosje. Ik durfde me niet eens voor te stellen hoe het er midden in de zomer om twaalf uur 's middags moest zijn.

Die avond kwamen we terug in onze bedompte bruine flat, klam en ontmoedigd. Doelloos dwaalden we langs de kust van Fuengirola en aten een bord onvoorstelbaar smakeloze paella. Die van Spigs was niet alleen smakeloos maar ook nog eens grijs; ik zal nooit begrijpen waarom Spanjaarden paella laten zwemmen in het nat van inktvissen. Toen stortte hij zich in het nachtleven, waar hij werd lastiggevallen door een stel Spaanse kerels in leren jassen die zeiden dat hij zijn geld maar beter aan hen kon geven. Omdat hij dit soort situaties op zijn middelbare school in Noord-Londen wel vaker bij de hand had gehad, kwam hij ongedeerd en met al zijn geld weer thuis.

De volgende dag nam Robert ons mee naar de heuvels ten noorden van Málaga. Ook nu was de reis doodeng. Hij reed behendig en vol zelfvertrouwen en stelde voortdurend vragen, die in de meeste gevallen onbeantwoord bleven. De weg zwenkte om de groeven en plooien van die rode heuvels heen, en in de diepte was er alleen maar leegte – een suizende leegte met niets, en hier en daar een autowrak in de diepte. Soms zat er een rafelige kloof waar de regen een stuk uit de weg had gerukt. Zelfs als een armzalig dun stukje asfalt zich had weten vast te klampen, was het onduidelijk waar de weg ophield: geen vangrail, muur of witte streep. Toen we op onze bestemming aankwamen, een klein en gelukkig vlak gehucht dat Pastelero heette, had ik even wat tijd nodig om weer tot mezelf te komen. Ik was ervan overtuigd dat als ik hier een huis zou kopen, ik er nooit, maar dan ook nooit zou kunnen komen, en dat als ik het door een of ander godswonder wel zou bereiken, ik er nooit meer weg zou komen.

Maar het had niet alleen nadelen om daar zo geïsoleerd te zitten. In de kloven en valleien waren schattige witte huisjes rondgestrooid en het landschap was weelderig en wulps, met zo ver het oog reikte rondborstige heuvels, rode aarde die was doorspekt met grote blonde brokken kalksteen, en op een heldere dag als deze lag in de verte de Sierra Nevada te schitteren. Vlakbij torende het gehavende grijze gebit van El Torcal bars boven alles uit, een berg van door wind en gletsjers gevormd kalksteen met fantastische opeengestapelde torens en wankele, spitse rotspieken. En zoals ik uiteindelijk zou ontdekken groeiden er in de lente prachtige bloemen tussen de stenen: wilde roze enkele pioenen, hele tapijten van blauwe en paarse irisjes, verbascum, allerlei soorten distels, helleborus, wilde rozen en bloemen waarvan de naam iets veel mooiers doet vermoeden dan de vuilroze stoppels die lijken op een affodilveld dat niet wil aanslaan.

De januarigrond was helgroen als het westen van Ierland. Het wintergraan was weelderig als smaragdkleurige chenille en er blies een zacht briesje overheen, zodat het gladstreek en glansde als de vacht van een lome kat. De hellingen werden gesierd door de grijsgroene pluimen van bosjes olijfbomen en de grillige zwarte wintertakken van amandelbomen, terwijl op de kostbare vlakkere grond kikkererwten, tuinbonen en graan ontkiemde.

Robert deed alsof hij geen zin had om ons het huis te laten zien dat we op het oog hadden. 'Het heeft geen zin om het aan jullie te laten zien,' zei hij alsof hij precies wist hoe hij dit varkentje moest wassen. 'Er gaat heel veel geld in zitten om dát op te knappen. Te veel voor jullie.'

Dus gingen we kijken naar drie of vier kleine huizen op een steile zuidhelling, ingeklemd tussen de rotsen, pal aan de kale zandweg. Ze stonden op levensgevaarlijke richels die uit de heuvel waren gehouwen en we konden geen wijs worden uit de bizarre indeling; de kamers liepen gewoon in elkaar over met enorme hoogteverschillen ertussen. Terwijl je met beleid de onverwachte hindernissen moest nemen, moest je uitkijken dat je niet met je hoofd tegen de deurpost stootte die op één meter hoogte zat, of klem kwam te zitten in deuropeningen die bijna drie meter hoog waren, maar smaller dan je heupen. De slaapkamers kwamen doodleuk uit op de keuken of op andere slaapkamers. Her en der verspreid stonden kleine ijzeren bedjes met rode of groene cretonnen dekens. Het zorgwekkendst waren de vele onverklaarbare emmers. En als je zo onverstandig was om naar buiten te gaan, dan liep je kans van een gevaarlijke helling te storten, om veel lager in de varkenswei van een of andere boer te belanden.

De bewoners, zwijgzame Spaanse families, bekeken ons met wat ik interpreteerde als vijandigheid. Maar ik had het mis. Hoewel de zon uitbundig scheen, was het, op deze 560 meter hoogte, heel koud, en Spigs en ik hadden druppels aan onze neus hangen. We waren heel blij toen ons zo'n leren flesje in de hand werd gedrukt die model hebben gestaan voor menig afzichtelijke sleutelhanger, en ze ons beduidden een slok te nemen, nou ja, een scheutje stroperige, zoete wijn uit Málaga over onze kin en kleren te gieten. Maar we werden er warm en kwiek van, en plotseling leek ons zwijgzame publiek vriendelijker. Al snel sloegen we de eigenaars joviaal op de schouder en bekeken we ieder huis met inventief enthousiasme. 'Waar die emmers nu staan kunnen we de keuken maken, en dan de varkensstal ombouwen tot slaapkamer, dat kot van B-2-blokken tot badkamer, en van die kamer met al dat roet kunnen we de huiskamer maken. Misschien een terrasje waar de kippen nu zitten te broeden in die auto zonder wielen...' Spigs en ik kraaiden van opwinding, maar het vergde telkens de nodige inspanning om ons het uiteindelijke resultaat in volle glorie voor te stellen. We deden tot tien keer toe een poging, totdat Robert ons in de auto zette om te gaan lunchen.

We gingen naar Paco's bar in het gehucht Pastelero, met aan weerszijden van de ingang een plompe palmboom waar een luie husky met ijsblauwe ogen voor lag. Binnen bevond zich de gebruikelijke kakofonie van harde oppervlakken: marmer, pleisterwerk, metaal, een knallende biljarttafel en een blèrende tv. Hele ritsen foeilelijke goudkleurige plastic voetbaltrofeeën schitterden als een massief gouden gebit aan de muur. Stoffig zonlicht sijpelde door de gehavende nylon gordijnen naar binnen en alles was precies zoals het hoorde. Oude mannen staakten hun gesprek en namen ons uitvoerig op. Aan haken in het plafond hingen serranohammen waaruit iets akeligs in omgekeerde parasolletjes druppelde; konijnenpoten waren op een plank getimmerd en getuigden van de plaatselijke passie voor de jacht. De vloer werd aan het oog onttrokken door een zee van sigarettenpeuken en papieren servetjes. Er scheen hard licht uit de tl-buis en in de open haard brandden een paar enorme houtblokken. We namen nog wat te drinken, Rioja ditmaal, met daarbij een bord met iets dat qua smaak en substantie veel weg had van touw met een hamsmaakje.

Terwijl ik het beleefd naar binnen zat te werken, kwam Robert tot bedaren. 'Goed dan, dat huis dat jullie zagen ligt hier in de buurt, we gaan er wel even kijken. Maar het gaat een hele hoop geld kosten. Het is echt niets voor jou.'

Gewarmd, verzadigd en op een vreemde manier slaperig drentelden we terug naar zijn auto en schoten we weg in een levensgevaarlijke tocht vol haarspeldbochten, omhoog en omlaag en weer omhoog, langs valse honden aan kettingen en enorme vuilnisbakken waar plastic zakken uit puilden, zonder dat duidelijk was waar we heen gingen.

Plotseling stond Robert op de rem en we belandden regelrecht in een hevige passie. Dit was het huis. Dit was het helemaal, en dat realiseerden Spigs en ik ons allebei. Voor ons lag een kluit witgepleisterde rechthoeken met een doorgezakt dak van oude roze Romeinse dakpannen; vijftien kamers in totaal, inclusief geiten- en varkenshokken, met piepkleine tralieraampjes, lage, afbladderende deuren en een oude stenen dorskring. In het noorden doemde El Torcal op, in het oosten de Sierra Nevada, in het westen de El Chorrokloof en in het zuiden bolde tussen ons en de zee een ronde heuvel met olijf- en amandelbomen op. Op het land dat om het huis heen lag stonden bijna geen bomen; er groeide alleen maar gifgroen graan. We kunnen bomen planten, bedacht ik terwijl ik dromerig naar de enige fatsoenlijke boom keek, een wijdvertakte groenblijvende *transparente* (*Myoporum laetum*), in de ogen van iedere rechtgeaarde Spanjaard een soort onkruid, maar dan wel een heel mooie soort, die een beschermende tak uitstrekte naar het huis.

Vanaf de rand van de wei achter het huis zagen de bouwsels eruit als een piepklein Moors dorpje, gebouwd in de schaduw van de boom. We waren compleet betoverd door het uitzicht, de wirwar van kleine kamertjes, de ruwe muren van bijna een halve meter dik. We vonden dat het er heerlijk rook, zelfs in de provisorische dierenhokken met hun ijzeren golfplaten daken en de kleine geitenhokken.

We kregen te horen dat het huis negen jaar leeg had gestaan.

Niemand had de sleutel en we konden er niet in, dus dweepten we met de stal, het varkenskot en het geitenhok. Uiteindelijk joeg Robert ons de auto in, helemaal dolgedraaid van onze spraakwaterval. Door onze roze en wollige bril leek zelfs Fuengirola aardig en karakteristiek en Spigs' aanhoudende monoloog over mijn tekortkomingen als ouder (verbazingwekkend veel) klonk redelijk en terecht.

Twee dagen later gingen Spigs en ik nog eens kijken, ditmaal vergezeld van Barbara Stallwood, de geduchte drijfkracht en koningin van de makelaardij in Almogia die samenwerkte met Robert, en haar zakenpartner, Juan de aannemer, kwam mee. Nu maakten we kennis met meneer Alcohalado, de verkoper, die acht kilometer bleek te zijn komen lopen vanuit Villanueva om de deuren open te doen en ons binnen te laten. Daar slaagde hij maar ten dele in. We troffen elkaar om twaalf uur in de zon. De deuren waren zo uitgezet van de regen en zo weinig gebruikt dat sleutels niets uithaalden. Ik stond bij de watertank van het terrein toen ik een bijzonder vreemd gegrom en onduidelijke kreten van beneden hoorde komen. Nader onderzoek wees uit dat die afkomstig waren van *señor* Arrabal en diens vrouw en schoonzus, onze toekomstige buren, die allemaal stokdoof zijn. Dat weerhield ze er echter niet van vriendelijke begroetingen te brullen en ons krachtige en onbegrijpelijke adviezen te geven, terwijl ze Spigs' benen door een hoog smal raampje persten. Toen die eenmaal binnen was, duwde hij de voordeur open.

Er waren zes kamers met piepkleine raampjes en dikke muren van leem, stenen en kiezels; vier daarvan hadden een eigenaardig mozaïek van allerhande tegels op de golvende vloer. Er hadden twee gezinnen Alcohalados gewoond, totdat ze negen jaar geleden uit het huis waren vertrokken. Aan de zuidkant bevonden zich twee solide, grofgebouwde dierenhokken met vrijwel vlakke vloeren van gladde steen en torenhoge dakbalken die in een punt toeliepen. Er waren twee geitenhokken van B-2-blokken en ijzeren golfplaten aan vastgebouwd. Uiteindelijk zouden ze door de arm van een graafmachine in één keer worden weggevaagd.

Ik vind het nog steeds verwarrend dat het zuiden heuvelopwaarts is en het noorden beneden, maar zo is het nou eenmaal. In het noorden bevonden zich ook vier kamers die recentelijker van B-2-blokken waren gebouwd, en die als een ark zachtjes de heuvel af zeilden. In dit gedeelte was de vloer van glanzende tegels met mortadella-effect omhooggekomen, het asbest dak was verschoven en gescheurd, de deuren en ramen waren verrot en kromgetrokken en de muren waren verzakt, waarbij scheuren van acht centimeter waren ontstaan. Ik vond het geweldig. Ik stelde me al voor dat het, als ze waren gesloopt en verbouwd, één grote koele kamer zou worden met uitzicht op El Torcal.

Van het oude stuk was het grootste deel bedekt met beroete terracotta dakpannen, op bamboe gelegd, over houten balken die ooit oersterk waren geweest, maar inmiddels decennialang waren aangevreten door houtworm. In één kamer was het metershoge dak te zien, ergens anders waren overal lage plafonnetjes gemaakt die griezelige voorbodes leken van de rampen die ons daarboven te wachten stonden. Ik moest telkens denken aan het huis van mijn ouders in Formosa en de sissende python in het dak die ratten ving.

Verder waren er nog twee vrijstaande kamers, slordig gebouwd van oude gehavende B-2-blokken met asbest erbovenop. Vijftien maanden later, in april, gebruikten wij ze als slaapkamer en badkamer, en toen we in juni terugkwamen werden ze bevorderd tot keuken en bergruimte. Er hadden zich bijen genesteld in het dak van de 'keuken', maar over het algemeen waren ze vreedzaam.

Bovenaan stond ten slotte de watertank, met zijn Mexicaans ogende emmervormige toren, als een minuscule klokkentoren. Omdat er scheuren in zaten die niet meer te repareren waren, vormde het een gunstig klimaat voor een grote muggenpopulatie. Er bevonden zich ook twee, misschien drie bronnen, bewoond door kikkers.

Spigs en ik beenden met goedkeurend gemompel door de te dure finca. Toen liet Juan de aannemer hem de bronnen en dierenhokken zien, waarbij ze met goed gevolg hun lichaamstaal als communicatiemiddel gebruikten. Het is me een raadsel hoe Spigs snapte dat Juan zei: 'We hoeven dit alleen maar vlak te maken en er acht centimeter hardboard, pleister en tegels tegenaan te gooien en klaar is Kees,' terwijl zijn Spaanse vocabulaire niet meer omvatte dan '*Dos cervezas, por favor*', maar ik beschouwde het als een wonder in dit wonderbaarlijke land.

Ik worstelde me de olijven- en amandelplantage aan de achterkant van het huis op (aan de zuidkant) en bleef daar sprakeloos staan door het adembenemende uitzicht in het noorden: kanteelvormige heuvels getooid met de grillige bergkam van El Torcal en een stukje helblauwe zee in het zuiden. De zon was krachtig, de lucht kristalhelder, de glooiende velden knalgroen, de amandelbomen bedekt met zwellende roze knoppen, en ik was verkocht. Ik nam een paar rolletjes foto's van het huis waarop vooral daken vol lege bier- en wodkaflessen te zien waren, wat erop duidde dat er liederlijke onderbrekingen hadden gezeten in de tijd dat het leegstond. Vele maanden lang werden deze trieste foto's mijn hoop, passie en kostbaarste bezit en ik liet ze zien aan iedereen die gek genoeg was om langer dan drie minuten met me te praten. Geheel tegen onze gewoonte in waren Spigs en ik het roerend met elkaar eens en zeiden tegen Robert dat dit zonder enige twijfel het huis was dat we zochten.

Het idee was om duizend pond bij elkaar te scharrelen als aanbetaling en de rest te betalen uit de verkoop van mijn huis in Londen. Op de avond voor ons vertrek naar Spanje was ik tot kwart voor vier opgebleven om raamkozijnen en deuren te verven in een poging het huis van een afbrokkelend geheel om te toveren tot een droomhuis dat de makelaar aan de mensen kon laten zien als wij weg waren. Er was een bod gedaan, maar ik wist dat het huis oneindig veel meer waard was. Ach, wat zouden de dingen anders zijn gelopen als ik dat eerste bod had geaccepteerd.

Ik was beducht voor de enorme veranderingen in mijn leven die voor me lagen en wist totaal niet waar het allemaal naartoe ging. Ik had nog niet geaccepteerd dat mijn relatie met Edward ten dode was opgeschreven, al brachten we steeds minder tijd met elkaar door. Maar ik had me gerealiseerd dat mijn carrière volledig was vastgelopen, en alleen al bij de gedachte dat ik het zoveelste boek over kussentjes moest schrijven, kreeg ik het Spaans benauwd. Ik kon alleen nog maar aan vluchten denken. De jongens en ik hadden wat ruimte en afstand nodig en ze hadden allebei ernstig tegen me gezegd: 'Mam, dit huis is te groot voor je. Je moet het verkopen.'

Maar er stond iets anders te gebeuren, het grootste van allemaal, zoals ik zou ontdekken toen ik thuiskwam.

Op 14 januari 1997 kwamen Spigs en ik aan het begin van de avond terug in Highbury. Toen we naar binnen liepen, ging de telefoon. Het was Dan.

LIEFDESPERIKELEN

De relatie van Edward en mij was nooit iets geweest waar we samen al onze tijd in hadden gestopt. Het had meer weg van de bezoekregeling van een gescheiden ouder: ik ging op woensdag naar hem toe, en in het weekend waren we om beurten bij elkaar. De ene keer at, sliep en drentelde ik nerveus door zijn flat in Richmond, en de andere keer at, sliep en drentelde hij nerveus door mijn huis in Islington.

Omdat hij niet graag onder de mensen kwam, had ik onafhankelijk van hem een sociaal leven opgebouwd dat zich grotendeels afspeelde rondom mijn vrienden Joyce en Nick, en ik kreeg steeds meer behoefte aan hun steun en warme onthaal. Er was altijd wel iets te doen in hun kleine huis in Hackney; de sfeer was er niet een van oordelen of kritiek, maar van grenzeloze gastvrijheid en vrolijkheid. De herfst van 1996 had extra glans gekregen omdat er regelmatig een man kwam die ik al veel eerder met Edward had ontmoet.

Dan Pearce, schilder en, in Edwards bewoordingen, lanterfanter, bracht warmte en leven in het dorre struikgewas van wat in feite een kwijnende relatie was. Een jaar eerder was Dans huwelijk na twintig jaar op vriendschappelijke maar pijnlijke wijze tot een eind gekomen, en had hij zijn huis en gezin in Suffolk verlaten om zijn geluk in Londen te beproeven. Hoewel hij het naar vond om niet meer bij zijn vrouw Elly en zijn twee kinderen Doris en Ted te zijn, stonden de zaken er goed voor: hij had een flat gevonden en maakte iedere week stripverhalen voor het tijdschrift *Punch*. En geheel tegen zijn gewoonte in verdiende hij geld.

Het idee dat ik Dan tegen het lijf kon lopen vond ik schandalig spannend en ik had allerlei smoesjes verzonnen om bij Joyce langs te gaan. Als hij dan toevallig binnenkwam, begonnen mijn knieën te knikken en gingen mijn nekharen overeind staan. Als volwassene weet je dat zoiets niet veel goeds belooft en wel slecht af moet lopen, met een ordinair slippertje dat zou culmineren in een Tolstoj-of Balzac-achtig drama, waarbij ik ten slotte van de wielen van een trein zou worden gespoten of me aan zou sluiten bij de rij armoeiige hoertjes achter King's Cross in Londen. Maar ondanks deze sombere vooruitzichten begon de zon te stralen en gingen de vogels zingen als ik Dan zag. Ik werd er helemaal warm van, zichtbaar opgewonden en ik moest voortdurend lachen. Daar valt toch niets tegen te beginnen?

Dus toen ik op 14 januari 1997 om halfacht 's avonds de telefoon had neergelegd zei ik met een bibberstem tegen Spigs: 'Ik geloof dat hij me zojuist mee uit heeft gevraagd.'

'Doen', was van Spigs' gezicht af te lezen, en ik deed het. En wat er ook gebeurt, wat voor ellende of onheil de goden ook over mij of ons mogen uitstorten, ik zal er nooit spijt van hebben. Dan knoopte zijn rode zakdoek met witte stippen open en stalde warmte, humor, grenzeloze gulheid, tederheid, zorg, bergen goedheid, een praktische instelling, Scrabble, seks, een toekomst en dromen voor ons samen voor me uit en zei: 'Pak maar. Wat van mij is, is ook van jou.' Niet dat hij veel had. Welgeteld bezat hij niet meer dan een ladekast en een grote spiegel.

Dus gingen we uit. Wat voor los-vaste toekomst Edward zich ook had voorgesteld, hij was zich er duidelijk totaal niet van bewust geweest hoe eenzaam en gedesillusioneerd ik was geraakt, en toen hij ontdekte dat ik verliefd was geworden op een ander, was hij zeer geschokt, zo geschokt zelfs dat hij anderhalf jaar later zijn droomhuisje in Cornwall kocht en trouwde, iets waarvan hij had gezworen dat hij het nooit zou doen. Niet met mij tenminste.

Toen ik helemaal opgewonden over het huis terugkwam uit Spanje, pakte Dan meteen potlood en papier en begon plannen te maken op basis van de rommelige aantekeningen die ik achter op enveloppen had gemaakt. Hij leefde en dacht volledig mee en slaagde er zelfs in om bevriend te raken met Leo en Spigs, die eerst de kat uit de boom wilden kijken, geen duimbreed wilden toegeven en zelf net door allerlei crises heen gingen. Ik vind bijna alles wat Dan doet of zegt geweldig, maar toen hij zei: 'Jouw kinderen zijn mijn kinderen,' en met zijn engelengeduld en gulheid liet zien dat hij dat ook meende, voelde ik dat mijn grote liefde voor hem gegrond was.

De maanden daarna waren een angstaanjagende emotionele tornado, nog verergerd door een verlammende rugpijn. Ik denk dat die werd veroorzaakt door mijn nieuwe en ongelofelijk chique leren koffer, die ik speciaal voor mijn reis naar Spanje bij Jaeger in de uitverkoop had gekocht. Het probleem was dat het wel leek alsof ik er allemaal stenen in had gestopt, en op de terugweg slaagde ik erin om een hernia te krijgen. Zonder dat er verbetering in leek te komen had ik voortdurend pijn vanaf het moment dat Dan en ik een relatie hadden tot 16 juni 1997. Dat weet ik omdat ik ergens in april in mijn dagboek over die dag in juni had geschreven: 'Beter of dood', nadat een reumatoloog me had verteld dat ik een 'normale' hernia had, en dat het een halfjaar zou duren voor die over was.

Ik vond mezelf een uniek geval, waarschijnlijk terminaal, en ik wilde niet verder leven als het zoveel pijn zou doen. Gaan zitten was onmogelijk, en als ik uit de auto stapte voelde ik soms zo'n vreselijke pijnscheut dat ik alleen maar kon verstijven en in tranen uitbarstte. Ik moest staande schrijven. Pluspunt van het hele drama was dat ik veel was afgevallen omdat ik niet kon zitten. Het is gewoon niet leuk om staand te eten.

Maar mijn kwaal bracht een prachtige kant van Dan aan het

licht die ik anders nooit achter hem had gezocht en die hij me nooit had kunnen laten zien: na twintig jaar min of meer alleen te zijn geweest en voor twee zoons te hebben gezorgd was ik eraan gewend geraakt om fel en onafhankelijk te zijn. Dan was eindeloos behulpzaam, geduldig en positief. Ik kon geen boodschappen doen, niet koken, eten, autorijden, lopen, gaan liggen, opstaan, mijn panty aantrekken, me wassen, iets dragen, iets optillen of überhaupt normaal functioneren, en hij deed dat allemaal zonder te klagen. Ik kwam regelmatig vast te zitten op de roltrap, in een stoel, in mijn auto, of ik kermde of zweette van de pijn als er een vlijmscherp mes in mijn onderrug werd gestoken. Dan hielp met alles, en als hij nu wel eens moeilijk doet over houthakken of zijn vuile sokken oprapen, dan hoef ik maar even te denken aan die tijd dat ik zo afhankelijk van hem was en mijn verontwaardiging is verdwenen. Ik weet echt niet hoe ik het zonder hem had overleefd. Wat me nog het meest heeft geholpen was zijn rotsvaste vertrouwen dat ik weer beter zou worden, want daar was ik niet zo zeker van.

Als ik in die eerste helft van 1997 niet bij Dan was, zat ik bij een orthopeed, twee fysiotherapeuten, een leraar Alexandertechniek, een acupuncturist, een chiropractor, een reumatoloog en een soort reflexoloog die mijn voeten masseerde, waarbij ze onbedaarlijk zat te gapen, hetgeen ze toeschreef aan mijn gebrek aan energie. 'Sommige mensen zijn er zo slecht aan toe dat ik de hele tijd moet overgeven,' vertelde ze. Daar was ik er tenminste niet een van. Ik ging een poosje naar een psychotherapeut omdat ik het idee had dat er iets psychosomatisch ten grondslag lag aan het feit dat ik me plotseling niet meer kon bewegen.

In die tijd maalden woorden als verlamming, verstarring, geveld onder schuldgevoel, totaal vastgelopen als een mantra door mijn hoofd. Ik voelde me zo kwetsbaar als een heremietkreeft die vastzit tussen twee schelpen. Er voltrok zich zo'n aardverschuiving dat ik me het beste leek te kunnen beschermen door op de rem te gaan staan, hetgeen mijn deplorabele toestand wat camoufleerde. Dan leek te mooi om waar te zijn, en ik bleef maar wachten totdat hij het op zou geven.

Een van de fysiotherapeuten zei tegen me dat mijn lijf reageerde op twintig jaar spanning, op hevig vechten of vluchten, en dat de oplossing eenvoudig was. 'Laat het allemaal los,' was haar advies. 'Vraag je bij alles wat je doet af: "Wil ik dit eigenlijk wel?"'

Nog nooit was een opmerking zo hard bij me aangekomen, en ik vind het nog steeds verbijsterend hoe waar het is. 'Maar zo kun je toch niet leven!' protesteerde ik. Een andere manier bestaat natuurlijk niet. Na een braaf, saai en angstig leven te hebben geleid sta ik nu op de bres als ik vrienden met zichzelf zie worstelen; ik beschouw het als een missie om ze duidelijk te maken dat we bij mijn weten maar één leven hebben, en dat iedere seconde de moeite waard is. 'Pak hem bij z'n ballen!' wil ik dan wel roepen.

Of om het wat mooier te zeggen: *No guardes nada para una ocasión especial, cada día que vives es una ocasión especial.* Bewaar nooit iets voor een speciale gelegenheid: iedere dag, ieder uur, iedere minuut die je leeft is een speciale gelegenheid.

Ik heb nooit echt in het Lot geloofd, maar de een of andere kracht had Dan en mijn samengebracht op een moment dat ons leven aan het veranderen was. Ik kan nog steeds niet geloven dat ik de enige man op deze aarde ben tegengekomen die dapper genoeg was en voldoende in huis had om samen met mij aan mijn gevaarlijke droom te beginnen. Maar hij was er, en we stonden samen aan het begin, dolblij met elkaar en vol opwinding over het avontuur dat ons te wachten stond.

We zouden veel langer aan dat begin blijven staan dan we hadden verwacht.

KRAP BIJ KAS

Robert, de makelaar, wachtte geduldig af, maar in april begon hij te mopperen dat hij het Spaanse huis niet voor onbepaalde tijd voor me kon vasthouden en dat ik maar eens op de proppen moest komen met het resterende bedrag van de koopprijs. Opnieuw stond ik op het punt om mijn Londense huis te verkopen, dus vroeg ik aan mijn andere zus, Judy, of zij me geld kon lenen voor de twee of drie weken tussen het kopen van de finca en de verkoop van Highbury Hill. Mijn nieuwe koper wilde het huis graag hebben, de aanbetaling kon ieder moment worden gedaan en er kon eigenlijk niets misgaan. Een rampzalige veronderstelling. Judy was zo gul (en zo gek eigenlijk) om akkoord te gaan en stuurde me een cheque, en in juni 1997 vertrokken Dan en ik naar Spanje om de finca te kopen.

Zelfs luchthaven Luton kon ons humeur niet bederven. Dan en ik grepen elkaar telkens vol ongeloof vast. 'Het gaat echt gebeuren, we gaan het huis echt kopen,' zeiden we voortdurend. We waren net een afgrijselijke soap die je niet uit kunt zetten: stewardessen, winkelbediendes, ze kregen allemaal te horen over het huis in Spanje terwijl we foto's, tekeningen en documenten tevoorschijn haalden. We hingen iedereen de keel uit, behalve elkaar. Wekenlang waren goede vrienden en passerende honden de straat overgestoken om onze dubbele vloedgolf aan onsamenhangend enthousiasme niet te hoeven doorstaan.

Het liep allemaal zo gesmeerd.

Met wat hulp van onze trouwe makelaars, Robert en Barbara, en een advocaat, een grijzende kloon van Marcello Mastroianni in een kameelbruine jas, die me een reprimande gaf omdat ik me serieus afvroeg of het systeem met de witte grensstenen wel werkte ('Wij Spanjaarden zijn een eerzaam volk,' zei hij met verwaten arrogantie), slaagden we erin om met ongekende doeltreffendheid de koop te sluiten.

In de week dat Dan en ik het huis kochten, logeerden we boven La Loma, de bar in Almogia, een van de twee dorpjes die het dichtst bij onze finca lagen. Het was heel warm en mijn rok plakte aan mijn billen – ik moest achteruitlopen, anders zouden de mensen nog denken dat ik incontinent was. De kamer waar we logeerden was werkelijk piepklein en de kleinheid van de aangrenzende badkamer zat hem erin dat je met je voeten in bad moest zitten als je naar de wc wilde. We gnuifden als bankrovers die een goede kraak hebben gezet, wuifden probleempjes weg en in het vertrouwen dat er iemand over ons waakte vonden we alles fantastisch, van muggen tot spelfouten op menukaarten. We gingen maar één keer kijken naar het huis, zaten tussen de goudgele stoppels van het tarweveld naar de zonsondergang te kijken, wat op 21 juni, de langste dag, om halftien gebeurde. Het was de eerste keer dat Dan het huis zag, en gelukkig vond hij dat ik zo briljant was geweest om precies de juiste keus te maken. Het paard van onze buurman, señor Arrabal, dartelde door de wei en beneden in de drooggevallen rivierbeddingen bloeiden linten van roze oleanders. Het was allemaal sprookjesachtig en we vlogen terug naar Londen met een grote grijns op ons gezicht; we waren zelfs zo tevreden dat we niet eens tegen de andere passagiers praatten.

Toen we aankwamen in Londen, kregen we alles tegelijk op ons dak. Een dag voor we de koopcontracten van het huis in Highbury zouden tekenen, kwamen we thuis. We zouden elkaar de volgende ochtend om halfelf bij mijn notaris treffen, en toen ik die avond tegen mijn gewoonte in aan het opruimen was, zag ik opeens een brief liggen die waarschijnlijk al maanden eerder door de bus was geduwd. Er stond in dat Arsenal, de voetbalclub, mijn huis en nog eens acht andere huizen wilde neerhalen om het stadion uit te breiden.

Blinde woede en machteloosheid natuurlijk. Ik belde mijn koper, die zoals te verwachten was van de aardbodem verdween. Al onze plannen kwamen knarsend tot stilstand en ik moest Judy het slechte nieuws vertellen. Ik kon haar de lening pas terugbetalen als ik mijn huis had verkocht.

Dan zette zich vreselijk in voor de anti-Arsenalcampagne, maakte posters en cartoons, sprak met radioreporters, kwam in de plaatselijke krant en woonde eindeloos veel saaie vergaderingen bij. Ik heb hem eigenlijk zelden zo gelukkig gezien: hij had een Missie, en hij vindt niets zo opwindend als Superman uithangen.

Er had zich een strijdcomité gevormd van alle plaatselijke architecten, advocaten, professoren en kakelende huisvrouwen, maar nadat we als luidruchtige middenklasse maandenlang hadden dwarsgelegen, hadden we nog steeds niets bereikt. We realiseerden ons dat Arsenal kon doen wat het wilde, en er net zolang over kon doen als het wilde. Uit pure armoe raakten we gewend aan de situatie, en ik legde me erbij neer dat we verder nooit meer iets aan het huis in Spanje zouden kunnen doen. Van ons droomkasteel was het veranderd in een albatros in staat van ontbinding die om onze nek bungelde. Ik had het gevoel dat ik honderd jaar ouder was en zat nog dieper in de schulden – ik had erop gerekend dat ik mijn huis in Londen zou verkopen om allerlei leningen af te kunnen betalen die ik, afgezien van die van Judy, nog had afgesloten.

Naarmate het jaar vorderde, hield onze pech aan. De vrouw van mijn ex-man overleed aan kanker en daar had Spigs zoveel verdriet om dat ik dacht dat hij gek werd. Ze was zijn steun en toeverlaat geweest, had hem aangemoedigd met zijn enorme, heftige schilderijen en hem altijd met respect behandeld. Het was het meest aangrijpende van de meerdere sterfgevallen waar hij dat jaar mee te maken kreeg.

Leo, mijn oudste zoon, sloot zijn grafische studie in Brighton af, kwam terug naar huis en begon een loopbaan als voetbalkijker met speciale verantwoordelijkheid voor de bank en de televisie.

Ik werd voortdurend herinnerd aan de bron van onze ellende door het uitzicht aan de achterkant van het huis op het stadion in al zijn megalomane verdorvenheid. Het doemde boosaardig op en hield de zon weg, en ik veranderde in de dorpsgek van Noord-Londen die ziedende brieven schreef naar iedereen die op wat voor manier dan ook met voetbal te maken had om niet ten onder te gaan aan vruchteloze woede.

Hoewel het steeds beter ging met mijn rug en Dan naast chocola nog steeds de beste uitvinding ooit was, werd mijn baan steeds minder inspirerend doordat het bestuur een nieuw beleid voerde dat zich volledig richtte op de geldschieters. Het tijdschrift was een doorslaand succes en ontketende dan ook een felle concurrentiestrijd. Het was een lastig parket: het moest altijd anders en nieuw zijn en alle andere bladen voorblijven, maar tegelijkertijd moesten de ingrediënten waar de lezers zo van hielden dezelfde blijven.

Alsof dat allemaal nog niet genoeg was, kreeg mijn moeder een beroerte. Op de dag dat het gebeurde zat ik te aarzelen of ik naar het ziekenhuis moest gaan voordat ze een prognose hadden gesteld. 'Mam, we stappen nú in de auto,' zei Leo. Ik zal eeuwig dankbaar zijn dat hij altijd zijn zin doordrijft. Toen we haar zagen, was ze aan een kant verlamd, maar heel dapper. Ze herkende de jongens en maakte een grapje. Galgenhumor is altijd haar sterke kant geweest, en ze kan er trots op zijn dat ze zo moedig met de situatie omging. Ze was duidelijk blij met het bezoek van haar knappe kleinzoons; ze was altijd al in haar element in het gezelschap van mannen. De laatste keer dat ze in ons bijzijn bij kennis was, was ze de dappere vrouw die ze altijd was geweest.

De volgende dag ging Judy haar opzoeken en was ze er heel

slecht aan toe. Die nacht raakte ze in coma, en twee weken later overleed ze. De eerste week hadden de jongens bij haar gewaakt, en ik denk dat het hen beiden goeddeed om iemand vredig te zien sterven, iemand die eraan toe was om te sterven en dat ook wilde. Ik ben ervan overtuigd dat hun gezelschap – voortdurend bakkeleiend over het hoofdartikel uit *90 Minutes*, hun voetbaltijdschrift, een troost voor haar was.

Ze liet een klein en niet bijster aantrekkelijk huis in Essex na, en een piepkleine erfenis. Die kwam goed van pas en ik gebruikte hem om wat terug te betalen van het geld dat ik Edward nog schuldig was, maar meer ook niet. Hoewel ik er financieel gezien minder dramatisch voor stond, moest ik nog steeds een onhaalbaar bedrag terugbetalen aan Judy, maar zij noemde alleen maar af en toe heel terloops het huis. Dat kon ook niet anders, want ik was er volledig door geobsedeerd.

Dan maakte eindeloos tekeningen van het huis en de tuin, bedacht plannen en veranderde ze weer, voegde er vijvers aan toe, bedacht een nieuwe indeling voor het interieur en maakte driedimensionale ontwerpen, iets wat fenomenaal is voor iemand die geen architect is. In het gemak waarmee hij louter numerieke afmetingen kon omzetten in realistisch ogende ruimtes en verleidelijke uitzichten was te zien dat hij al jarenlang tekende en beeldhouwde. Hij kon hoogteverschillen suggereren, wat voor effect trappen zouden hebben en hoe terrassen eruitzagen als ze vol planten stonden. Hij ontwierp tuinen met fonteinen, beekjes en terrassen, schoof eindeloos met kamers om zo goed mogelijk gebruik te maken van wat we hadden, tekende zwierige trappen en eettafels onder een dak van jasmijn, met uitzicht op de heuvels in de verte en met druiven overgroeide pergola's, waaronder je in een licht- en schaduwspel koffie kon zitten drinken terwijl de zon naar het zenit klom.

We hadden het over Gaudí, over grote poorten en golvende, met mozaïek ingelegde stoelen rondom een cirkelvormig zwembad. Dan liep overal warm voor, van grootse plannen tot minieme details; hij zag zelfs wel wat in Spigs' bizarre idee om een fikse grot in de heuvel uit te graven, waarin hij in stijl als een kluizenaar kon wonen. Hij begon ook zijn studio te ontwerpen, te dromen over hoe hij kon werken, hoe hij zichzelf in Spanje kon onderhouden.

Al konden we nog steeds niet beginnen aan ons Spaanse huis, we konden wel dromen – iets wat sterker was dan wijzelf. Dat maakte het feit dat we vastzaten in Londen draaglijk. Die blauwe lucht van ons *mañana* zouden we hoe dan ook krijgen, en voor het geval positief denken en optimistische beeldvorming daarbij hielpen, deden we dat volop.

1998

AFZIEN

Het gemis van Spanje werd ons te veel, en na een ronduit kwellende afwezigheid van tien maanden besloten we in april 1998 de gok te wagen en een hele week in ons huis te gaan zitten. Waarom niet? dachten we. We kunnen best wel even zonder beschaving. We hebben de zon, elkaar en de geneugten van het primitieve leven.

Dan had eindeloos veranderingen voor het huis zitten schetsen, maar ik had ook niet stilgezeten. Ik had een prachtige naam verzonnen. Ik dacht dat ik ergens een *mirador* had gezien, een mooi uitzichtpunt, dat Huppeldepup Miranda heette. Wat slim! 'Casa Miranda' was een meertalige woordspeling en betekende 'huis met uitzicht'. Perfect. Maar niet alleen bleek mijn eerste veronderstelling onjuist te zijn; toen ons restauratieproject met het verstrijken van de jaren steeds meer problemen begon op te leveren en zelfs dreigde uit te lopen op een faillissement, begon de naam steeds meer de spot met me te drijven.

Om ons aan te moedigen in ons ambitieuze plan er een echt huis van te maken, wilde Barbara ons graag een finca laten zien die al was verbouwd. Dan zat in La Loma boven glazen *fino* vriendjes te worden met Juan de aannemer, dus nam ze mij alleen mee naar het huis van Ken en Olive, vlak buiten Almogia aan de hoofdweg, waarachter een diep ravijn lag. Ik voelde me wat onbehaaglijk op die plek, maar het gebouw zelf was een prachtige finca met twee verdiepingen, bijna een *cortijo*, die wonderbaarlijk veel van zijn oorspronkelijke karakter had behouden. Veel nieuwe huizen in die streek hebben één of meer elementen die rechtstreeks uit het repertoire van de Ierse bouwklassieker Bungalow Bliss lijken te komen, met grillige kantelen, overbodige torentjes, metalen raamkozijnen, maanvormige poorten en witte plastic deuren met het shockerende effect van een perfect glanzend gebit in de mond van een tachtigjarige.

Twee verdiepingen is heel wat hier, en op de bovenste van dit huis bevond zich een prachtig, ruim, open vertrek, zonder poespas, waarvan de lage ramen uitkeken over de baai in de diepte en de bergen in de verte, met een groot houten gewelf dat de hele vloer als een regenboog overspande. Ken was thuis en werkte als een bezetene om de elektriciteit en het sanitair af te krijgen voordat Olive de volgende dag zou aankomen. Het opvallendste meubelstuk, haar prachtige orgel, was al geïnstalleerd. Het domineerde de kamer op de begane grond als een klein, barok altaar dat uit een andere tijd leek te zijn overgeseind en naast de tv en de bank met rozenbekleding was beland. Ken, zo gek op z'n vrouw als ze zich maar kon wensen, onderbrak zijn paniek korte tijd om ons de pronkstukken van het huis te laten zien: glanzende keuken, badkamer, elektriciteit, afgrijselijke tegels, imponerend trappenhuis, en ging toen weer verder met bouwvakkers bepraten en zweten. Ik vond deze uitputtende blijk van liefde intrigerend en wilde graag kennismaken met Olive. Helaas besliste het lot anders en ik heb haar nooit ontmoet.

Vergeleken met hun huis was het onze ronduit triest en het krioelde er van de meest uiteenlopende wilde beesten. Wezens met geschubde staarten schoten de hoek om als er een mens aankwam, het gras voor het 'slaapkamerraam' werd doorkliefd door onmiskenbaar slangachtige kronkelaars en in het dak hadden zich bijen genesteld. Dan werd midden op zijn voorhoofd gestoken toen hij een stuk metaal in de muur ramde om een hangmat aan op te hangen, en korte tijd leek hij net een cycloop.

Er was geen water, geen elektriciteit, geen wc, geen zon, en ik vond het feit dat er geen vlakke grond was al even erg. Of je moest de heuvel op zwoegen, of je glibberde naar beneden, en van allebei kreeg ik een pijnscheut in mijn rug. Gelukkig kon ik toen met geen mogelijkheid weten hoe primitief de jaren erna zouden worden.

Maar 'positief' was op dat moment ons motto, en we lieten ons optimisme niet vergallen door iets knulligs als leven in het Stenen Tijdperk. In de piepkleine Ford Ka die we hadden gehuurd, maakten we via de kronkelweg een levensgevaarlijke afdaling naar Málaga en kochten er een enorme hoeveelheid spullen in een vliegtuigloods van een supermarkt: waardeloze emaillen pannen waar alles in aanbrandde, een campinggasje, een luchtbed, twee ligstoelen en een hele batterij plastic bakjes om hongerige beesten bij ons eten uit de buurt te houden. We waren er trots op dat we alle levensbehoeften in een sardineblikje hadden gepropt.

Die middag was ik urenlang met een bezem in de weer, zodat het huis niet meer zo'n gevaar voor de gezondheid was, maar ik had de moed niet om de kamer zonder ramen aan te pakken, want daar was de vloer bedekt met zwarte minitorpedo's, en dat zei genoeg. Ik keek er één keer met de zaklamp naar binnen en trok de deur toen stevig dicht.

Ik hou niet van poetsen. Ik heb zelfs een hartgrondige hekel aan schoonmaken, en na twintig jaar samenwonen met twee zoons weet ik dat het sowieso onbegonnen werk is: zodra je ergens ook maar een beetje hebt opgeruimd, liggen er alweer een berg sokken, voetbalbladen, videobanden en vuile borden. Maar hier hunkerde ik naar de droom van iedere huisvrouw: zwabbers en Ajax, stofdoeken en Pledge, sponzen en honderden schone theedoeken. Ik verlangde vooral naar stromend water.

Het water dat we wel hadden kwam uit het schattige watertankje met een nogal dunne plastic emmer aan een stuk touw;

de kunst was om de emmer met de open kant naar beneden in het water te gooien, zodat hij helemaal volliep. Ik vond het niet erg om het water op te halen omdat ik het idee had dat het heel goed was voor mijn borstspieren, maar ik vond het wel erg dat het krioelde van de muggenlarven en ander ongezond spul. Dat was voordat we de dode kat op de bodem van de tank zagen liggen. Alles wat ik aanraakte wilde ik koken en ik wond me vreselijk op over de ziekte van Weil, papegaaienziekte, tetanus, maltakoorts, dysenterie, malaria, laishmania-infectie en vleermuizenbeten. Behalve op de eerste zonnige dag, toen we nog dachten dat er een hittegolf aankwam, konden we geen gebruikmaken van mijn superhandige jeugdherberg-douche op zonne-energie van nog geen tien Engelse ponden: een plastic tas die je vulde met (wriemelend) water, dat je in de zon liet opwarmen. Tegen de tijd dat we naar huis gingen, waren we zo bedreven en efficiënt geworden dat één steelpannetje gekookt water genoeg was om de afwas te doen, tanden te poetsen en ons helemaal te wassen.

We gebruikten het piepkleine kamertje dat nu onze badkamer is als keuken en sliepen in een van de vervallen bijgebouwen, en ik was ervan overtuigd dat een salamander (of iets ergers, iets veel ergers) zich door de muur heen zou vreten en mijn neus op zou eten. Die eerste avond was ons luchtbed zo zacht als een oude ballon. Vol trots hadden we het aangeschaft; wat was het toch slim van ons om een tweepersoonsbed te kopen dat in een Ford Ka paste. Maar we vonden het ook onvoorstelbaar dom om het maar half op te blazen. Het klotste als een halfvolle warmwaterkruik, en het geringste beweginkje veroorzaakte een vloedgolf. Als Dan zich omdraaide, deinde het matras op en neer en rolde ik uit bed. Uiteindelijk sliepen we zelfs op de ijskoude betonnen vloer, als natte vissen op een snijblok. Dat zou me de volgende nacht niet nog eens gebeuren, echt niet, dus dankzij mijn heroïsche verrichtingen met de voetpomp had het matras het keiharde profiel van een rij dakpannen. Als je je nu omdraaide, belandde je in de volgende vallei. Het geval was zo hard als de bovenkant van een koelkast, en al net zo uitnodigend.

Die week slaagden we erin een goed compromis te vinden wat betreft zachtheid, maar het werd er niet warmer op. De kou van de betonvloer kwam er dwars doorheen en we hadden het door en door koud, omdat we doodstil bleven liggen en ons niet durfden om te draaien uit angst voor de weerstand en het gekners van het rubber. Nog nooit had ik zulke lange nachten doorstaan, zulke sombere gedachten gehad, zo'n verlammende kou gevoeld. En het was koud, ijskoud, met een meedogenloze westenwind die mijn tanden deed klapperen en de hele dag in mijn botten bleef zitten. Dans bloedsomloop functioneert prima, maar die van mij is nogal knullig en haperend; hij haalt mijn tenen en vingers nooit.

Op dit en ons volgende bezoek ontdekten we dat eenvoudig leven allesbehalve eenvoudig is. Kaarsen waaien uit, veroorzaken wasvlekken, geven te weinig licht om iets bij te kunnen doen, branden in een noodgang op en helpen aardewerken kandelaars naar de filistijnen. Paraffinelampen lekken, je hebt er de precisie van een hersenchirurg voor nodig om ze aan de praat te krijgen, de lont brandt op in plaats van de vloeistof, ze veroorzaken walmen inktzwarte rook alvorens een klein oplichtend vlammetje te produceren, en dan gaan ze uit. De afwas doen was ook een beproeving. Ik haalde water uit de put, zette dat op om te koken, vergat het, vulde de resterende drie centimeter aan, warmde dat op tot het te heet was om nog te gebruiken, goot het in de afwasteil om af te koelen, vergat het weer en uiteindelijk, meestal wanneer het al pikdonker was, probeerde ik vergeefs in lauw, vet water een berg borden, glazen, kopjes, pannen en bestek af te wassen, die ik vervolgens nergens kwijt kon. Die lange week in april bestond geluk uit papieren bordjes.

Ik had al evenmin succes met de handwas, waarvan ik altijd dacht dat die stralend wit tevoorschijn kwam. Omdat we in

Spanje geen gewone kussens konden vinden, kochten we een peluw en een bijzonder smaakvolle, witte ton-sur-ton hoes, die binnen een week een onrustbarende chocoladekleur had. Toen ik het niet meer aan kon zien, deed ik mijn rubberen handschoenen en gebloemde schort aan, zette een pan water op en brouwde er sop van. Fluitend en wel stond ik te boenen en te wringen, en ik boende en wrong tot ik een Sierra Nevada aan schuim had. Triomfantelijk trok ik de kussensloop uit zijn besneeuwde schuilplaats. Er kwam een lange chocoladebruine slang tevoorschijn.

Maakt niet uit, dacht ik, ik weet nog wel iets. Ik vulde een enorme emaillen pan met water, sleepte hem naar de wankele gaspit, propte er het onaantrekkelijke geval in en bracht het aan de kook. Ik liet het een flinke poos zachtjes pruttelen, keek er eens naar, liet het een halfuur verder borrelen, keek nog eens en gaf het toen op. Het was aanzienlijk kleiner geworden en de chocola had zich in streepjes geconcentreerd. Goed, dacht ik, in de zon moet het wel lukken. Het duurde even voordat ik een plekje had gevonden waar de zon welwillend kon neerkijken op de sloop, maar onverwacht bezoek niet. Het had me bijna een hele dag gekost. En het resultaat? Een veel te klein vlekkerig bruin kussensloop dat vreemd genoeg naar soep rook en eigenaardig stijf aanvoelde voor een hoofd in ruste.

En dan nog het koken, waar een heuse kamikazemoed voor nodig was, in tegenstelling tot het genot waarmee ik het inmiddels doe.

Voorbereidingen voor het eten gingen als volgt:

1. Koop bij de plaatselijke winkel eten waar je niet om kunt vragen en dat je niet kunt identificeren, in hoeveelheden die je niet kunt aanduiden.
2. Pijnig je hersenen geruime tijd met de vraag hoe je van acht ondefinieerbare stukken kip en vier courgettes iets heerlijks kunt maken. Als je in Spanje kip koopt, dan zal de winkelier

vragen of je het in stukken wilt hebben. Als je zo dom bent om ja te zeggen, dan gaat hij hem als een moordenaar met een bijl te lijf en hakt hem in mootjes.

3 Ga eindeloos zitten prutsen met de onduidelijke knoppen van de gasfles en het fornuis die op een wankel tafeltje balanceren; probeer het gas aan te steken met waslucifers waarvan de brandende kop tegen je kleren spat, waarmee je je vingers verrekt en verbrandt en waarmee je niets kunt aansteken omdat er gevaarlijke hoeveelheden gas aan kooktoestel én ventiel ontsnappen. Dit stadium vergt wat tijd en dient vergezeld te gaan van stevig taalgebruik.

4 Doe wat olie in een van de emaillen Continente-pannen; bedenk te laat dat er in allemaal nog een dikke laag havermout zit, en zet hem op het vuur.

5 Bedenk dat je de snijplank (een klein en onhandig stuk vurenhout dat bij een stuk oneetbare kaas zat) en het Opinelmes nog moet afwassen.

6 Ga op zoek naar een emmer. Dompel hem in de watertank en vul een grotere emaillen pan met water. Let niet op het gewriemel.

7 Herhaal stap drie driemaal met het tweede pitje voor de waterpan.

8 Denk te laat aan de oliepan om olie of pan te redden.

9 Was het mes, de vreselijke plastic bordjes, snijplank et cetera af in kokend, niet meer wriemelend water.

10 Begin opnieuw met stap drie, met een nieuwe pan en niet-aangebrande olie. Doe er grote hoeveelheden knoflook, kip, tomaten, courgettes en rode wijn in en roer dat bij gebrek aan pollepel met een metalen, schrapende vork. Brand je vingers. Vloek.

11 Sla een glas Rioja achterover. Ruik dat er iets aanbrandt.

12 De keuken is nu in duisternis gehuld. Het is onmogelijk om bij kaarslicht te zien of het eten wel of niet gaar is. (De keuken was de laatste kamer die werd aangesloten op het elektri-

citeitsnet, en maandenlang kookten we bij het licht van kaarsen of kerosinelampen.)

13 Verspil kostbare minuten met het aansteken van een olielamp, die iedere keer dat je de glazen kap omlaag doet, uitgaat, te kampen heeft met alle voornoemde problemen met lucifers en ook nog eens een onbereikbaar pitje heeft.
14 Ruik dat er iets aanbrandt, ren naar de keuken, graai de gloeiendhete pan van het fornuis, sla geen acht op de geur van schroeiend vlees, smijt de pan op tafel, rommel wat in het donker op zoek naar borden, bestek, zout en peper. Bedenk te laat dat je nog rijst had willen maken.
15 Vergeet alle ellende door Dans razende honger. En doordat hij aanbiedt om af te wassen.

Op een avond kwam Juan langs toen we in onze schemermisère zaten. We dronken gezellig een glas wijn terwijl hij bekeek hoe we vol goede moed probeerden om *al fresco* te leven. Toen hij weer op kantoor was, praatte hij eens met zijn elektricien, Paco.

Die aprilmaand hadden we alles vijf avonden lang met toegeknepen ogen zitten bekijken bij flakkerend kaarslicht en het schijnsel van een paar weerbarstige Tsjechische olielampen. Zo'n tien minuten lang was dat romantisch, maar toen realiseerden we ons hoezeer we afhankelijk waren van elektriciteit, en dat het een afgrijselijke gedachte was om al in de schemering in bed te moeten kruipen. De ochtend na Juans bezoek zaten we wat rond te ploeteren toen Paco langskwam en de hoofdschakelaar aanknipte. De hemel zij geprezen! We hadden licht! We hadden het al die tijd al gehad. Onze vier peertjes van twintig watt kwamen ineens tot leven en er ging een wereld voor ons open: opeens konden we lezen, zien wat we aten, salamanders, slangen, schorpioenen, spinnenwebben en ratten ontwijken.

Voordat er licht was, was het gevaarlijk geweest om je blote voeten op de grond te zetten; ik verwachtte krakende spinnenpoten onder mijn voetzolen te voelen of door een wesp in mijn hand te worden gestoken als ik iets oppakte. Ik was ervan overtuigd dat er zich onder iedere steen iets schuilhield dat zijn leven lang gif had opgespaard in de hoop ooit tegen mijn enkel aan te lopen. Maar het ergste wat me overkwam was dat er, toen ik op een ochtend ging plassen, iets slangachtigs wegschoot, maar dan heel klein.

Vliegen kwamen met zwermen tegelijk, er alleen maar op uit om ons te irriteren. Ze vlogen eindeloos rondjes langs het plafond, als een wachtrij vliegtuigen voor Heathrow. Ze kropen over het randje van mijn koffiebeker, lieten daarbij een fikse hoeveelheid onfrisse sporen na en keerden dan weer terug naar het stukje blote arm waar ze eerder hadden rondgekriebeld. Aanvankelijk werd ik er hysterisch van, en Dan en ik staken heel wat doelgerichte energie in het vinden van vliegenklevers. Na veel vijven en zessen vonden we ze in een ijzerwinkel. Triomfantelijk hingen we er twee midden in de zitkamer aan het lage plafond. Dan had, heel aandoenlijk, medelijden met de eerste vlieg die op de kleefkrul voor zijn leven vocht. Binnen twee dagen zag het er zwart van zijn onbeweende kameraden, alsmede een wolk van mijn haar omdat ik er telkens tegenaan kwam als ik aan tafel ging zitten. Langs het plafond cirkelt nog steeds hetzelfde aantal vliegen.

Die week verzamelde zich op het scheve terras iedere avond precies om halfzeven een stel vreemde katten met een hoopvolle blik in hun ogen. De eerste keer dat dat gebeurde, zat er maar één gewone rode kat met een verschrompelde, karikaturale kop. Ik gaf hem wat te eten en prees mezelf gelukkig dat ik een bestrijdingsmiddel tegen ratten had gevonden. De volgende avond zaten er negen katten, zo op het oog allemaal nauw met elkaar verwant. Dat was alarmerend, en bij de gedachte dat dit aantal iedere dag met deze exponent zou toenemen, zat ik de hele dag koortsachtig te rekenen. Negen maal negen is eenentachtig, dacht ik. Ik zag de hongerige meute al voor me. Maar die avond zaten er maar twee. De rode kat bleef, meestal in het gezelschap van een fraaie lapjeskat, en af en toe van een cyperse.

Iedere ochtend werden we wakker met een jubelend vogelkoor. Ik ben hopeloos als het op ornithologie aankomt, dus ik wist niet wat het voor vogels waren, maar ik herkende wel een duif waarvan het hese gemurmel eerder in een bos thuis leek te horen dan hier. Net als de koekoek, die herkende ik ook. En 's nachts waren er uilen, die eerder een schrille kreet slaakten dan oehoe of iets in die geest te roepen. In de omringende boerderijen kakelden de hele dag kippen en jonge hanen, en de pauw die bij iemand in de prachtige kleine boomgaard onder aan de heuvel woonde, slaakte iedere avond een gekwelde kreet, waarmee hij leek te fungeren als waakhond met net wat meer glamour. Gieren vlogen met hele troepen boven de karkassen van geiten. Gepluimde bruine vogeltjes liepen parmantig heen een weer waar de aarde was omgewoeld. Torenvalken cirkelden boven de vallei en bekeken loom de dagelijkse bezigheden in de diepte, en tot zijn grote vreugde zag Dan een paar adelaars traag boven de heuvel zweven, waarvan één een enorme slang in zijn klauw hield. 'Ringslang. Volstrekt ongevaarlijk,' beweerde hij. Niet erg overtuigend.

Wat me die aprilmaand nog het meest verbaasde waren de bloemen. Langs de weg golfden enorme stroken met allerlei wilde bloemen, mauve en roze en paars. Achtenveertig verschillende bloemsoorten, geel niet meegerekend, want daar hou ik niet van. Ons stuk grond stond vol gladiolen, terwijl langs het pad elegante kruisdistels en melkdistels stonden. Op onze heuvel, de Galgenheuvel – waar nog de geesten van ketters of helden uit de Burgeroorlog rondwaarden, afhankelijk van degene die jou bang probeerde te maken – stonden zijdeachtige roze cistusroosjes, en phlomis met zilvergrijze, leerachtige bladeren, waaierpalmen en een keur aan margrieten. Dan en ik trotseerden een storm om naar de top te klimmen. Ik stond erop dat we zijn gloednieuwe, dure cameraatje meenamen zodat we de bloemenpracht vast konden leggen, en halverwege liet hij het op een rots kapotvallen. Na deze helse week was dat geen goed moment en hij verloor bijna zijn humeur, schudde bijna waarschuwend zijn vinger.

Aan het eind van onze eerste week in het huis mochten Dan en ik onszelf gelukwensen. We hadden het overleefd! We sprongen op en neer en omhelsden elkaar om het te vieren, en dachten stiekem bij onszelf hoe heerlijk het zou zijn om terug te gaan naar Highbury, waar baden, centrale verwarming, licht, muziek, functionerende kooktoestellen tot de standaarduitrusting behoorden.

Met een lichte huivering dachten we aan juni, wanneer we weer terug zouden gaan.

ARSENAL – ANDALUSIË

Een interview met een zesennegentigjarige pottenbakster van Poole Pottery deed me inzien dat je echt keihard moet zijn. Ze was mager en kwiek en had scones gebakken die ze met zelfgemaakte aardbeienjam bij de thee serveerde. De kleine potjes waar *clotted cream* in zat en de elegante theepot waar ze onze Earl Grey uit schonk had ze eigenhandig gemaakt en beschilderd in de hoogtijdagen van de pottenbakkerij, in de jaren dertig. Ze had een vlekkeloos geheugen, was vlijmscherp en nog grappig ook en het interview liep gesmeerd. Toen hoorden we iemand de voordeur open- en weer dichtgooien. Haar gezicht betrok maar ze bleef vertellen over zaken als glazuren en onverglaasd porselein. We hoorden zware voetstappen op de gang. Ik had net gevraagd naar haar bloemmotieven toen de keukendeur werd opengegooid en er een man van een jaar of zeventig naar de koelkast beende, de deur openzwaaide en met sombere blik de inhoud een paar minuten lang bestudeerde. 'Wat eten we vandaag?' vroeg hij, zonder de moeite te nemen zich om te draaien. Het tafereel kwam me griezelig bekend voor, behalve dan dat de hoofdrolspelers zo'n halve eeuw voorliepen op mijn zoons en mij.

Dus toen er in 1998 wat geld Dans kant op kwam, genoeg om met verbouwen te beginnen, besloten we weg te gaan uit Highbury en het aan de goede zorgen van Leo en Spigs over te laten, die inmiddels respectievelijk vijfentwintig en tweeëntwintig waren, naar mijn mening oud genoeg om op zichzelf te gaan wonen. Ik had al een tijdje het gevoel dat een van ons moest vertrekken (de jongens of ik) en omdat de jongens naar het zich liet aanzien niet graag uit huis wilden, viel die onaangename last mij ten deel. Ik hoopte dat ik ze op die manier voorzichtig zou voorbereiden op zelfstandig zijn, iets wat ze zeker moesten doen als ik Highbury Hill ooit zou verkopen.

Het vooruitzicht om ook echt in ons huis in Spanje te gaan wonen en te beginnen met de bouwwerkzaamheden was reuze spannend en het aantal schetsen van Dan nam explosief toe; op elk buskaartje en iedere telefoonrekening waren wel raamdetails, plattegronden, trapdelen en tuinontwerpen gekrabbeld. Omdat het huis op een steile helling lag en de kamers op het noorden twee meter lager lagen dan die op het zuiden, vroeg het om een goede planning en vindingrijkheid. Omdat we het in de toekomst misschien wilden gaan verhuren, wilde ik er twee op zichzelf staande appartementen van maken, elk met een eigen keuken en badkamer.

We zagen grote, lege kamers voor ons die elk uitkwamen op een terras. Overal rondom het huis zouden zich geplaveide zitjes bevinden met lage, brede traptreden die van het ene naar het andere niveau leidden. Ik hield mezelf nog steeds voor dat we wat konden rommelen met het huis zoals het was, gewoon het dak repareren, buiten wat terracotta tegels leggen en binnen de vloeren gelijktrekken, en was heel verontwaardigd toen Juan suggereerde dat het de beste oplossing was om het huis af te breken, de grond te egaliseren en het van daaraf weer op te bouwen. 'Maar ik hou juist zo van dít huis, dat mag je niet zomaar veranderen. Ik wil geen nieuw huis. Ik wil gewoon iets maken van het huis zoals het is,' zei ik tegen hem.

Hij glimlachte vermoeid en was zo uitgekookt om het stukje bij beetje af te breken en weer op te bouwen, zodat het mij niet opviel. Het leek veel meer te kosten dan ik had verwacht, maar geldzaken zijn nooit echt mijn sterke kant geweest.

Ik vroeg me af hoe we het financieel zouden overleven. Een

jaar of tien lang, toen het tijdschrift nog in de kinderschoenen stond, was het geweldig geweest om tuinredacteur te zijn. Ik werd betaald om prachtige tuinen te gaan bekijken en de makers ervan te interviewen. Tuiniers zijn schatten van mensen en niets is leuker dan in de fantastisch onderhouden tuin van een ander te zitten, wijn met ze te drinken en te genieten van de vruchten van al hun harde werk. Maar ik wilde niets liever dan zelf zo'n leven leiden in plaats van erover te schrijven. Onlangs was Dans cartoon in *Punch* weggezuiverd door de nieuwe hoofdredacteur, en ik voelde op mijn klompen aan dat ik mijn baan niet eeuwig zou houden. Als het was afgelopen, en misschien was dat nu al het geval, dan zou geen enkele oerkracht me ertoe kunnen bewegen weer een doorsnee saaie baan te nemen.

Maar toen ik er eens over had nagedacht, lukte het me om een prachtregeling te treffen voor mijn werk. Het grootste deel deed ik thuis en ik was maar één dag per week op kantoor – wat mij betreft tijdverspilling omdat een open werkvloer funest is voor alles waarbij je je moet concentreren, en al helemaal als je je overal mee wilt bemoeien. Ik stelde de nieuwe hoofdredacteur voor om een hele week per maand naar kantoor te komen en dan elke dag aanwezig te zijn; ik zou dus zelfs meer en niet minder op kantoor zijn dan anders. Er zat wel iets in en ze vond het goed om het eens uit te proberen. Ik vond het een fantastische oplossing, maar na verloop van tijd bleek zij daar anders over te denken.

We waren van plan om zelf met het leeuwendeel van ons meubilair naar Spanje te verhuizen, en dan zou ik iedere maand een week teruggaan naar Engeland om op kantoor te werken. Ik wilde dolgraag weg uit Highbury Hill, waar ik nog steeds de hete adem van Arsenal in mijn nek voelde en dat nog steeds onverkoopbaar was. Ik had inmiddels een hekel aan het huis gekregen; er hing een sfeer van teleurstelling en frustratie en het stadion lag duister en dreigend te loeren, als een symbool voor de bloeddorstige wreedheid van de Arsenal-bonzen.

Dan en ik zaten muurvast. We konden het Spaanse huis pas afmaken als Highbury was verkocht; we konden er pas naartoe als Arsenal een besluit had genomen, en tot die tijd moest ik hoe dan ook mijn baan houden. Als we ook maar een beetje geld hadden, deden we weer iets aan Casa Miranda, we lagen voortdurend overhoop met de bank, woonden in een bijzonder smerige bouwput en ik reisde heen en weer, totaal ontworteld, en probeerde mijn tijd zo goed mogelijk te benutten. Het leek wel alsof ik een gepassioneerde, geheime verhouding had met een getrouwde man: als ik in Spanje was, lag ik voortdurend in zwijm over de Turnerachtige zonsondergangen, de kleuren van het landschap die voortdurend veranderden, de schitterende briljanten in de nachtlucht; als ik terugging naar Engeland schrompelde ik in elkaar, begroef ik me in mijn bezigheden, hunkerde en belde. Naast mij bevond zich een gapend Danvormig gat en overal om mij heen was het lelijk en grijs.

Ik ben niet in de wieg gelegd voor een nomadenbestaan omdat datgene wat ik nodig heb altijd op de andere plek is, en die lange maanden was ik absoluut iemand zonder vaste verblijfplaats. Bijgeloof en heimwee zorgden ervoor dat ik altijd lood in mijn schoenen had als Dan me naar Málaga bracht voor mijn maandelijkse bezoeking. Zwartgallige gedachten als: Dit was de laatste keer dat ik hem levend heb gezien, cirkelden als een aasgier om mijn hoofd. Ik vertrok van de mooiste plek op aarde, met overal zilveren olijfbomen, gedompeld in goud door een sluier van herfstig zonlicht, en reisde dan naar de grauwe eenzaamheid van Gatwick. Vervolgens bevond ik me de zeven of tien dagen van mijn verblijf in een emotionele achtbaan. Dat is mijn definitie van ontworteld zijn: geen houvast hebben en overgeleverd zijn aan de stemmingen van anderen.

Ik hing natuurlijk voortdurend aan de telefoon. Joyce, die Dan en mij bij elkaar had gebracht, Judy, mijn gulle zus, en Hester, met wie ik samenwerkte, waren mijn houvast. In die anderhalf jaar tijd vertienvoudigden de lijstjes en schema's die mijn krampachtige mantra vormden.

We hadden besloten om het huis in Highbury te verhuren aan Leo, Spigs en twee vrienden van ze. Ik dacht dat ze de hypotheek met zijn vieren wel konden opbrengen – weer een zorg minder voor ons. Een oerdomme gedachten om redenen die iedereen inzag, maar ik had alle vertrouwen in mijn twee zoons.

Het huis was groot: vijf slaapkamers, een zolder en een kelder, en het was tot de nok toe volgepropt. Boven op kleerkasten wankelden koffers vol spullen van de rommelmarkt, op zolder stonden dozen die in geen eeuwigheid waren opengemaakt en in de kelder lagen roestende onderdelen en tuingereedschap te verstoffen.

Als ik ooit heb getwijfeld aan mijn veerkracht, mijn vermogen om helemaal op te rekken en dan weer snel en krachtig terug te schieten, dan hadden de weken vóór ons vertrek uit Highbury Hill op 11 juni 1998 me ervan moeten overtuigen dat ik de rekbaarheid heb van een bungeekoord. Het idee dat ik alle spullen die ik in de loop van twintig jaar had verzameld, moest uitzoeken en inpakken, vond ik zo angstaanjagend dat ik niets deed. Ik was in paniek. Nou ja, ik was natuurlijk meer dan in paniek. Ik kocht boeken over hoe je je huishouden op orde kon krijgen die ik zorgvuldig las en waarin ik passages rood onderstreepte. Maar verder ging ik nog steeds naar kantoor en negeerde het noodlot dat bulderend en toeterend op me af stormde.

Het kwam in de gestalte van Mark en Chris, van het bedrijf dat we hadden uitgekozen om onze meubels te verhuizen. De twee waren nog nooit eerder in Londen geweest en misschien nooit verder gekomen dan de grenzen van Warwickshire, maar op 1 juni 1998 arriveerden ze 's avonds laat in Highbury, nadat ze onbedoeld bijna heel Londen hadden gezien tijdens hun koortsachtige zoektocht door de stad.

'Ze hebben hier geen straatnaambordjes! Krankzinnig! We

zijn drie keer om Trafalgar Square heen gereden,' zeiden ze. Trafalgar Square? Bij aankomst zagen ze er gebroken uit, en ze kregen een nog langer gezicht toen ze zagen dat we nog niets hadden ingepakt. Werkelijk niets. Ik bood ze een bed, eten en een paar glazen wijn aan, waardoor ze aanzienlijk opklaarden. Vooral de bedden waren welkom: anders hadden ze in hun cabine moeten slapen.

Het was een vreemd stel, die enorme, vriendelijke en, naar we ontdekten, onvoorstelbaar efficiënte kerels. Mark had glanzend bruin haar tot op zijn heupen en had voor Staatsbosbeheer gewerkt. Chris, de chauffeur (groot, somber en zwijgzaam) vond het vreselijk om ook maar één nacht gescheiden te zijn van zijn vrouw en dochtertje, en wilde dolgraag naar huis. De vrachtwagen zou terugrijden naar het noorden en dan zou Dave, de eigenaar van het transportbedrijf die deze route vaak had gereden, hem twee weken later naar Spanje rijden en ons treffen bij Casa Miranda.

Dus kwamen we op die zonnige dag in juni fris en opgewekt bij elkaar en begonnen met inpakken. Het was de bedoeling om alleen het broodnodige en onze persoonlijke eigendommen mee te nemen en onverwoestbare of al kapotte meubelen achter te laten voor de jongens en hun vrienden. Ik ben altijd rampzalig als het op beslissingen aankomt, en die dag moest ik er duizenden nemen. Met dozen en kranten binnen handbereik hield Mark dan een licht geschroeide lampenkap of gehavende ovenschotel omhoog en vroeg: 'Nemen jullie deze mee?'

Ik draaide eromheen.

Dan zei bij alles: 'Nee, gooi maar weg,' waarna ik in actie kwam.

'Ja, dat nemen we mee!' zei ik dan, waarop Mark het voorzichtig inpakte en in een doos deed.

Er waren bergen en bergen troep, en zodra een kamer er fatsoenlijk uitzag, ontdekte ik een enorme berg met nog meer troep achter een andere doos of wankelend boven op een tv. Er ontstonden voorwerpen waar we bij stonden, er kwamen dozen tevoorschijn die ik allang was vergeten, en die vol bleken te zitten met kindertekeningen van Leo en Spigs. En het was allemaal zo rommelig. Als er foto's van de muur werden gehaald, zag je de omtrek ervan nog op de muur. Achter kasten kwamen ongeverfde muren tevoorschijn. Er vielen dingen uit laden en banken die ik maar beter niet kan benoemen. Zelfs de peertjes die Mark zo voorzichtig inpakte zaten onder het stof. Ik heb me nog nooit zo diep geschaamd.

En net toen we dachten dat het meeste achter de rug was, ontdekten we een enorme lading spullen op zolder die ik was vergeten: mijn verzameling antieke blikjes, leren koffertjes propvol liefdesbrieven en vreemdsoortige sportartikelen.

'Weggooien,' brulde Dan.

'Houden,' krijste ik. Dan keek me streng aan, gegrepen door een blinde weggooiwoede, terwijl ik pleitte voor doosjes brieven, pakjes oude briefkaarten of mandjes met foto's. In een stapel met wel heel uiteenlopende paperassen ontdekte ik een beurscheque ter waarde van achtenzestig pond uit 1969, toen ik grafische kunst studeerde op de Central School of Art and Design, en die ik destijds waarschijnlijk had aangezien voor een rekening. In die tijd was dat een hoop geld. Al die rommel had zich opgehoopt totdat de dag zou aanbreken waarop ik genoeg tijd had om het uit te zoeken en ervan te genieten, en die dag was eindelijk nabij. En Dan wilde dat ik het wegdeed! In plaats van het daar ter plekke uit te zoeken sprak ik overal mijn veto over uit. Iedere brief, rekening en wazige foto kwam ongecensureerd mee naar Spanje. Hij had stiekem een enkele doos in de vuilnisbak kunnen gooien voor ik het in de gaten had, maar ik denk niet dat hij het heeft gedaan. Ik vond Dan een beul en hij vond mij een sentimentele trut. We zagen elkaar in een nieuw, niet erg flatteus licht.

Alsof inpakken en verhuizen nog niet enerverend genoeg was, had ik het zo geregeld dat ik voor het tijdschrift drie dagen naar Modena moest. We hadden besloten om, als ik terug was, een afscheidsfeestje te geven in Highbury Hill, waarna we mijn bejaarde auto zouden inpakken en af zouden reizen naar Zuid-Spanje om een nieuw leven te beginnen.

Van dat vooruitzicht werd ik heel somber. Ik heb een hekel aan feestjes, vooral die van mezelf, en ik verwachtte de hele avond te midden van bergen Dorito's te zullen zitten, waarbij ik in mijn eentje goedkope drank achterover zou slaan. Het zou voor iedereen een prachtkans zijn om te laten zien hoe weinig ze van me hielden. En de auto naar Zuid-Spanje rijden, volgeladen met spullen, was ook al een slecht idee: de auto was te oud, de wegen te snel, en dat alles aan de verkeerde kant van de weg. Een reisje naar het tuinfestival in Modena? Krankzinnig. Bij het krieken van de dag vroeg ik me regelmatig af wat er eigenlijk in me was gevaren om te denken dat dit een prachtplan was.

Maar ik kan Modena echt aanraden. De Italianen hebben het geluk dat er briljante architecten en stadsontwikkelaars leefden toen ze hun bloeiperiode doormaakten. In het centrum van Modena hebben ongetwijfeld de rauwe scheldpartijen van de Montagen en Capuletten geklonken, en het tuinfestival was een openbaring. Als u ook wel eens als een gevaarlijke misdadiger ondervraagd en gefouilleerd bent toen u de Chelsea Flower Show probeerde binnen te komen, daarna een halfuur in de rij hebt moeten staan voor een lauw drankje en een kurkdroog broodje en van een opdringerige vent met een bordje 'verboden toegang' te horen hebt gekregen dat u de verkeerde kant op liep ('Wil je me soms zien heupwiegen?'), dan hebt u er misschien net zo'n hekel aan als ik. De organisatoren zijn om onduidelijke redenen zelfingenomen, het stikt van de regeltjes en voorschriften en het regent altijd.

Modena was een totaal andere wereld. Het was fantastisch. Er was de hele dag zon, peuters en honden dartelden tussen de bloemstukken door en niemand schold ze uit, probeerde ze te bekeuren of veroordeelde hun verzorgers tot dienstverlening.

Je kon door de modeltuinen lopen, van dichtbij naar de plantjes kijken, je neus in de lelies stoppen, de structuur van de blaadjes voelen; Georgina, mijn collega van kantoor en ik namen enorme hoeveelheden verrassend goede foto's voor het tijdschrift. 's Avonds was er heerlijk Italiaans eten onder een tentdoek, van het beste restaurant in Modena, en terwijl wij aan de met ricotta en geroosterde aubergine gevulde ravioli zaten, zong een in Prada gehulde jongedame liefdesliedjes uit de jaren dertig, terwijl de nachtlucht was vervuld van de geur van witte jasmijn en rinospermum. Overal in de donkere, mysterieuze tuinen waren kerstlampjes opgehangen, boven ons twinkelden de sterren en om onduidelijke redenen waggelden er hordes witte ganzen bedachtzaam rond.

Na drie dagen te hebben gespijbeld kwam ik om drie uur 's middags terug in Highbury; ik was al sinds vijf uur 's ochtends onderweg. Het feest zou om acht uur beginnen. Dan en de jongens hadden onvoorstelbaar hard gewerkt: het huis zag er schoon en netjes uit, er waren allerlei interessante gerechten en ze hadden lekkere muziek uitgezocht. De avond was alleen al gedenkwaardig vanwege de galmende kamers waar meubels en bergen troep hadden gestaan.

Er kwamen heel veel trouwe vrienden die zich naar behoren volgoten, en ik stroomde over van genegenheid. Ik hoefde de Dorito's niet in mijn eentje op te eten. Het was treurig en grappig en een definitieve afsluiting van mijn leven met de jongens. Dertien jaar hadden we in dat huis gewoond, vanaf de tijd dat mijn zoons, inmiddels bomen van kerels en somber bovendien, onbezorgde jochies waren die voor het slapengaan wilden worden voorgelezen. Er was zo veel gebeurd: vreugde, tranen en ruzies en alles wat daartussenin zat. We hadden talloze huisdieren zien komen en gaan. Toen ik door de lege kamers dwaalde, viel het me telkens weer op hoe oneindig veel beter het eruitzag zonder al mijn prullen en frutsels, waarvan het merendeel in mijn auto was gepropt. De metamorfose had iets van het contrast tussen de verstikkende tierelantijnen en drukdoenerij van een Oostenrijkse barokkerk en de serene rust van de kerk van Matisse in de buurt van Vence, die slechts wordt opgesierd door het parelende licht dat door de ramen naar binnen schijnt.

Dan kan echt zonder spullen en vindt het niet nodig om als een leeuw te vechten voor wat hij wel heeft en koestert, zoals het luxe wollen kleed dat hij dolenthousiast met zijn dochter voor Spanje had gekocht, hemelsblauw met zeegroen op een crèmekleurige achtergrond, waar hij rustig met zijn moddervoeten overheen loopt. Zijn kleren smijt hij op de grond, zijn half afgemaakte schilderijen liggen in stapels onder koppen koffie, zijn schamele bezittingen zijn opgestapeld en weggepropt en opeengehoopt. Maar bij mij werkt dat anders. Ik weet dat het geen enkel nut heeft, maar ik ben dol op mijn Shakerdozen en Guatemalteekse manden, naïeve beschilderde houten vogels en Indiase stempelblokken.

We hadden mijn Citroën weggebracht voor een beurt en de garagehouder gevraagd om vooral te kijken naar de banden en de reserveband, en hem daarna helemaal volgestouwd met spullen. Omdat iedere vierkante centimeter was volgepropt, hing hij heel laag in zijn vering. We hadden kaartjes voor de Eurotunnel vanuit Folkstone voor 11 juni om 5.21 uur 's ochtends. Vol goede moed vertrokken we.

We stonden aan de vooravond van een nieuw leven.

LAATSTE AFSLAG PASTELERO

Toen we naar het zuiden stoven, werd Frankrijk geteisterd door een tropische regenbui. De eerste keer dat we stopten om te tanken was bemoedigend. De opmerkzame jongeman die de tank volgooide, wees ons erop dat het metaal van ons linkervoorwiel te zien was en, bij nadere inspectie, ook van het andere. In een van de achterbanden zat een grote scheur, en ook in de andere zat een jaap. Zelfs de reserveband had de verkeerde maat en in het dunne en stoffige rubber was DOOD gekerfd. Dat was een ontnuchterend moment en een schoolvoorbeeld van 'schade en schande'. Terwijl de pompbediende een aanschouwelijke voorstelling gaf van het ophanden zijnde 'BOEM', kreeg ik mijn gloednieuwe mobieltje binnen twee minuten aan de praat (iets wat onder normale omstandigheden een week zou hebben geduurd) en belde de garage in Londen. Ze beweerden dat ze de banden hadden nagekeken, en daar had ik flink voor betaald ook. Ik stond ze daar in de regen onder de overkapping van het tankstation flink op hun donder te geven.

Hun antwoord was niet erg geruststellend. 'O, die vent die jullie auto heeft nagekeken, die hebben we ontslagen. D'r is hier niemand om uit te schelden.'

Dat was een ontmoedigend begin van de lange, overbeladen reis door Frankrijk en Spanje. Bergen geld verhielpen het probleem en we vertrokken met een volle tank en vier gloednieuwe banden.

Regen. Tot voorbij Clermont-Ferrand bestudeerden we de

Franse regendruppels: dunne miezerige, dikke vette, horizontale en aarzelende. Daarna scheen de zon; Dan reed snel en doelbewust, ik sliep en we kwamen in de goudgele schemering aan bij het huis van mijn vriendin Sophie in Uzès, op tijd voor een ijskoude duik in haar zwembad. Eindelijk zaten we in het zuiden, met zijn stof en hitte en oleanders, omringd door witen blauwgeverfd pleisterwerk, terracotta dakpannen en olijfbomen. Eindelijk!

Sophie is een geboren entertainster en ze had een heel feest georganiseerd, met het bonte gezelschap dat emigranten om zich heen verzamelen als ze in het buitenland feestjes geven.

'Jullie vinden Pierre vast geweldig,' zei ze tegen ons. 'Hij is aan het afkicken van de alcohol, maar hij is gríezelig knap. Dat stel dáár is net verhuisd naar het grote huis boven in het dorp. Een beetje s-a-a-i. Hij is landschapsarchitect. Misschien kan hij me wel vertellen wat ik moet doen met mijn *flotilla*, of hoe zo'n ding ook heet, je weet wel, die grote boom waar plakkerig spul uit op je auto druipt. Kennen jullie Didier? Dat is mijn nieuwe Franse minnaar (ja, Henri kon niet langer dan drie minuten nuchter blijven) en hij is niet te houden. Níet te houden. Hij liep me gewoon overal kwijlend achterna. Reuze vleiend. Heeft zonder morren mijn afvoer gerepareerd. Was zelfs blij dat hij het mocht doen.'

Die avond bestond het gezelschap uit een makelaar, een schrijver, een ex-heroïneverslaafde, een gepensioneerde bankdirecteur en een stel grijze hippies. Hoewel het nog best lastig was om gespreksonderwerpen te vinden die iedereen interesseerden, was het een geweldige avond die we nooit zullen vergeten dankzij een slank blond meisje met een borstelkop, een Zweedse operazangeres die zonder begeleiding Mozart voor ons zong en ervoor zorgde dat mijn mascara uitliep, omdat ze zo tenger, zo moedig was, en omdat haar stem klonk als een regenboog in kristal waar de zon op schijnt. Dit was een emotioneel moment voor Dan en mij. Zo tussen twee werelden, twee levens had bijna alles ons eronder kunnen krijgen, maar nu leek het alsof ons even een blik in het paradijs werd gegund.

De volgende ochtend reden we naar het zuiden en brachten de nacht door in een niet bijster sfeervol hotel in Tortosa, dolblij dat we in Spanje waren en sprakeloos van uitputting. De volgende avond kwamen we aan in ons nieuwe huis, nadat we over zinderende vlaktes en door dorpjes met één geit waren gestoven, waar niets opzienbarends was gebeurd sinds Franco de foxtrot had gedanst. We hadden allerlei soorten heuvels, bergen en rotsformaties gezien, kerncentrales die pal naast overvolle stranden stonden, smog van de fabrieken aan de Costa Brava, nog bewoonde grotwoningen met kanten gordijntjes en plastic tuinmeubelen en een dalletje met naaldbomen dat zo uit Zwitserland leek te zijn overgeplaatst, nog lieflijker door dartele beekjes en het zonlicht dat op de naalden van coniferen schitterde.

En aan het eind van onze reis wachtte ons een woestenij vol stenen. Het terrein was volledig kaalgeslagen en overal lagen bergen zand en B-2-blokken. Onze enige troost was de ruwcementen vloer die voor ons piepkleine badkamertje was gestort, het enige vlakke deel van ons gelaagde huis, waar de zon zich opmaakte om achter El Chorro te verdwijnen.

We zaten daar in de laatste goudkleurige zonnestralen, doodmoe en moedeloos, en Dan joeg me de stuipen op het lijf door zachtjes te gaan huilen.

'Ik mis Doris en Ted zo,' snikte hij vanaf zijn plekje op het vochtige cement, terwijl de tranen hem over de wangen liepen. En zijn ex-vrouw Elly, dacht ik. Hij zou zich nooit zo ellendig hebben gevoeld als hij in Sudbury was gebleven. Mijn God, wat nu? Sindsdien weet ik dat Dan nogal theatraal is, maar het moet gezegd: op die onvergetelijke avond in juni hadden we geen eten, geen bed, geen comfort, geen water, niets om op te zitten.

Maar zelfs toen, op ons absolute dieptepunt, toen onze krankzinnige overmoed in rook was opgegaan en ons niets restte dan het bezinksel van onze droom, was daar die spectaculaire zonsondergang en hoorden we de geitenbellen en de krekels. Het uitzicht op de gouden, in schemerduister gedompelde graanvelden was weergaloos, Juan en zijn mannen hadden een enorme bak van metaal en beton gebouwd als zwembad, ze hadden de oude keuken platgegooid en de fundamenten voor onze nieuwe badkamer gestort, en Dan en ik hadden elkaar nog – nou ja, zo ongeveer.

Die nacht liep het luchtbed zachtjes en ongemerkt leeg. We verwachtten dat onze eigen meubels een paar dagen later zouden worden afgeleverd, en het droombeeld van een echt bed was het enige wat ons door onze martelgang heen hielp. We kwamen die eerste nacht met moeite door, maar toen we wakker werden, lagen we op een ingezakte soufflé. De tweede nacht moesten we vlak voor zonsopgang opstaan om het bed weer op te pompen. De derde nacht dreef ons om vier uur 's morgens tot wanhoop, het uur van de wolf, en zo bleef het, met steeds meer nachtelijk gevloek en gepomp totdat onze eigen, schandalig oude, heerlijk platte matrassen aankwamen, dagen later dan beloofd. Dan heeft zijn slaap echt nodig. Onder normale omstandigheden begint zijn nachtelijke gebrabbel en gelach zodra hij in bed ligt. Ik heb nooit eerder een man ontmoet die lacht in zijn slaap, maar Dan bezoekt 's nachts blijkbaar allerlei braspartijen. En is chagrijnig en verontwaardigd als ze hem door de neus worden geboord.

We kregen nauwelijks slaap, elk verzonken in onze eigen somberheid, en toen we wakker werden was de dag grijs en bewolkt en voelden we ons geen haar beter. De verhuiswagen zou de volgende ochtend aankomen, dus draafde ik wat heen en weer om voorbereidingen te treffen, zodat er een complete huisraad op onze Spaanse stortplaats kon worden gedeponeerd. Een deel van de schoonmaakspullen die ik in april had gekocht was gejat door een dief met smetvrees (ik zal hem herkennen aan zijn vers in de boenwas gezette drempel) maar ik leefde me uit met stoffer en blik, waarbij ik het stof van de ene naar de andere hoek verplaatste en het zodoende kwistig over het hele huis verspreidde. Na een poosje gaf ik het op en liep zuchtend en steunend de heuvel op met een boek en een van de regenboogkleurige hangmatten die Leo uit Mexico had meegebracht. Ik hing hem onder de grijze hemel op tussen twee olijfbomen met uitzicht op de vallei, en liet de mismoedige Dan aan zijn lot over.

De vrachtauto kwam niet opdagen en ik vrees dat het de vier dagen daarna net zo ging. Het was koud en grijs en Dan en ik waren de wanhoop al ver voorbij. Ik vond hem een watje en hij mij een gevaarlijke gek. Misschien ben ik dat ook wel; zijn tranen en droevige zuchten ontlokten aan mij meestal een botte reactie. Ik bracht zo veel tijd als betamelijk was door in mijn hangmat op de heuvel, waar ik las en me bezorgd afvroeg of ik soms een Y-chromosoom te veel had.

Het was op een eenzame zwerftocht dat me een voorstel werd gedaan dat mijn leven had kunnen veranderen. Ik was de heuvel achter het huis op geklommen, had me geïnstalleerd op een warme platte steen en zat somber naar zee te staren, gehoor gevend aan de lokroep van de wildernis. Het partje Middellandse Zee lag heiig te glinsteren en ik haalde diep adem, genietend van de rust en de stilte en vooral van de afwezigheid van Dans gezucht en gesteun. Maar niet lang. Je zou denken dat je op de Galgenheuvel gevrijwaard zou zijn van indringers, maar het geluid van naderende geitenbellen wees erop dat ik gezelschap kreeg.

Eerst dartelde de oppergeit lichtvoetig langs de horizon, waarbij haar uiers gênant heen en weer zwiepten, gevolgd door een stuk of zes andere die al net zo op springen stonden. Toen verscheen er een schriel mannetje dat ergens op kauwde. Toen hij mij in het oog kreeg, spuugde hij innemend en kuierde nonchalant mijn kant op.

'*¡Hola!*' blafte hij, alsof hij met een klap een bekeuring op mijn verkeerd geparkeerde voertuig plakte.

'Hola,' antwoordde ik, in de hoop dat hij weer weg zou kuieren. Het gesprek dat zich ontvouwde ging, in briljante vertaling, als volgt:

Schriel Mannetje: 'Wat ben je knap.'
Ik: 'Dank u.'
SM: 'Hoe oud ben je?'
Ik: 'Dat gaat u niets aan.'
SM: 'Getrouwd?'
Ik: 'Ja. Met een grote jaloerse man en hij zit daar beneden.'
SM: 'Dit is niet mijn beroep hoor, geiten hoeden. Ik ben hier omdat het zondag is.'
Ik: 'O.'
SM: 'Ik heb een Mercedes.'
Ik: 'O.'
SM: 'Ik ben hier maar een dagje, vanuit Málaga, daar woon ik.'
Ik: 'O.'
SM: 'Als je meekomt, kun je bij me intrekken. Om drie uur zit ik in de bar in Pastelero.'
Ik: 'Bedankt. Maar helaas kan ik niet.'
SM: 'Tot ziens dan maar.'

Het schriele mannetje baalde van de gemiste kans om iemand te zoenen die een halve meter langer was dan hijzelf, spuugde alvast en naderde met getuite lippen.

Weg was ik.

Zoenen is een Spaanse specialiteit en het geheim zit hem in het verrassingselement. Een paar dagen later reed ik in de oude Citroën over een hobbelpad toen ik opeens naast een andere geitenhoeder reed, de doordeweekse. Hij zwaaide naar me en gebaarde dat hij dringend iets wilde vertellen. In mijn oenigheid draaide ik het raampje naar beneden, een en al bezorgdheid en belangstelling. En ja hoor, hij stak zijn hoofd naar binnen en zoende me vol op de mond. Getver!

Toen ik het huis aan het vegen was en eeuwenoude lagen vuil probeerde weg te moffelen, ontdekte ik kleine schatten die een goed of juist een slecht teken waren, afhankelijk van mijn paranoiagehalte. Het verbleekte plaatje van een weelderig uitgedoste Maagd Maria in een zelfgemaakt lijstje van *Playschool* was neutraal tot goed. Hetzelfde gold voor de pikante foto van Miss Almogia ca. 1969, enkel gehuld in een pruilmondje en een gehaakte bolero. Acht handgebreide anjers van knalrode nylon zagen er gunstig uit, al was het lastig om te beslissen waar ik ze neer moest leggen. Het was al even moeilijk om een plekje te vinden voor de tot nog toe ongebruikte urn van meneer Alcohalado, die een wat treurige combinatie vormde met de anjers. Uiteindelijk kon ik ze niet langer verdragen en ik gooide ze weg. Het gehavende pasfotootje, ruwweg onder en boven vastgeniet aan de militaire uitrusting van een jongeman, kon alleen maar duiden op een drama; foto's van jonge soldaten zijn altijd schrijnend, en in dit geval al helemaal: de foto was verbleekt tot een vaag, vlekkerig sepia en de soldaat was ongetwijfeld dood, wat de oorzaak ook mocht zijn. Er waren ook onmiskenbaar onschuldige dingen: een paar kleine oorbellen van goud, parels en nepsmaragden die ooit in de oren van een jonge bruid hadden geprijkt en een kleine schat aan negentiende-eeuwse munten, flinterdun en niets meer waard, maar helemaal *feng shui*.

Om de tijd te doden totdat we het huis konden inrichten met onze meubelen, sloeg ik ook aan het verven. Ik verkeerde nog steeds in de waan dat we het oude deel van het huis dat nog overeind stond gewoon konden opknappen, dus maakte ik kennis met Cal. Dat is de Spaanse versie van witkalk, en mevrouw Paco, van de dorpswinkel in Pastelero, verkocht het per zak – benevens gasflessen, clandestiene benzine uit een oud vat, lippenstift in felle kleuren en wc-borstels.

Cal koop je in witte brokken. Daar voeg je water aan toe, waarna het verandert in magische witkalk, waar insecten prettig genoeg niet van houden. Het spul, waar de ruwe muren van oudsher mee worden afgewerkt (ideaal voor het wegmoffelen van de tand des tijds, allesverslindende torren en scheuren) zorgt voor een zachte witte dekking die onvolkomenheden cosmetisch wegwerkt en met enige regelmaat moet worden vervangen, omdat het aan je schouders blijft plakken als je er tegenaan loopt. De meeste Spanjaarden hebben liever vinyl, maar daarop is de navenant toegenomen insectenpopulatie zeer goed te zien.

Het is handig om te weten dat je aan Cal water toe moet voegen, maar niet in een plastic emmer, want die smelt. Er vindt een hevige reactie plaats tussen Cal en water: de hele emmer bubbelt en bruist en je moet ervoor zorgen dat het spul niet in contact komt met je ogen of huid.

Mensen die geen sterke maag hebben, kunnen deze alinea maar beter overslaan. Doorzetters moeten weten dat als je liever niet hebt dat je huis naar gekookte poep ruikt, de zinken emmer die inmiddels als wc dient geen ideale mengkom voor Cal is, hoe goed hij ook is geboend en geschrobd. De doordringende stank bleef nog een hele dag in onze slaapkamer hangen en Juan werd er duidelijk onpasselijk van toen hij langskwam om een bouwtechnische kwestie te bespreken.

Verder moet je ervoor zorgen dat, als je tenminste niet uit bent op een duur ogend craquelé-effect dat van de muur springt zodra het opdroogt, de bruisende (en in dit geval meurende) massa is uitgebubbeld en afgekoeld. Sommige mensen zeggen dat je het vóór gebruik een paar dagen moet laten rusten, maar ik had haast. Vol enthousiasme kwakte ik de crème op de muren, kalkte het over bobbels, oud behang en scheuren heen, zonder de moeite te nemen om de ondergrond te schuren of anderszins glad te maken. Kort samengevat: broddelwerk. Toen ik het aanbracht zag de muur er vreselijk uit en was alle rotzooi door het natte oppervlak heen te zien.

Maar toen het opdroogde, voltrok zich een wonderbaarlijke metamorfose. Alle oude viezigheid verdween en ik had de gewelfde, golvende witte muren die ik kende van briefkaarten uit Griekenland. Ik ontdekte ook dat ik de dikke soep ijsblauw en oker kon kleuren. Op de meeste plekken haalde ik het behang er provisorisch af en scheurde het voldaan in lange repen. Het moet indertijd een enorme klus zijn geweest om deze muren te behangen, want het waren verticale rotswanden. De Alcohalados hadden gekozen voor grijs papier met daarop een patroon van donkerder knoedels, een geslaagde weergave van een schaamhaarachtige knoedel hooiwagens, en daarvan was het huis vergeven.

Die zomer waren de hooiwagens een bron van droefenis en introspectie voor me. Ik had ze nog nooit eerder gezien, maar Dan zei dat ze zo heetten, en als het om dieren gaat heeft hij meestal gelijk. Er huisde korte tijd een clubje in de kleine kamer die we de zitkamer noemden. Ze zagen eruit als langpoten met een bruin bolletje als lijf en acht fragiele poten waarop ze zowel plechtstatig als parmantig rondveerden. Ze vonden het heerlijk om zich achter een meubel of schilderij te verschuilen met hun poten gezellig ineengestrengeld. Op de verfdagen zaten ze steevast op een kluitje, flirtend met genocide; ze wisten precies waar ik zou gaan verven en kropen er dan bij elkaar in een warrig suïcidaal propje, in afwachting van de kwast met smurrie. De meeste (ik denk de vrouwtjes) opereerden gezamenlijk in een krioelende massa, maar er waren een of twee waaghalzen, iets groter, die over de muur dwaalden om nieuw territorium te vinden, en ze maakten steevast de verkeerde keus. Dan renden ze terug, bevend van opwinding, en leidden hun harem rechtstreeks naar de plek waar ik wilde gaan verven.

Maar ik joeg de spinnen weg en zonder acht te slaan op het schilfereffect kwakte ik de Cal op de muren, waarna ik snel een heleboel fruitstillevens van Mary Fedden en Dan ophing. Op deze manier verfde ik zes kamers en we genoten volop van de stralend witte muren, totdat Juan ze kort daarna neerhaalde.

In afwachting van onze meubels besloten we ook de markt in Villanueva te verkennen. Ik had grootse verwachtingen en hoopte groente en fruit uit de streek te vinden, prachtig uitgestald, zoiets als in Frankrijk. In gedachten zag ik al zelfgemaakte kaas en ham voor me, biologische olijfolie, kruiden, met hier en daar rustieke boerenpotten en misschien zelfs houtsnijwerk.

Afgezien van bergen pokdalige groente en fruit zagen we echter alleen maar afgrijselijke meubelstoffen van allerlei synthetische vezels, omajurken, vormeloze schorten, gekreukte nylon hobbezakken met drukke patronen, broeken waar je de pijpen af kon ritsen voor als je opeens je knieën moest ontbloten en grote hoeveelheden sokken en onderbroeken. Er waren Top Life spijkerbroeken voor nog geen tien euro, T-shirts met de tekst: *Natural Attitude Simple Is the Best*, gympen van merken als Abidas, Beppi en Wind Sports, een kraam met kookspullen waar koperen stampers en vijzels, donuttangen, speciale dubbele frituurpannen voor tortilla's, driedubbele muizenklemmen en zinken emmers werden verkocht. Mijn favoriete kraampjes waren het kleine en heel gespecialiseerde stalletje waar alleen maar geitenbellen werden verkocht, de gereedschappenkar waar van alles werd verkocht, van paraplu's tot driepoten waarop je boven een kampvuur kon koken en de kraam met gedroogde vruchten, noten en honing, waar ook bijzonder nuttige kruiden *para gases* (winderigheid) werden verkocht.

Er was een verbazingwekkend aantal oude kerels met zwierige strooien hoeden op. Het duurde even voordat ik doorhad dat ze daar niet waren om boodschappen te doen of om moeder de vrouw te helpen, maar om te kunnen flirten, onder de dekmantel van al het gekrakeel zachtjes in billen te kunnen knijpen en af en toe stiekem een zoen te geven.

Dave bleek wel iets beters te doen te hebben dan de enorme vrachtwagen, tot barstens toe volgestouwd met een levenslange verzameling wiebelige tafeltjes en aftands aardewerk langs de – hem – bekende weg naar Zuid-Spanje te rijden. Dus werd het niet-ingewijde duo Chris en Mark op de klus gezet, de twee boerenjongens voor wie Warwickshire al een heel avontuur was.

Dan was in rouw gedompeld om zijn comfortabele ex-huis en nu had hij weer iets nieuws om zich druk over te maken. Ging het wel goed met Chris en Mark? Zouden ze heelhuids aankomen? Ik vrees dat ik geen moment aan ze heb gedacht, maar Dan heeft heel wat om hen lopen handenwringen en zijn wenkbrauwen gefronst, en uiteindelijk had het effect. We verwachtten de verhuizers op donderdag. De dinsdag daarop gingen we langs de doorgroefde en duizelingwekkende weg naar het dorp om brood te halen en daar liepen we ze tegen het lijf. Chris stond voor Paco's bar, aarzelend of het nog krasser kon. Londen was al erg, maar Spanje was helemaal een ramp. Hij vervloekte ons, de klus, Spanje en alles wat met het buitenland te maken had. Mark, die erg van het saamhorigheidsgevoel is, sloot net vriendschap met een paard waarvan de eigenaar in de bar zat.

Dave had ze op pad gestuurd zonder geld, aanwijzingen of hoop. Ze hadden het overleefd op zijn creditcard, waarvoor ze zijn handtekening vervalsten. Mark, die helemaal niet had gereden, was jong genoeg om te genieten van het avontuur. Chris had het hele eind gereden en was totaal uitgeput. Een enorme kerel die helemaal in tranen was en hikte van het huilen toen we hem tegenkwamen in de stoffige straten van Pastelero. Hij miste zijn vrouw en dochtertje weer. Ik gaf hem mijn mobiele telefoon en toen hij naar huis had gebeld voelde hij zich wat beter. Dave bleek te hebben gezegd dat ze moesten zoeken naar Castelero in plaats van Pastelero, dus hadden ze vol hoop ieder kasteel dat ze onderweg tegenkwamen opgezocht. In Spanje stikt het natuurlijk van de kastelen, en ze hadden hun tachograaf geheel tegen de wet aan flarden gereden in hun queeste naar een fantoomstad. Het had twee dagen geduurd voordat ze Málaga uit waren. Het was een wonder dat ze tot Almogia waren gekomen en dat ze bij aankomst de toverwoorden 'Barbara Stallwood' hadden weten uit te brengen. Ze hadden haar gevonden, en zij had hen naar ons dorp gestuurd.

Nu Dan wist dat de verwachte catastrofe was afgewend, schakelde hij onmiddellijk over op de Dan-de-Onoverwinnelijke-stand. Hij had een Rol. Er Stonden hem Taken te Wachten. Vanuit het ellendige Moeras der Wanhoop herrees Superman en hij nam de leiding. Chris weigerde faliekant om zijn vrachtwagen ons karrenspoor op te rijden, ervan overtuigd (en terecht, al probeerde ik hem van het tegendeel te overtuigen) dat hij vast zou komen te zitten en zou kantelen, en dat hij dan voor de rest van zijn leven tot Spanje zou zijn veroordeeld. Dus haalde Dan de stokoude Miguel, directeur van de slipjesfabriek in Almogia (volgens geruchten leverancier van luxelingerie voor M&S Mode) over om onze spullen in zijn oude Mercedesbusje van het ene eind van het pad naar het andere te transporteren. Daar ging hij heen en weer, aan de ene kant ingeladen door Chris en Mark, aan de andere kant uitgeladen door Dan. Op een gegeven moment begon Miguel er grauw uit te zien en vroeg of hij even mocht gaan zitten en een glas water kon krijgen. Zitten? Glas? Water? We deden wat we konden, haalden een kistje om op te zitten, een blikken beker om uit te drinken en wat lauwe Coca-Cola. Hij bekende dat hij het aan z'n hart had.

Aan het eind van de dag waren we de trotse eigenaars van een volledig gemeubileerde heuvel, helemaal bezaaid met kasten en tafels. Chris en Mark kropen weer in de cabine en vertrokken naar Warwickshire. We bleven wuiven tot de vrachtwagen nog maar een klein stipje was op de weg naar de kust.

Toen liepen we over het karrenspoor terug naar ons fraai ingerichte landje. Verhit, stoffig en dolenthousiast keken we vanaf onze riante al fresco-matras naar de opkomende sterren en fluisterden zachtjes over het huis waar al deze meubelen binnenkort een onderkomen zouden vinden.

ONVERSCHROKKEN ONTDEKKINGSREIZIGERS

Nu we bijna een week in het huis hadden gewoond, besloten we eens flink inkopen te doen in het dorp. We hadden basisingrediënten nodig voor in de keuken, drinken en schoonmaakspullen, en met behulp van het woordenboek stelden we een heel overtuigende boodschappenlijst op. Pastelero, het dichtstbijzijnde stukje bewoonde wereld en tien minuten lopen verderop, was een gehucht dat aan de ene kant werd begrensd door Antonio's nieuwe bar en aan de andere kant door Paco's winkel. Daartussenin had je allerlei honden, kleine huisjes met hybride theerozen die uit praktische maar intens lelijke bergen oude autobanden groeiden, Paco's bar, de vuilcontainers van het dorp en een glascontainer.

Toen we onze bestemming naderden, wees niets erop dat we ons inderdaad op het sintelpad bevonden dat naar Paco's winkel leidde: geen naam boven de deur, geen Nescafé in de etalage, geen kassajuffrouw in nylon uniform die haar nagels zat te vijlen. Toen we voorzichtig door een regenboogkleurig kralengordijn het halfduister in tuurden, realiseerden we ons zelfs dat er helemaal niemand was, al stond de deur open. Als ze even niet met elkaar aan het vechten waren, keken de ongeveer twaalf katten van mevrouw Paco ons lusteloos aan. We stonden daar een beetje te schuifelen en die Alladinsgrot aan heerlijkheden te bewonderen die op ieder denkbaar oppervlak waren uitgestald: echt fruit, groente, eieren, honing in sapflessen, allemaal vers uit de streek; een schokkende gewaarwording voor de smaakpapillen en geen van alle conform wat voor EU-voorwaarden ook, twaalfuurtjes, Wipp Express en Colon waspoeder, Bonkakoffie, Wi-wi handcrème, hammen die zo oud waren dat je er de tanden van een hyena voor nodig had om er een beetje op te kunnen kauwen, emmers vol smerige margarine maar géén roomboter, kratten vol wilde asperges, gezouten sardines in houten vaatjes, vliegenmeppers, exotische zeep die eruitzag als zult en zult die eruitzag als zeep, ondrinkbare wijn van vijftig cent per fles (fantastisch voor het ontstoppen van leidingen en om je *séptico* (septische tank) fris te houden) en sigaretten zonder filter.

In de hoop dat we niet onbeleefd waren, staken we uiteindelijk ons hoofd om de hoek van mevrouw Paco's tv-tempel en schreeuwden eens. Tegen de tijd dat ze tevoorschijn kwam, hadden we er met haar halve voorraad vandoor kunnen gaan. Ze tuurde ons streng aan terwijl we met veel moeite onze wensen kenbaar maakten, en de transactie werd nog verder bemoeilijkt door de komst van een oude man met drie tanden die aan het eind van het pad woont. Ze bogen zich getweeën over onze lijst alsof wij er niet waren, schoven hem toen terzijde en begonnen op luide toon een discussie over het weer. Terwijl we bedeesd probeerden om een paar van de spullen aan te wijzen die we wilden hebben, bezette señor Drietand het hoofdpodium, aarzelend of hij eens uit de band zou springen en twee sardines zou kopen, of maar één.

Om de tijd te doden tot we de volledige aandacht van mevrouw Paco hadden, vermaakten we ons door scherpte, ontwerp en visuele kwaliteiten van de elf fabriekskalenders te vergelijken die aan de muren hingen, overwegend met afbeeldingen van bottelarijen en transportbusjes. Dan liep hoopvol de plastic bloempot door waar buitenlandse post in stond. Die van autochtone Spanjaarden zat in een bananendoos.

Mevrouw Paco, die tot onze schouders kwam, was van middelbare leeftijd en stevig in een schort gehesen, en droeg de verrassende naam Encarnación. Ik denk dat het niet veel vreemder is dan Jesús (een veel voorkomende naam in Spanje), maar het was lastig hem op amicale toon te gebruiken, dus stond ze algemeen bekend als mevrouw Paco. Ze had een zus die verwarrend veel op haar leek en altijd uitbundig werd begroet door volslagen vreemden. Vroeger tenminste, totdat mevrouw Paco een chemokuur onderging en een tijdlang een weelderige zwarte pruik droeg. Tot mijn vreugde kan ik zeggen dat ze is hersteld en dat haar eigen haar weer aangroeide: dik, bruin en glanzend, maar eigenaardig piekerig.

Met twee sardines veilig ingepakt en opgeborgen in de jaszak van señor Drietand, betraden Dan en ik het strijdtoneel opnieuw. Mevrouw Paco fronste haar wenkbrauwen en gebaarde ten slotte dat we van haar overvolle schappen konden pakken wat we wilden. Ze glimlachte breed om deze oplossing, en we realiseerden ons dat haar frons niet duidde op afkeuring, maar op een geconcentreerde poging om ons te begrijpen. Nadat ze onze benodigdheden in ontvangst had genomen, volgden er twee interessante rituelen. Uiterst plechtig krabbelde mevrouw Paco met een stomp potlood een aantal onleesbare tekens op een piepklein papiertje, waarbij haar hand als een adelaar boven de kriebels zweefde die waarschijnlijk getallen moesten voorstellen. Na veel gepeins greep ze een (belachelijk laag) bedrag uit de lucht. Toen we vervolgens de schamele *duros* neertelden waar ze om vroeg, pakte ze handenvol snoepjes en nootjes en stopte die in onze tas. We namen afscheid als oude vrienden en besloten er in de toekomst al onze boodschappen te doen.

Bemoedigd door deze succesvolle transactie besloten we de geneugten van Pastelero eens uitvoerig te proeven door bij Antonio's bar te gaan lunchen. De opening, die ongeveer samenviel met onze verhuizing, had voor nogal wat opschudding gezorgd omdat het dorp al Paco's bar had, waar ik bijna was gestikt in de touwachtige serranoham. Toen we door de klapdeuren naar binnen liepen, waarbij ik de openlijke, goedkeurende blik van tien paar mannenogen probeerde te negeren, ontdekten we dat Antonio zich bediende van de gebruikelijke Spaanse formule, maar dan wat moderner: tl-buizen waren vervangen door weggewerkte spotjes, er waren withouten stoelen met kussentjes, tafelkleden op de tafels en houten lambriseringen namen de plaats in van de schreeuwerige plastic en formica oppervlakken waar meestal de voorkeur aan wordt gegeven. Hij had geen rinkelende fruitautomaat maar een geruisloos elektronisch dartspel, en het geluid van de obligate televisie waarop een travestietenshow te zien was, was weggedraaid.

Enigszins opgelaten namen we plaats aan een van de tafeltjes. Er kwam een knappe jonge vrouw naar ons toe, die met haar gladde haar en slanke taille zo uit een jaren-vijftigkookboek leek te zijn gestapt en zich voorstelde als Antonia, de vrouw van Antonio. Met een stralende blik overhandigde ze ons het menu, waarop te lezen stond:

Mager met tomaat
Moorses vleespen
China's spies
Lendenstuk aan de groene peper
Lever op ijzer
Vullende aardappel

Dit was een moeilijke keus; ik neigde naar de vleespen, Dan koos voor de lever op ijzer. Door de geur van gebakken knoflook uit de keuken kregen we allebei pas goed honger, dus bestelden we soep vooraf. Die van mij, *picadillo*, was een smakeloos melkachtig raadsel, maar altijd nog beter dan Dans keuze. Zijn grote kom *callos* leek te zijn gemaakt van kikkererwten en de delen van een varken waar je liever niet over nadenkt. Het had een verrassend lekkere smaak, maar de substantie sloeg de plank mis. Antonio, zwaarlijvig en hopeloos nerveus, een donkere eendagsbaard op zijn lijkbleke huid, serveerde de hoofdmaaltijd en stond ons op de vingers te kijken toen we een paar veel te hete happen naar binnen werkten en zeiden dat het allemaal heerlijk was.

In beide etablissementen was het eten altijd goed: mensen kwamen van heinde en verre naar ons dorp om te eten en we ontdekten al snel dat ze de twee eetgelegenheden om beurten bezochten, omdat ze wilden dat het zowel Antonio als Paco voor de wind ging. In Spanje kun je met vier man eenvoudig maar lekker eten voor zo'n dertig euro, waarschijnlijk nog minder dan je zou uitgeven als je thuis allerlei lekkernijen en liflafjes zou klaarmaken, en al helemaal niet te vergelijken met een gemiddeld etentje buiten de deur in Engeland. Ik vind het heerlijk; het is op en top New York en een veel ontspannener manier om mensen te treffen. En zowel bij Paco als Antonio zijn ze heel hoffelijk. Toen een pietluttige vriendin van ons eens vroeg om knoflookboter: 'U weet toch wel hoe je dat maakt? Gewoon wat boter, daar pers je wat knoflook in en dan een handje gehakte peterselie. Heel simpel. Jullie horen toch te weten hoe je dat maakt?' sloeg mevrouw Antonio haar niet met rauwe vis om de oren omdat ze zo neerbuigend deed, maar ze verdween naar de keuken, waar ze met echte boter ruim twee ons kruidenboter maakte – iets buitensporigs in Spanje. Zowel Antonio als Paco staat erop dat je meerdere likeurtjes van het huis drinkt.

Als we genoeg hadden van de zanderige bouwput die ons huis moest voorstellen, wandelden we altijd naar Pastelero om te gaan eten, terwijl de ondergaande zon de rotsen in goudkleurig licht dompelde. Dan kuierden we naar de een of de ander en gingen buiten bij de palmbomen aan een tafeltje zitten. Daarna volgde het bekende papieren tafelkleed met een fles Rioja, olijfolie, een mandje vers gesneden brood en een zwaar terracotta bord met een berg vlees, vis of calamares erop, chips en een symbolisch blaadje sla met *alli-olli* ernaast. Altijd hetzelfde, altijd lekker. In de zomer werd er op straat gebarbecued, nu en dan verlevendigd door een langslopende kudde nieuwsgierige geiten.

Beide bars hadden een vaste klantenkring. Op een doorsnee dag zat bij Paco om twaalf uur de oude man en sardineskenner, een bril met jampotglazen op zijn neus en een brede grijns van zeer wijd uiteenstaande tanden. Als hij geen gezelschap had van zijn lankmoedige Engelse vriendin Elspeth probeerde Pantalon Paco (wiens kenmerkende witte spijkerbroek hel oplichtte als hij rap en doelbewust door de dorre bruine heuvels liep) een nietsvermoedende nieuwkomer uit het buitenland te belagen met verhalen over de gevaren van het leven op het platteland, waarbij zijn lange zwarte lokken statisch werden van opwinding als hij zag dat zijn slachtoffer grote ogen opzette. Paco de Geitenman (die ongevraagd zoenen uitdeelde en met wie ik een paar dagen eerder van zeer nabij had kennisgemaakt) stond met zijn platte pet op rijzig en kalm naar de einder te staren. Zijn oude, doorgroefde kop wekte de indruk dat hij een oude wijze dorpeling was en weersprak zijn toch duidelijk opportunistische gedrag ten opzichte van aangeschoten Engelse vrouwen. De tienerzoon van meneer en mevrouw Paco, die bij hoge uitzondering geen Paco heette, stond blozend te biljarten en probeerde stoer over te komen.

Soms zat er een schrikbarend rozegekleurd stel uit Engeland buiten, geteisterd door nieuwsgierige honden. Paco zelf, wiens bar niet alleen kan bogen op de grootste verzameling goudkleurige plastic voetbaltrofeeën, maar ook op twee grote foto's van zuurstokkleurige stelletjes die respectievelijk bij een waterval en op een strand met elkaar zitten te dollen en een enorme poster van een Ferrari, laveerde lichtvoetig tussen de tafels door met armen vol zware terracotta borden met bergen calamares en *lomo en salsa*, waarbij hij af en toe bleef staan om liefdevol een hand op iemands schouder te leggen en het menu voor te dragen. Op dinsdagavond, de 'Engelse avond', zat er altijd een groepje luidruchtige expats aan een lange tafel te schreeuwen, te veel te drinken en te darten of onverstoorbaar te breien. Soms zagen we op zaterdagavond of bij de zondagse lunch een van onze bouwvakkers zitten, bijna onherkenbaar zonder platte pet, zijn haar met brillantine achterovergekamd en omringd door vrouw en kinderen. Als ze niet op de bouwplaats waren, waren de bouwvakkers altijd buitengewoon aardig en werden er drankjes over en weer gestuurd tussen de tafels. Hun vrouwen zaten ons te beloeren; ze hadden vast god weet wat voor verhalen gehoord over Dan die in zijn blootje stond te schilderen of over die dag waarop ik de hele ochtend met een koeienvla van henna op mijn hoofd zat. Ze bekeken ons eens en bestempelden ons als een stel gevaarlijke bohémiens.

Het was niet zomaar dat we vaak van huis waren. Casa Miranda onderging enorme veranderingen. Aanvankelijk dacht ik dat de bouwvakkers voortdurend ruzie stonden te maken en tuurde ik geregeld nerveus door onze piepkleine raampjes om te kijken of ik ze niet op mijn schooljuffrouwentoon moest toespreken. Maar het was gewoon hun manier van praten: agressief geschreeuw, af en toe onderbroken door flamencokreten. Ik heb altijd verbazing en ontzag gevoeld voor Spaanse bouwvakkers. Die zomer renden ze bij temperaturen tot veertig graden over het met stenen bezaaide terrein via smalle planken bruggetjes over afgronden, met kruiwagens en kruiwagens vol nat cement. Ze begonnen om klokslag acht uur met werken en stopten om klokslag zes uur. Ze hielden precies een uur siësta, soms op de vloer in hun auto of naast elkaar op onze schommelbank, eensgezind snurkend. In de winter kwamen ze aan in het donker, schuifelend als pinguïns, gewikkeld in lagen wol, dassen, een bivakmuts met een tweedpet of platte hoed op hun hoofd gedrukt, die ze in de loop van de dag stuk voor stuk afdeden. In de bitterkoude oostenwind, die snijdend als bevroren scheermessen van de Sierra Nevada woei, zorgden ze dat ze niet onderkoeld raakten door een kampvuur te maken, en de grootste waaghals nam een scheutje *anís dulce* in zijn zoete zwarte koffie – de meesten dronken geen druppel op het werk. Het waren betrouwbare, harde werkers die op gezette tijden pauzeerden voor blikjes tonijn, *bocadillos* en yoghurt. En ze waren al generaties lang ervaren en geroutineerd in zaken als tegels leggen, afbiezen met baksteen en boogvormige doorgangen metselen, waarbij ze moeiteloos vormen en patronen legden waar ik urenlang op had moeten broeden en schetsen. Ze werkten in groepjes van drie of vier en in de loop van de verbouwing moeten we er zo'n dertig hebben versleten.

In die periode was buiten je behoefte doen een van de grootste problemen. Je moest er een heleboel voor graven en raakte er geconstipeerd van; als je de hele dag hebt zitten wachten tot de bouwvakkers zijn vertrokken, een discreet plekje hebt gevonden, wanhopig met een krom schepje in de aangestampte aarde zit te wroeten, verder zoekt naar grond die minder op cement lijkt, je dan realiseert dat je vol zicht hebt op de ganse bevolking van de heuvel aan de overkant van de vallei en vice versa, dan laat je het verder wel uit je hoofd. Mijn leven al fresco heeft me over heel wat remmingen heen geholpen.

Dit was het moment waarop de plastic-tassendouche liet zien wat hij waard was. We ontdekten dat je na ongeveer vijf uur volop zomerzon genoeg lauw water had om shampoo in je haar te doen, maar net niet genoeg om het ook nog uit te spoelen. De enige plek waar we hem konden ophangen was aan een lage deurpost of vol in het zicht van de *campo*, aan een tak van de transparente-boom. Dan was voor deze laatste optie, maar ik gaf de voorkeur aan wat meer privacy bij de deurpost, al moest je tijdens de hele operatie in je nakie op een laag en heel kriebelig stoeltje zitten. Open en bloot. Een verrassing voor langslopende Spanjaarden.

Maar niet veel later hadden we leidingwater dat we zo uit de kraan konden drinken. Weliswaar alleen in het toilet en alleen op onvoorspelbare tijden over de dag verspreid (een halfuurtje hier en tien minuten daar) maar ik vond het een onvoorstelbare luxe om een kraan open te kunnen draaien waar dan water uit stroomde. En met muren en een afvoer hadden we tenminste een echte badkamer.

Maar we hadden geen andere kamers, dus onze meubels bleven staan waar we ze hadden neergezet. Ze schoten wortel waar ze terecht waren gekomen; het maakte niet uit dat het volslagen onzin was om mijn kleerkast in het varkenskot te hebben staan, of Dans tekenplank in de stal zonder ramen. Drie maanden lang stonden al onze spullen te kijk, blootgesteld aan de elementen, totdat we een reeks echte kamers hadden met vloeren, muren, deuren en plafonds.

Het andere waar de bouwvakkers die junimaand aan begonnen, was het zwembad. Dat vond ik zonder twijfel het allerbelangrijkst. Laat de rest maar zitten, dacht ik. We moesten wat kunnen poedelen en afkoelen in de smoorhitte van de zomer, en als onze kinderen de reis aandurfden, dan was een zwembad wel het minste wat we ze als vertier konden bieden. Tomas, van de graafmachine, had een enorm rond gat gegraven in de oude dorsvloer, en Pedro en zijn kornuiten hadden dagenlang gewerkt aan een enorme bak van ijzeren palen, bakstenen en cement. De dagen werden langzaamaan heter, en ze stonden daar zwetend, gehuld in niets meer dan een short en rubberlaarzen, cement in dat gat te storten, maar ze hielden vol. Het was fantastisch om naar te kijken.

Op een bijzonder fraaie dag móesten we er gewoon even uit. We móesten naar zee, weg van de bouwplaats, het verspreide meubilair en het geratel van de cementmolen. Barbara had ons het strand van St. Julian aangeraden, dus reden we naar het zuiden met onze badpakken en handdoeken achter in de auto. Het werd steeds warmer en onze billen plakten aan de stoelen, met over onze hele rug al even onappetijtelijke zweetpoelen. Het probleem lag deels aan het feit dat de zeer goed functionerende verwarming niet uit kon. We volgden de bordjes vanaf Málaga en belandden in een van muggen vergeven moeras, volslagen vlakke landbouwgrond waar groepjes vrouwen aardappels stonden te rooien. De lucht was eigenaardig bewolkt, alsof ze in melk was gedompeld, en er hing een trieste, onaangename sfeer. Maar het was een feest vergeleken bij het strand dat we uiteindelijk vonden. Onder de drukkende witte lucht waar de zon achter schuilging, evenals de vliegtuigen die we wel konden horen maar niet konden zien, strekte zich een eindeloos niemandsland uit van bruin zand, bespikkeld met zonnebaders. Als in een raadselachtige Sisyfusarbeid kwamen graafmachines en vrachtwagens van de ene kant aanrollen en reden piepend en krakend langs de lijven om hun lading aan de andere kant te lossen, kilometers verderop. Achter ons stond een eenzaam gebouw zonder ramen dat op een grote doos leek, een soort gruwelijk multiverdiepingen-martelgebouw, en voor ons in zee stond iets van een boorplatform. Het was een kruising van *Il Deserto Rosso* en een verlaten afgezet stuk snelweg.

Maar we waren hierheen gekomen om op het strand te zitten en het leuk te hebben, dus ging Dan zwemmen en ik luierde onder de lage hemel op een ligstoel, veel te dicht bij een stel wier kind voortdurend of te dichtbij of te ver weg was, en in beide gevallen kwam er flink wat geschreeuw aan te pas.

Uiteindelijk besloten Dan en ik dat we wat moesten eten, dus gingen we naar een strandtentje waar we gegrilde sardientjes aten die sierlijk op een bamboestokje waren geprikt, zodat ze eruitzagen als een golvend zilveren lint. Ik hou eigenlijk helemaal niet van sardines, maar ze zagen er lekker uit. Inmiddels gluurde de zon bleekjes door het witte wolkendek. Dan haalde me over om te gaan zwemmen en we hadden het heerlijk; we sprongen en spetterden in het water als twee labradors op leeftijd. We haalden de gebruikelijke grappen uit zoals zwembroeken naar beneden trekken, elkaars gezicht natspetteren, naar elkaars benen duiken, elkaar in de billen knijpen en giechelen. St Julian was opeens best leuk en aangemoedigd door dit succes stelde Dan voor om naar de meren te gaan.

Aan de kaart te zien waren dit veelarmige reservoirs, kilometers verderop achter de El Chorrokloof. Ik vroeg me nog af of we wel twee avonturen op een dag aankonden, maar wat maakte het uit, we waren op vakantie. Een krasse oude man stond te liften en reed het grootste stuk van de rit mee; hij werd helemaal door elkaar geschud in onze auto en we ratelden er flink op los zonder elkaar te begrijpen, maar we glimlachten allemaal bemoedigend. Liften bleek het vaste transportmiddel te zijn voor oude Spaanse mannetjes; ze hielden je gebiedend aan, brabbelden iets onverstaanbaars dat totaal anders klonk dan waar je zelf heen moest en geboden je dan een paar kilometer verderop om op een heel specifiek punt te stoppen waar niets op menselijke bewoning leek te wijzen.

We reden over de snelweg naar het noorden en stegen een eind. Toen kwamen we via een kloof in de bergen uit op de vlakte daarachter, waar de zon opeens fel in onze ogen scheen. Er hing zo'n dikke, verzengende hitte dat het wel hete stroop leek en het moeilijk was om adem te halen. De vlakte strekte zich kilometers lang glinsterend voor ons uit, iedere centimeter zorgvuldig gecultiveerd, met een peperduur irrigatiesysteem dat een sluier van mechanisch aangevoerd water op de zonnebloemenvelden deed neerdalen. De grond was duidelijk rijk en vruchtbaar en werd bebouwd door de mensen die er woonden; ze konden er fraaie cortijos met twee verdiepingen van betalen die beschutte groepjes vormden, te midden van bosjes hoge palmbomen en cipressen. Dit was een heel ander type agrariër dan de boerenkinkels die hun kostje bij elkaar scharrelden in de streek waar wij woonden. Maar in ruil moest je wel in de verstikking van de koekenpan van Spanje wonen.

We reden een eeuwigheid door, moeizaam ademend, en vielen dankbaar binnen bij het enige café met airconditioning dat we onderweg tegenkwamen, naast een garage. Afgekoeld en gesterkt reisden we verder over een kaarsrechte weg, totdat we bij een bocht naar links kwamen die naar wat kleine heuvels leidde. Geen bordjes, geen aanwijzingen. We zullen zien, dachten we toen we door de koelere lucht ploeterden over kronkelende zandwegen die omhoog voerden; de zon scheen nog steeds genadeloos en fel, maar was er niet langer op uit om ons te vermoorden. We staken een dam over en plotseling stonden we in een landschap waar ik van had gedroomd: ronde, toffeekleurige rotsblokken tuimelden naar de donkergroene waterkant, op de hellingen stonden parasoldennen dicht op elkaar op een bedje van rozemarijn, *santolina* en tijm. Er was geen mens te horen of te zien. Het was verlaten en prachtig, een schril contrast met het industriële strand van die ochtend. Er sprongen vissen boven het wateroppervlak uit, het rook er naar hars, banen zonlicht schenen tussen de bomen door, de stenen waren glad en warm. Loom en verzaligd zwommen we rond, en er was maar één slangetje in het paradijs: knoestige dingen onder water waar je met je enkels in vast kwam te zitten, waarschijnlijk geraamtes van de struiken die er stonden voordat het stuwmeer was volgelopen.

We kwamen bij op een zanderig schiereilandje met op het eind een met dennen begroeid heuveltje. We hingen onze prachtige Mexicaanse *hammoco matrimonio* op tussen twee lommerrijke parasoldennen, en ik lag er lui een boek van Rohinton Mistry te lezen, terwijl Dan weer in het water dook. Later strekten we ons naast elkaar uit, eerst aarzelend, toen met steeds meer vertrouwen; de touwen hielden het en de bomen rolden niet van de heuvel af. Niets is lekkerder dan met je maatje van dat moment in een zacht wiegende hangmat te liggen, gestreeld door een warm briesje, een prachtig boek te lezen, te luisteren naar het getsjirp van de krekels en af en toe door een franje van ritselende dennennaalden naar de strakblauwe lucht boven je te kijken. Het had ons een vijftig minuten durende rit door landelijk Andalusië gekost waarbij we helemaal door elkaar waren geschud, maar we waren in het paradijs. Terwijl de zon steeds verder zakte, zaten wij op een rots naast een jonge smaragdgroene den naar de wolkeloze lucht te kijken die in het glasheldere water werd weerspiegeld.

Met tegenzin kleedden we ons aan en reden verder, slingerend tussen grote zwerfkeien en dennen. Toen we een bocht om kwamen, zagen we ineens adembenemend mooi water van een onwaarschijnlijke turquoise kleur, als een goedkope, met de hand gekleurde ansichtkaart uit de jaren vijftig. Ertegenover stond een klein café, weggestopt tussen wijnranken en enorme eucalyptusbomen. We dronken er een kop koffie en bewonderden de piepkleine, prachtig onderhouden stijltuin van de sluismeester, allemaal buxussen en cipressen die keurig in geometrische vormen waren gesnoeid. Een armeluis-Alhambra, dacht ik. We stapten weer in de auto en net toen we dachten dat ons niets mooiers kon overkomen, reden we om een fraai huis aan het meer heen en voorbij het tuinhuisje strekte zich een langgerekte baan glinsterend water uit. Wij hadden verzaligd zitten kijken naar een riviertje waar wat eenden in ronddobberden, terwijl zich om de hoek een panorama bevond dat zo overdonderend was als de bizarre heuvels aan de Yangtze. We bleven even stilstaan om te kijken. Iets mooiers heeft het leven niet te bieden, zei ik tegen mezelf, voor de tweede keer die dag.

Het was half juni. De zomer begon officieel pas op de vierentwintigste, en dan zou iedere Spanjaard zijn vestje afwerpen en de campo in trekken. Op drie gladde, knappe jongens met paardenstaarten, gouden neusringen en strakke, gebruinde wasbordjes na was het meer verlaten.

We reden langs het meer naar huis en kwamen terecht in een droomlandschap van Japanse perfectie: platte, afgeronde rotsblokken waar de weg tussendoor kronkelde, steeds hoger, onder een pluksgewijs baldakijn van pijnbomen. Uiteindelijk kwamen we bij de kloof zelf, El Chorro, een tweehonderd meter hoge bergengte van doorkliefd gesteente waar de weg bevend doorheen liep en waar zich een levensgevaarlijk houten wandelpad aan de doorgroefde wanden vastklampte; het was er in

1921 aangelegd zodat Alfonso XIII zijn hoogtevrees op de proef kon stellen en sindsdien niet meer onderhouden. Dan was dronken van opwinding; hij heeft een passie voor alles wat ook maar een beetje met rotsen en geologie te maken heeft, en dit was wel het summum.

Onze thuiskomst was ingetogen vergeleken bij wat we zojuist hadden gezien; we slingerden naar het zuiden, naar keurig bebouwde valleigrond, alles rustig en verzorgd, een schaakbordpatroon van citrus- en wijngaarden. Ten slotte kwamen we doodmoe aan op de sjofele leeuwenvacht van ons eigen graanveld. Het was een dag om nooit te vergeten; een moment van rust voordat de ademloze hitte en stof van de zomer zouden aanbreken.

Zelfgemaakt insectenwerend middel

Iedere zomer besprenkel ik mezelf hiermee. Soms werkt het wel, soms ook niet, maar ik vind al dat spul dat je in de winkel kunt kopen vreselijk.

Gooi een takje tijm en rozemarijn in 300 ml kokend water en laat dat een nacht langtrekken, giet het in een plantensproeier en spuit het op.

DE AFVOER EN ANDER GESPUIS

In de verschillende stadia van de zomer die we doorliepen, van de perfecte, strakblauwe, zonnige junilucht tot de verzengende, versuffende hitte van augustus, toen we onszelf met water moesten besproeien om nog een beetje te kunnen slapen, woonden Dan en ik in de vier oudste kamers van het huis met dikke muren van natuursteen en leem. Ik had de buitenkant bestreken met Cal, en een jasmijn en een *dama de noche* in potten geplant, zodat het 's avonds ook nog naar iets anders zou ruiken dan naar riool.

In die tijd zorgde ik slechts bij vlagen voor de planten en Dan, die weliswaar uitblinkt in het planten van bomen en het verplaatsen van puin, was nogal vergeetachtig op het gebied van water geven. Inmiddels had ik vreemd genoeg een zwak gekregen voor vetplanten. Ik heb er altijd mijn neus voor opgehaald en ze afgedaan als een soort kleinburgerlijk plaveisel waar je niet lekker op kunt lopen. Ik kan alleen maar respect en bewondering hebben voor een plant die overleeft, nee zelfs gedijt bij totale verwaarlozing. Terwijl alles met verfijnde bloempjes te kampen had met droogte en kruipend cement, rukten de vetplanten op; ze werden steeds voller en wisten me soms zelfs te verrassen door een grote aar infrarode bloemen voort te brengen. En hun vreemde, subtiele kleuren (grijsgroen, koper en tin) hadden een charme waar mijn gebruikelijke palet aan roze, oranje en scharlakenrood eerlijk gezegd nogal agressief bij afstak. Ik kreeg het gevoel dat ik misschien wel volwassen begon te worden en vroeg me ongerust af of mijn *Weltanschauung* dat seizoen zou worden bepaald door goede smaak in plaats van zorgeloze alledaagsheid. Maar ik had me niet druk hoeven maken, want het plantenstalletje op de maandagochtendmarkt in Villanueva had een oogverblindende collectie geraniums in het hele vloekende Pucci-spectrum, plus een geurende rode *Mirabilis jalapa*, een kakelbont geheel dat een tijdlang de voordeur omlijstte.

Die frustrerende periode, waarin geen stukje kale grond veilig was voor de roofzuchtige bouwlieden, moesten we ons behelpen met potten; we hadden echter fantastische plannen om de hellingen te beplanten met cipressen en olijfbomen, overwoekerd door wilde, volhardende paarse dagwinde, pergola's overladen met passiebloemen, druiven en jasmijn en perken vol groenten en kruiden. Vooral kruiden deden het goed in onze stoffige kleigrond. De schriele basilicumplantjes uit de supermarkt groeiden uit tot kniehoge struiken, als de rozemarijn genoeg tijd kreeg zou het een compacte bol worden en de tijm zaaide zich uit: de lila plukjes kwamen op de gekste plekken tevoorschijn. De groenten waren grilliger en we hadden eigenlijk alleen maar succes met courgettes (die handig genoeg ook heel wat onkruid-onvriendelijke grond besloegen) en heerlijke zoetzure gele kerstomaatjes die met bewonderenswaardige volharding in één grote kluwen groeiden. Mijn uiteindelijke plan was om zoveel mogelijk bomen te planten; ik zag op de helling van deze loeihete heuvel al een weldadig koel bladerdak voor me. Dan trok er regelmatig met zijn pikhouweel op uit en maakte enorme gaten, waar hij piepkleine cipressen, olijf-, peren-, abrikozen-, eucalyptus-, grevilia- en valsepeperbomen in liet vallen, die dan de strijd moesten aanbinden met de ongastvrije omgeving. Er was een heel stel dat werd belaagd door onkruid en die we nooit meer terugzagen, maar een verbazingwekkend aantal wist te overleven, en daar kwamen twee snelgroeiende transparente-zaailingen bij die in twee jaar tijd uitgroeiden tot twee meter hoge bomen. Hadden ze maar verteld waar we ze neer moesten zetten.

Op mijn bizarre aanwijzingen was Juan bezig om Casa Miranda kamer voor kamer af te breken. Eerst bouwde hij helemaal bovenaan het zwembad, toen onderaan de badkamer en daarna stukje bij beetje de kamers daartussenin, waarbij Dan en ik hem voortdurend als een menselijke versie van hooiwagens voor de voeten liepen. Leidingen, elektriciteitskabels en verlengsnoeren, gereedschap, mallen voor de twee ronde ramen, planken, ijzeren stangen, kruiwagens vol cement, emmers en laarzen maakten het een regelrecht avontuur om waar dan ook te komen.

Het was een beproeving om te kamperen op onze Spaanse bouwplaats en we stelden ons uithoudingsvermogen en elkaar tot het uiterste op de proef. Dan was een koppige ezel, vooral 's ochtends, en ik was een tirannieke sadist. Terwijl er om ons heen muren instortten, plafonds voor onze voeten vielen en alles bedekt raakte onder dikke wolken gruis, schreef ik twee of drie artikelen per maand en Dan schilderde voor een ophanden zijnde expositie. We hadden geen fatsoenlijke werkplek: Dan zat met stapels borden op zijn palet in de piepkleine multifunctionele zitkamer-keuken, waar voortdurend werd opgeruimd of waar hij anderszins werd gestoord, terwijl ik probeerde enigszins professionele tuinartikelen te schrijven op een ontmoedigend aantal haperende en wispelturige laptops, wiebelend op een stoel, kratje of steen.

Ik zal eens een rondleiding geven door wat op dat moment ons huis was. Buk voorzichtig voor de lage metalen voordeur, tenzij u wilt worden gescalpeerd, en u bevindt zich in een kleine, vierkante cel die wordt verlicht door een piepklein raampje in een nis. Als u had gewild, dan had u voor ons hele huis van één placemat royaal gordijnen kunnen maken. In geen van de drie ramen in de vier kamers zat glas, maar muggen waren eenvoudig te weren met een halve meter gaas. Bij binnenkomst zult u een klein grenen kastje zien staan met een warwinkel aan waardevolle documenten, chequeboekjes, paspoorten en vliegtickets, die als de deur opengaat regelmatig op de grond waaien. Ga scherp links de hoek om en u zult tegen een gammel blauwgeverfd tafeltje aan lopen, een erfstuk van de Alcohalados, meestal eveneens beladen met paperassen, Spaanse woordenboeken en taalgidsjes, Scrabble, bordjes en mijn laptop. In dit stadium zijn dit, op de bedden en de vloer na, onze enige horizontale oppervlakken. Wurm u voorzichtig langs het tafeltje en mijd daarbij het kapotte fornuis dat nu dienstdoet als pannen- annex afwasrek, en dan zijn er de twee biezen ministoeltjes die nog in het huis stonden, zo laag dat als je erop zit, je met je neus op tafel hangt. Er staat ook een kleine bank, pal achter de stoelen tegen de muur.

De koelkast staat in de verste en onhandigste hoek. Een kluwen elektriciteitssnoeren siert de vloer, een gezellig blokpatroon van zwarte en witte plastic tegels die overgaan in een ratjetoe van rode en witte terracotta tegels op de plek waar de andere blijkbaar op waren. Deze weelderige salon heeft de luxe van één kaal zestig watt-peertje boven tafel. Toen Dans zoon Ted kwam logeren, mochten Dan en hij niet tegelijkertijd in deze kamer zijn; het blokkeerde de boel en als ze bij het raam stonden werd het pikdonker in het vertrek. Dit is onze ontvangkamer, waar we bezoek krijgen, werken en met de bouwvakkers discussiëren over hun vurige passie voor pvc.

In de hoek tegenover de koelkast zitten twee deuren, die geen van beide dicht kunnen. De ene komt uit op onze slaapkamer, waar ons lage bed wordt opgesierd door een prachtige *rilli*, een Pakistaanse lappendeken in vermiljoen, oker, wit en moddergroen. Daarboven straalt het zwakke romantische schijnsel van een peertje van twintig watt. Er kan niets anders meer bij en als Dan zijn kleren in een berg op de grond laat slingeren, hetgeen zijn gewoonte is, dan struikelt er altijd wel een van ons over als hij naar buiten gaat om te plassen.

De andere deur leidt naar een andere slaapkamer, waarvan het raam op paperbackformaat uitkijkt op het westen en de kamer in Venetiaans rood en goudkleurig licht dompelt als de zon ondergaat. In Spanje is het licht zo fel dat je door een piepklein gaatje al een kathedraal kunt verlichten. Ik ben dol op deze kamer, vooral sinds onze trouwe verhuizers Chris en Mark er een echt bed hebben neergezet. In dit toevluchtsoord trek ik me terug om tot mezelf te komen als ik weer eens iets heel simpels verkeerd heb verstaan in het Spaans, of als ik boodschappen heb gedaan en voor een kipschotel om een penis zonder kop heb gevraagd. Dat is niet zo moeilijk, omdat de woorden voor kip (*pollo*) en penis (*polla*) gevaarlijk veel op elkaar lijken.

Ik heb Dans kleed op de vloer gelegd, zijn schilderijen aan de muren gehangen, een enorme stapel hoeden op het wankele hoedenrek gelegd dat de vorige bewoners allervriendelijkst hebben achtergelaten en sluimer wat op bed, vredig en knus.

Aan deze kamer grenst er nog een waar mijn kleren en meidenprullaria in krakkemikkige plastic kleerkasten zijn gepropt. Er zit geen raam in, maar er zijn drie stenen planken uitgehouwen in de massieve, dikke muren, en daarop zijn al onze andere spullen gestouwd, onze enige opslagruimte. Dit is onze veiligste kamer met de meeste privacy, en daar staat de zinken emmer die ik als plee gebruik totdat onze séptico klaar is.

Dan gebruikte zonder enige moeite de hele wereld als kleinste kamertje, maar ik was nogal paranoïde en preuts en gruwde van het idee dat een mens nou eenmaal naar het toilet moet. Je voelde je er helemaal niet op je gemak: de deur ging niet goed dicht zodat er ieder moment een bouwvakker binnen kon komen, en een emmer is nou niet bepaald comfortabel. Je zat er ook niet echt rustig. Het toiletpapier lag altijd ergens anders en er was geen water. Tot mijn opluchting kan ik zeggen dat het Dan was en niet ík die met zijn broek op de enkels werd betrapt door Paco Eléctrico.

Aan de andere kant van deze kamer zit een lage deur van

misschien één meter hoog, waarachter een paar waaiervormige traptreden toegang geven tot een soort dierenhok. De hagedissen, van wie dit het territorium was geweest, lieten zich niet snel verjagen; niet dat we dat wilden, al hadden hun staarten, die achteloos in het zicht bleven hangen als ze hun kop verborgen, angstaanjagend veel weg van een slang. Hagedissen zijn van harte welkom, en ik ben van plan om op een van de buitenmuren een enorme hagedis te schilderen, zoals ze in Afrika doen om geluk af te dwingen. Ook gekko's zijn aangename gasten die zich thuis voelen achter de schilderijen, waar ze met hun mooie spatelvormige vingers aan hangen.

Maar toen ontdekte ik in de kamer met de plastic kleerkasten en de emmer kleine zwarte torpedo's, die duidden op een minder welkome huisgenoot. De schim van de ziekte van Weil waarde rond in dit verder onschuldige huis – ik wist niet wat voor ziekte het was, alleen dat het heel naar was – en een aantal dagen na hun verschijning durfde ik niet naar binnen zonder veel lawaai met kletsende pannendeksels en rammelende deuren te maken. Het was erg onhandig omdat mijn kleren daarbinnen hingen. Ooit had ik in Londen te maken gehad met een knaagdierenspecialist die ratten prees om hun intelligentie en me toen vergenoegd toevertrouwde dat ze liever geen mensen aanvallen, maar je naar de keel vliegen als ze in een hoek worden gedreven. Nadat Dan me een beetje had bepraat, overwon ik mijn angsten. Moedig haalde ik de kamer leeg en gaf hem eens een goede schoonmaakbeurt.

Vervolgens begon ik kleverige zwarte dingen tegen te komen. Toen ik in de achterste kamer het bed opzijschoof om verder te gaan met kalken, stuitte ik op een kluitje mieren dat zat te knagen aan iets dat van dierlijke oorsprong leek – naar ik meende een vogelkop, mee naar binnen gesleept door iets groters. Ik werd er een beetje wee van, maar veegde het op en ging verder met wat ik aan het doen was. Onder de bank in de voorkamer lag nog een kleverig zwart geval verstopt.

Later ging ik naar de kamer met de plastic kasten, op zoek naar een of ander sieraad, en daar, onder een van de plastic kasten, lag wéér een kleverig zwart geval met zwarte dingetjes eromheen. Huid, dacht ik. Er lag er nog een onder de andere kast, met vreemde, over de grond verspreide rechte snorharen. Nu was ik niet meer heldhaftig en ik gilde dat Dan moest komen. Hand in hand stonden we daar te turen en we realiseerden ons dat de zwarte plakdingen geen reserveonderdelen waren om mee te kunnen vliegen, maar pruimen van de oude boom voor de keuken. En de snorharen waren niet de resten van de korte rug en flanken van een rat, maar van een van Dans penselen afgeknaagd, zodat er alleen maar een keurig getrimd stompje overbleef.

Pruimen waren echter te groot om door muizen te worden getransporteerd, tenzij ze net als de mieren in groepsverband opereerden. Dat we het huis deelden met ratten werd bevestigd door de keurige, kleine eekhoornachtige sporen in het stof. Bij de gedachte aan ratten kreeg ik het Spaans benauwd, en ik schold iedereen uit die zo dom was om een kruimeltje brood of kaas onafgedekt te laten slingeren in het loeihete hok dat we de keuken noemden. Maar het gevoel was wederzijds, en zodra ze hadden geconstateerd dat we bleven, verkasten ze naar minder dichtbevolkt gebied.

Onze beproevingen waren nog niets vergeleken met de uitputtingsslag die onze vriend Clive moest leveren. Wanneer die maar kon zat hij in zijn kleine finca onder aan de heuvel, en dat was helaas niet vaak. Het lukte hem die zomer echter wel om een week naar Spanje te komen. Hij kwam 's avonds laat doodmoe aan bij het huis en wilde dolgraag naar bed. Hij gooide zijn spullen op de grond en liep naar de slaapkamer, waar hem verschrikking en verslagenheid wachtten. Hij vond een rattennest in zijn bed. Ze hadden de grote teddybeer te grazen genomen, een geliefd aandenken aan zijn overleden vrouw, en op sinistere wijze alleen de ogen opgegeten. Het joeg hem de stuipen op het lijf, maar hij was te moe om meer te doen dan de troep naar buiten slepen en in een onbezoedeld logeerbed slapen.

De volgende ochtend stommelde hij de keuken binnen, waar hij uitwerpselen vond in zijn bestekla, op het aanrecht, in zijn steelpannen, kopjes, theepot, overal. Hij legde zijn eetwaren in de koelkast en begon vermoeid alles systematisch schoon te maken en te ontsmetten. Om zichzelf wat op te vrolijken bij deze eenzame klus zette hij muziek op. Het viel hem steeds meer op dat Bob Marley wel heel schril klonk. De lage tonen bleken te zijn weggevallen. Bij nader onderzoek ontdekte Clive dat de ratten alleen de baskabels hadden doorgeknaagd. Hij repareerde ze en ging verder met zijn trieste werkje. Hij deed de geredde lakens in de wasmachine en zette die aan, maar er gebeurde niets. De ratten hadden niet alleen aan de bedrading geknaagd; er balanceerde ook nog een wankel nest boven op de wastrommel.

Als alles mis gaat, dan is er altijd nog eten. Hij deed de koelkast open en vroeg zich af waarom die vanbinnen niet koel aanvoelde. Het licht was aan, maar koud het was niet. De ratten hadden zorgvuldig de motorbedrading geselecteerd als ultieme lekkernij en hun neus opgehaald voor de lichtkabels. Toen hij die avond kwam eten, was hij heel somber en flinke hoeveelheden goedkope Rioja en Dans beroemde kipstoofpotje wisten hem nauwelijks op te beuren. Het was pure pech, maar soms gebeuren dat soort dingen nou eenmaal, en dan voel je je heel alleen.

Clive was echter niet de enige die een tragedie overkwam. Een paar maanden later vroeg ik aan Barbara hoe het met Ken en Olive ging in hun nieuwe huis.

'O, ik dacht dat je het al had gehoord. Ken is overleden,' vertelde ze.

Dat was schokkend en afschuwelijk nieuws; ik had bewondering gehad voor zijn toegewijde ijver en gehoopt het resultaat te zien. Een paar dagen nadat Olive bij het huis was aangekomen, zaten ze net een kop thee te drinken toen Ken een hartaanval kreeg. Begrijpelijkerwijs was ze meteen met haar orgel teruggekeerd naar Engeland. Het huis heeft een tijdje leeggestaan. Als we er langsreden liep ons altijd een rilling over de rug.

In augustus kwam mijn vriendin Suzy, een psychotherapeute, de inwijding vieren van het afvoersysteem en ons zwembad, tegelijkertijd met Dans kinderen Doris en Ted, die bij hun moeder in Sudbury woonden. Doris was lang en opvallend knap, met glanzend, steil kastanjebruin haar, bruine ogen en expressieve wenkbrauwen. Ze had overal een uitgesproken mening over, die ze meestal ventileerde op een militaristische toon die me regelmatig ineen deed krimpen als het mijn familie of vrienden betrof. Ze had net eindexamen gedaan en was van plan om naar het London College of Printing te gaan om grafische vormgeving te studeren. We hadden gehoord dat er vijfduizend mensen waren voor maar een paar plaatsen. Zij kreeg er een van, maar besloot toen dat grafische vormgeving de verkeerde keus was, evenals het London College of Printing. 'Ik wil degene zijn die de ontwerpers aanstuurt,' was haar zelfverzekerde commentaar toen ze doodgemoedereerd verkaste naar Colchester om kunstgeschiedenis te studeren.

Ted, ook lang en knap, met zwart haar en net als Dan een kuiltje in zijn kin, moest uit zijn gebruikelijke stilte worden geranseld met kaartspelletjes of de dringende behoefte om iemands spraakgebrek na te doen. Hij was een onvoorstelbaar goede imitator en als we lachten tot de tranen ons over de wangen liepen, was dat altijd in de onaangename wetenschap dat we zelf ongelofelijk knullig zouden klinken als hij ons nadeed voor zijn vrienden.

Die zomer was Ted onbetwist de felstbegeerde Engelsman van de Cadillac-danszaal in Almogia; hij stak zowel letterlijk als figuurlijk met kop en schouders boven zijn rivalen uit, en nog maanden na zijn verblijf werden onze wandelingen naar de bank, onder aan de heuvel, onderbroken door hordes krankzinnig mooie Spaanse meisjes die als we langsliepen verzuchtten: 'Eduardo, *dónde está* Eduardo?'

Tijdens haar verblijf wist Suzy er adembenemend elegant uit te zien; ze lakte haar nagels zelfs hemelsblauw voor bij een jurk. De rest van ons zag eruit als schipbreukeling met een woeste haardos vol klitten, als een Robinson Crusoë in sarong. We hadden geen keuken, en al functioneerde de badkamer bijna helemaal, we hadden toch nog een stankprobleem. Casa Miranda kwam korte tijd bekend te staan om zijn rioollucht. Er zijn nog steeds mensen die vragen of we ons afvoerprobleem al hebben opgelost. Het beschamende antwoord is dat ik dat niet weet. Het lijkt aan stemmingen onderhevig te zijn: er zijn goede dagen en dagen waarop er geuren voorbijdrijven die niets met dennen te maken hebben.

Daar zaten we dan met z'n allen, verspreid over onze bouwvallige kamers, omringd door een wonderlijke ratjetoe van slecht bij elkaar passend meubilair, extreem eenvoudige maaltijden te koken op het wiebelende campinggasje. We woonden onder Dans enorme gele parasol, waar we aten, dronken, lazen, eindeloos scrabbelden en werkten op het enige betonnen terras. Daar was niets mis mee, behalve dan dat het in een onhandige hoek afliep zodat tafels, stoelen, borden, olielampen en glazen onverbiddelijk naar dat deel van het huis schoven dat weer onverbiddelijk van de heuvel gleed. De helling had nog een extra griezelfactor dankzij een rondslingerend kluwen elektriciteitskabels die zorgde voor licht en muziek en de ratelende cementmolen van stroom voorzag. Spanjaarden zijn voorzichtig met gasflessen (je moet zeven documenten ondertekenen om er een te krijgen) maar nonchalant met elektriciteit; ze verbinden kabels door de open einden op elkaar aan te sluiten of ze in een stopcontact te steken, waarna ze ze afdekken met een bolle dakpan of zo'n beetje in een plastic zak wikkelen als er regen dreigt.

Ze zijn zelfs zo nonchalant dat het Dan bijna zijn leven heeft gekost. Maanden later was de immer behulpzame Miguel in huis aan het klussen toen een van de fornuizen werd afgeleverd en hij bood aan om het aan te sluiten. Hij wist de butagaspitten aan de praat te krijgen, maar vertrok voordat hij de elektrische oven had aangesloten. Een tijdlang gebruikten we alleen de gaspitten. Toen besloten we op een dag om de oven in te wijden, waarvoor we de geaarde stekker moesten aansluiten en blindelings met lange, flexibele armen achter het fornuis moesten graaien om hem in het stopcontact te rammen. Er klonk een luide knal en Dan vloog achteruit door de kamer. Te laat bedachten we dat Miguel nogal een eigen kijk had gehad op welk snoer waar moest.

Ik besloot dat geen enkel knaagdier dat zijn leven lief was zich in de buurt van de gevreesde Doris zou wagen, dus wees ik haar een zedig en te klein stapelbed toe te midden van mijn kleren in de rattenkamer. Ted kreeg de aangrenzende kamer op het westen met een gewoon bed, en Suzy legden we onder in het stapelbed op onze kamer. Wij verkasten naar de ezelstal, die een zekere rustieke charme had en bijzonder goed geventileerd was omdat het ontbrak aan een deur, glas in de ramen en een echt dak. Het was een nonchalant staaltje ad hoc-architectuur, zonder elektriciteit maar met een handige multifunctionele trog, een provisorische open haard (toevluchtsoord voor salamanders) in een van de hoeken en doorzakkende dakbalken. Ik had er al mijn kostbaarheden verzameld. Het nachtkastje (eigenlijk een keukentafel en veel te groot voor zijn nieuwe functie) was bedolven met camera's, juwelen, mijn computer, Dans verf en alle andere spulletjes die we in de gaten wilden houden. Ik weet eigenlijk niet eens waarom we dachten dat dit een veilige kamer was. Het overige meubilair bestond uit een grote houten kist waar het grootste deel van mijn kleren in zat en een kleine kast waar die van Dan in zaten. Dan had een stuk canvas op de rotte balken boven ons bed getimmerd zodat de kleine kriebelbeestjes die daar huisden niet op onze sluimerende gezichten zouden vallen. De vloer bestond uit oneffen afgesleten rotsen waartussen onkruid omhoogschoot. We legden er opengeklapte kartonnen dozen met de naam van ons verhuisbedrijf overheen. Ik spijkerde een opzichtig gordijn van overdadige paarse tulbandstof uit Delhi voor de ingang om nog een beetje privacy te hebben.

De eerste nacht dat Dan en ik ons terugtrokken in Mon Repos, ons erop verheugend dat we in alle rust naar de sterren konden liggen kijken door de gaten in het plafond van onze slaapkamer, klonk er een pandemonium van gepiep en geritsel. Het duurde even voor we lucifers en een kaars hadden gevonden. Ons was verzekerd dat ratten en muizen niet met elkaar kunnen samenleven, maar de zee van kleine kopjes in de trog en op tafel suggereerde iets heel anders, en nog in groten getale ook. Toen we de kaars aanstaken, sloegen ze op de vlucht. Ik vind het onverteerbaar dat een van die beesten nog gauw even in mijn Indiase ketting van piepkleine cinnaberkraaltjes beet, zodat er nu kraaltjes op mijn kleding neerdalen als een soort designerroos. De nachten daarna schoten Dan en ik overeind zodra we ook maar iets hoorden dat op strijdgewoel leek en maakten we heel hard kattengeluiden.

Die zomer werd de grootse traditie van *fiestas* hooggehouden. Al is het een cliché, een van de leukste dingen aan Spanje is dat iedereen altijd fiesta's houdt. Vanaf de eerste zonnige zondag in januari en op heiligenfeesten, en dat zijn er 365 per jaar, komen de inwoners van Málaga massaal vanaf de kust aanrijden om tussen de olijfbomen te gaan picknicken, met het volledige arsenaal stoelen, tafels, barbecues, muziek en kandelaars. Met Pasen ziet het op straat zwart van de onberispelijk geklede families, die beschaafd genieten van het met juwelen getooide altaar van religieuze overdaad. Op oudejaarsavond worden op het stadhuis champagne en druiven uitgedeeld aan nuchtere Spanjaarden in hun zondagse pak en aan zatte Engelsen, die zich flink te buiten gaan en kotsen in alle kleuren van de regenboog.

Kort nadat we ons hadden geïnstalleerd zat ik in Paco's bar Juan, onze aannemer en inmiddels trouwe vriend, door te zagen over flamencodansen – ik ben dol op dat geconcentreerde gesnuif van de dansers, op het rauwe, primitieve, opzwepende ritme en natuurlijk vooral op die barbieachtige jurken vol franje. De flitsende, leerachtige handen die driftig scherpe syncopen klappen, de sfeer van vurige passie en dodelijke ernst. De flamencodans is de perfecte, onstuimige verbintenis van charisma en kitsch. Juan hoorde me welwillend aan en nodigde Dan en mij voor de zaterdag daarop uit in Monterrosso voor een flamenco-avondje.

'Hoe laat moeten we er zijn?' vroeg ik, bevend van opwinding.

'O, om een uur of tien,' zei hij en wandelde weg om nog wat drankjes te halen.

Nou, ik had er een week voor nodig om te besluiten wat ik aan moest trekken en op zaterdagavond om tien uur was ik nog steeds niet uit het dilemma welke schoenen ik aan moest; Doc Martens pasten nou niet bepaald bij de witte schuingesneden jurk die ik uiteindelijk had gekozen, maar iets gewaagders zou pure zelfmoord betekenen op de rotsachtige, onvoorspelbare grond.

Dan was opgefokt. 'Kom nou, straks komen we nog te laat. We missen de wedstrijd. Trek toch gewoon aan wat lekker zit. Die loopschoenen zijn prima. Er gaat toch niemand naar jou zitten kijken.'

Verkeerde aanpak, dat had iedere vrouw hem kunnen vertellen. Veertig minuten later vertrokken we, met de loopschoenen aan de voeten en de hoge hakken in een tas. We praatten niet echt met elkaar, maar hij wist me door opeengeklemde tanden toe te bijten dat we de hele show vast hadden gemist en dat het geen zin meer had om te gaan.

Het dorpje Monterrosso lijkt op een verkreukelde zakdoek die iemand op een steile helling heeft laten slingeren. We parkeerden aan de rand van het dorp tussen een flinke hoeveelheid auto's en klommen naar het centrum van het dorp, waar ik discreet van schoenen wisselde. Voor een verhoogd podium waren keurig tafels en stoelen op het hellende rode stof neergezet. Aan de zijkant stond een lange bar, waar een horde mannen vrolijk tegen elkaar stond te schreeuwen. Er was geen vrouw te bekennen en wij waren de enige niet-Spanjaarden. Er was niets te zien dat met flamenco te maken had. We vroegen ons af of we te laat waren.

Sebastián Moreno, een kleine, stoere man van middelbare leeftijd die gezag uitstraalde en een mond vol gaten had als hij grijnsde, gebaarde ons dat we vooraan bij hem aan tafel moesten komen zitten. Juan zat er ook, samen met twee anderen die ik niet kende. Juan vroeg wat we wilden drinken. '*Tinto de verano*,' zeiden we in koor: een veilig zomers drankje van rode wijn en citroenlimonade met ijs en citroen waar je lang mee doet. Het is veel lekkerder dan je zou denken. Maar hij vond het beneden zijn waardigheid om ons zo'n halfslachtig goedje te geven en kwam terug met twee glazen fino. Er volgde een lange, ernstige discussie waarbij veel meer glazen nodig waren, over de onvoorstelbare kwaliteiten van fino. We bewonderden de puurheid, de kleur, de smaak en de miraculeuze eigenschap dat je er geen kater van kreeg. Twee uur lang gingen we zo door, totdat de burgemeester het podium op stommelde en een ellenlange toespraak hield waarin hij Paco de kapper aankondigde: een ziekelijke, bleke, knokige man die zo uit een El Greco-schilderij leek te zijn gestapt (al draagt hij niet zo vaak een roze jurk) en wiens bedreven improvisaties op de gitaar het daaropvolgend in muziek veranderde.

We bleken namelijk te zijn aangeschoven bij een flamencozangwedstrijd. Geen vurige *señoritas* die rondwervelden in rokken met franjes en stippen, geen spetterende chemie tussen veel te kleine mannen die bol stonden van de testosteron en vernietigend snuivende statige vrouwen, geen enkele castagnet.

Alleen maar zes mannen en één vrouw, de een na de ander, die al klappend en jodelend het relaas deden van hun huwelijksproblemen of boodschappenlijstjes of wat ook. Voorzover wij konden horen had het net zo goed Chinees kunnen zijn, al werd het woord voor hart, *corazón*, regelmatig gememoreerd. Aanvankelijk was ik bitter teleurgesteld: ik wilde met juwelen getooide dansende meisjes, geen zingende boeren in hun zondagse pak.

Maar naarmate het aantal lege finoglazen toenam, begonnen we de muziek steeds mooier te vinden. Om een uur of vier 's nachts stond het dorpsplein vol. Kloeke, besnorde vrouwen met pantykousjes balanceerden kinderen op hun knieën, een paar lenige meisjes met blote navels stonden te kletsen bij de bar, waar hun toekomstige partners stonden te pronken. Af en toe daalde er een eerbiedige stilte neer als een van de zangers een wel heel indringend boodschappenlijstje opsomde, maar bijna iedereen in het publiek stond tegen elkaar te brullen zonder acht te slaan op de zangers.

Dan en ik realiseerden ons dat het een hele eer voor ons was. Niet alleen waren we de enige *extranjeros*; we zaten ook nog eens aan de tafel van de jury. Juan, Sebastián Moreno en hun twee *compadres* kenden cijfers tot en met tien toe. Ik begreep er niets van. Antonio, die het Downsyndroom heeft, zong een lied waar geen eind aan kwam en werd uiteindelijk midden in een triller door de burgemeester en de kapper vriendelijk maar beslist van het podium af geduwd. Ik vond dat hij het heel goed had gedaan. Juan gaf hem een kogelronde nul. Op dezelfde manier werd de vrouw, die prachtig en vol passie zong, afgekeurd omdat ze een vrouw was. De saaie vent die maar doorzeurde over potgrond en rubberen vetergaatjes, gooide hoge ogen. Maar inmiddels had ik mijn dansschoenen aangetrokken en swingde erop los, zonder me er druk over te maken of de beste wel won. Toen we uiteindelijk terugstrompelden naar de auto riep Fernando ons terug en nodigde ons uit om de volgende dag paella te komen eten. We voelden ons beroemdheden. We kwamen thuis toen het zonlicht zich uitrekte en kunnen bevestigen dat je van fino inderdaad geen kater krijgt.

Twee uur, had hij gezegd, en u heeft misschien al geraden dat Dan altijd en overal op tijd wil zijn. Om klokslag twee uur waren we er, in Monterrosso. Als enigen. Señor Moreno was nergens te bekennen, en we vroegen ons af of we zijn uitnodiging verkeerd hadden begrepen. Inderdaad. We waren niet de enige gasten; het was een feest voor de hele dorpsbevolking. Om drie uur hadden de mensen in het hele dorp tafeltjes en stoeltjes op de stoep gezet en señor Moreno had een imposant vuur gebouwd (van het soort waarop vroeger ketters, Moren en heksen werden geroosterd) en stond afwasteiltjes vol garnalen, kip, knoflook, tomaten en pepertjes in een enorme pan ter grootte van het bootje van Sint Brandaan te gooien, maar dan drie keer zo groot. Toen hij Dan in het oog kreeg, verscheen er een stralende grijns op zijn gezicht en hij sleepte hem mee om met een gigantische houten spatel in de inhoud van het bootje te roeren, terwijl hij er emmers vol water en bakken vol rijst bij gooide.

Dan was zo blij als een kind: roeren, proeven, raad geven, optillen, blazen en opdienen. Inmiddels zat het hele dorp buiten, onder wie een paar lieden die het, te oordelen naar hun getekende gezichten en donkere zonnebrillen, niet bij de wonderbaarlijke fino hadden gelaten. Er stonden kannen wijn op tafel, honden snuffelden zorgvuldig rond, dames rinkelden van de gouden juwelen. Ik was nogal geschokt door de kieskeurige manier waarop ze aten; ze pikten alleen de kip en de garnalen eruit, de rijst lieten ze staan.

Wij aten alles op wat ons werd voorgeschoteld en voerden levendige, zij het gelimiteerde gesprekken met Manolo *Metálico* en diens angstwekkende vrouw, een dubbelgangster van Hillary Clinton. De zon scheen en beneden klonk het zilveren gefluister van de olijfbomen in een zacht briesje. Het was een fantastische dag en fantastische paella. In een vlaag van zelfvertrouwen over ons huis, waarvan sommige delen bijna bewoonbaar waren, besloten we zelf een paellafeestje te geven en alle bouwvakkers en een paar Britten uit te nodigen.

Het geld van Dan was inmiddels op, Suzy, Ted en Doris logeerden nog bij ons, de cementmolen was naar een andere bouwplaats verhuisd en het leek een goed moment om, naar we hoopten tijdelijk, afscheid te nemen van Juan en zijn kameraden. We waren nog steeds ernstig onthand in de keuken, met alleen maar het campinggasje en water uit de muggenbroedtank, maar de zaken die onze prioriteit hadden waren piekfijn in orde. We hadden een terras met een hangmat en een stenen bank in de schaduw van de transparente, we hadden een toilet dat het deed en een zwembad. Kortom: alle reden voor een feestje.

We waren dolblij met ons zwembad; ik vond het onvoorstelbaar dat we er echt een hadden. Een maand eerder, toen het langzaam voor het eerst was volgelopen, hadden Dan en ik rondgesprongen en -geplast, schaamteloos gillend van de lach terwijl we elkaar met waterpistolen te lijf gingen of boven op ons voormalige luchtbed doken dat was gedegradeerd tot zwembadspeeltje. Zwaluwen scheerden over het water en we vroegen ons af of ze aan het drinken waren of insecten vingen, een vraag waar we tot op heden nog geen bevredigend antwoord op hebben. We konden er niet over uit hoe het marineblauw het hemelsblauw weerspiegelde, dat weer diepte kreeg door het blauwe mozaïek, en toen we die zomer terug kwamen vliegen vanuit Engeland ontplofte ik bijna van opwinding, omdat ik er heilig van overtuigd was dat ik het onmiskenbare ronde blauwe oog van ons zwembad *vanuit het vliegtuig* kon zien liggen toen het ging landen.

Juan gaf ons een ellenlange boodschappenlijst met alle ingrediënten voor de paella, en de volgende ochtend stoven we naar de supermarkt in Málaga, waar we onze auto vulden met wat hij had opgeschreven en dozen rode wijn. Hij kwam later aan met een paar enorme paellapannen en Dan trok zijn kleren uit om de oude resten van eerdere paella's weg te boenen. We waren de hele middag bezig met garnalen pellen, groente wassen in water dat we uit de tank hadden gehaald en precies in de afmetingen en vormen te snijden die Juan had voorgeschreven. Hij was wat bezorgd dat we niet de juiste kruiden van het merk Airplane hadden, maar hij behielp zich met onthutsend royale handenvol van mijn kostbare saffraan. Omdat we geen echt fornuis hadden, maakte hij een vuur in een van de ommuurde plantenbakken op het terras.

Omdat we er voor de gelegenheid oogverblindend uit wilden zien, smeerden Suzy, Doris en ik een dikke laag Dode-Zeemasker op ons gezicht en bleven in de zon zitten totdat het een keiharde, pijnlijke korst was geworden. Dom genoeg had ik het ook in mijn haar gesmeerd, zoals op het zakje werd aanbevolen, en vlak voor het feest raakte ik in paniek toen ik het eruit probeerde te krijgen. We hadden nu een echte douche en hoefden ons haar niet meer in het bidet te wassen, maar het gas was altijd op de meest onpraktische momenten op, en natuurlijk ook tijdens de ellenlange verwijdering van de Dode Zee. Er zat niets anders op dan al schreeuwend in het ijskoude water modderklonten uit ons haar te plukken. Er was nog iets mis met de badkamer: vreemd genoeg waren de kranen aangesloten op het elektriciteitsnet, en we hoorden altijd kreetjes van mensen die er niet aan gewend waren vijftien-volts-schokjes te krijgen als ze onder de douche stonden.

Piekfijn gekleed tot de enkels, met daaronder stevige wandelschoenen, kwamen we bij elkaar voor een avondje stevig drinken. Het ging natuurlijk niet regenen. In Andalusië heb je geen regenjas en paraplu nodig voor het geval dat. Maar toen de zon zoals gebruikelijk in volle glorie onderging, stak er een stevige wind op. Een fijn laagje Saharazand bedekte onze perfect opgemaakte gezichten en onze oogleden zwollen onflatteus op. Toen waaide Dans enorme gele parasol weg en het duurde even voordat we in de gaten kregen dat hij ondersteboven op het dak lag. De salade, die we hadden gewassen om ieder korreltje zand te verwijderen, werd opnieuw bedekt met een fijn krokant laagje, en papieren bordjes en servetjes vlogen als een zwerm spreeuwen de lucht in en kwamen op de meest onpraktische plekken neer. Het maakte niet uit; inmiddels toostten we moedig met onze zanderige glazen en het kon ons allemaal niets meer schelen.

Juan stond zich uit te sloven boven zijn hete plantenbak en er begonnen mensen te komen; onze Engelse buurvrouw, Annie, die er piekfijn uitzag maar zonder haar Spaanse geliefde; Barbara Stallwood, flitsend als een filmster en Chris, haar man, met een auto vol eten en drinken; Chris' moeder Mabs en haar man Tom, die vroeger hoofdinspecteur was van de rugbydivisie van Warwickshire, Helen en Tommy, lief, grappig en met een onverstaanbaar Glasgows dialect, met Tommy's moeder van in de negentig; en de mannen die aan het huis en het zwembad hadden gewerkt: de jonge, sexy Pedro, Miguel, Manolo Metálico, Paco Eléctrico en de besnorde piraat die de terrastegels had gelegd en de plantenbak- annex stookplaats had gemaakt.

Michael Stallwood, de zoon van Chris en Barbara, bombardeerde zichzelf tot dj, hetgeen hem niet in dank werd afgenomen omdat hij een onbegrijpelijke voorliefde heeft voor Queen en Meatloaf, vagelijk doorspekt met Enya. Maar hij maakte ook vaten vol sangria met een enorm hoog alcoholgehalte die ons gehoor dusdanig moet hebben aangetast dat we onze kritische noot kwijtraakten. Er zat vers fruit, rode wijn, suiker, citroenlimonade, vruchtendrank, wodka, gin, rode martini, Cointreau en ijs in. De procedure was als volgt: drink, vertel je levensverhaal aan een volslagen vreemde en val om.

De paella was een groot succes, maar we waren uit het veld geslagen toen Juan ons vroeg waar het vlees en de vis voor de volgende gang waren. En Barbara wilde weten waar het brood was. 'Spanjaarden kunnen niets eten zonder brood. En waar zijn het bier en de whisky? Ze moeten whisky drinken.' Dat wisten we niet, en we voelden ons ongelofelijke mislukkelingen. Hoe konden we zo dom zijn? Barbara stuurde Michael er met de auto op uit en hij kwam terug met een paar kippen, een heleboel vis, wat koteletten, whisky en bier en een paar acceptabele cd's. Een onwaarschijnlijker kandidaat voor de truc met de broden en de vissen was moeilijk te vinden, maar hij heeft ons die avond gered.

De herinneringen aan wat er gebeurde nadat deze crisis was bedwongen, zijn wat vaag. Suzy sloot innig vriendschap met de moeder van Tommy; ze zaten tot diep in de nacht te praten, en Manolo leerde me een eenvoudige flamencopas. Ik danste lichtvoetig totdat ik in het vuur viel en besloot dat ik er genoeg van had. Geen ernstige wonden, maar wel een dreun voor mijn trots en mijn billen.

Langzaamaan danste en praatte iedereen zichzelf moe en vertrok, totdat Michael de enige was die overbleef, opgerold tot een snurkend bolletje in een ligstoel. Hij was door niets in beweging te brengen. 'Dat komt wel goed,' zei Barbara. 'Hij valt vaak in slaap waar hij terechtkomt. Als hij wakker wordt, ligt hij nog precies zo. We komen hem morgenochtend wel halen.' We wurmden de slaper op ons aftandse luchtbed, dekten hem toe met dekens en daar bleef hij slapen, naast het zwembad. Gelukkig viel hij er niet in.

We hebben de zon inderdaad vervloekt omdat hij de volgende dag zo verdomd helder scheen, en de vogels omdat ze zo uitbundig waren, en Michael omdat hij zo onuitstaanbaar vrolijk wakker werd, al had hij net zoveel gedronken als wij en op het matras kunnen slapen dat meteen was leeggelopen.

De volgende avond liepen Dan en ik, nog steeds wat gammel, voorzichtig bij kaarslicht naar de ezelstal. Zoals gebruikelijk liepen we luid te bakkeleien om de residerende knaagdieren naar elders te verjagen, en zonken dankbaar in bed. We lagen nog een poosje gezellig te praten, beaamden dat de zomer genadeloos zwaar was geweest maar absoluut de moeite waard. In alle stilte, op het geblaf van boerderijhonden in de verte na, doofden we de kaars en een paar minuten later waren we diep in slaap.

Met een schreeuw werd ik wakker. Mijn gezicht was nat. Het bed en de vloer ook. Regendruppels zo groot als toverballen kletterden door het dak en drupten door ons canvas dekzeil op de kaarsen en lucifers naast het bed. Ik hoorde op wel twintig plekken in de ezelstal water druppelen en bedacht koortsachtig welke kostbaarheden waar lagen. Het was pikdonker, een uur of vier 's nachts en ik kon Dan niet wakker krijgen. Ik voelde me net iemand van de reddingsbrigade toen ik in het krioelende donker probeerde emmers en afwasteiltjes te vinden om de regen in op te vangen, waarbij ik op mijn gehoor bepaalde waar het lekte. Ik deed de elektronica en juwelen in de kist, strooide oorbellen over de hele vloer en trapte ze kapot, om er vervolgens achter te komen dat er een barst in het deksel van de koffer zat waar water doorheen sijpelde. Ik vond wat bubbeltjesplastic en een paar plastic tassen en pakte alles in. Niet alleen hielp Dan niet mee, hij maande me ook nog eens voortdurend tot stilte, diep verzonken in een van zijn nachtelijke cocktailfeestjes en zich niet bewust van de ramp die zich om hem heen voltrok.

Plotseling herinnerde ik me de elektriciteitskabels en raakte in paniek: straks kwam de hele helling levensgevaarlijk onder stroom te staan. Op de tast vond ik de stopcontacten en trok de stekkers er zenuwachtig uit. Het spreekt vanzelf dat geen enkele lamp het nu nog deed, want de kabels waren allemaal doornat. Toen liep ik als een kip zonder kop door het donker om te proberen kwetsbare voorwerpen te redden die we aan de elementen hadden overgelaten. We waren zo gewend geraakt dat de zon voortdurend scheen dat we inmiddels buiten woonden, en een oude ghettoblaster waar de hele dag Teds hip-hop uit schalde, stond met zijn bandjes naast het zwembad. Ik had ook wat tuinboeken buiten laten liggen, en overal verspreid lag de gebruikelijke hoeveelheid handdoeken. Ik had het akelige gevoel dat mijn camera ergens lag, maar had geen idee waar. Het vervelende van midden in de nacht is dat het een ideaal moment is om je druk te maken, maar dat je niet veel anders kunt doen. Drie uur lang drentelde ik doelloos rond, verplaatste spullen, liet ze vallen, struikelde over snoeren, wat weer kreten aan Dan ontlokte. Uiteindelijk gaf ik me gewonnen. Wat gaf het ook? Een camera heb je toch niet nodig? En ik al helemaal niet: ik heb nooit een foto kunnen maken waarop de bovenkant van het hoofd van mijn onderwerp niet ontbrak. Uiteindelijk dompelde een Iers ogende dageraad het inktzwart in somber grijs. Het daglicht, zelfs van deze soort, maakte de problemen draaglijk, en nadat ik met de blik van een schade-expert had rondgekeken in de vernielde ezelstal viel ik terug in ons klamme bed, waarop Dan opnieuw met gekreun reageerde.

De regen hield een flink deel van de dag aan en we waren allemaal uit ons humeur. Het was geen dramatisch soort regen dat je saamhorig maakt met donder en het gevoel dat er iets rampzaligs staat te gebeuren, maar het saaie, grijze soort dat doet denken aan trieste dorpjes in Wales op een zondagmiddag. Plotseling waren we met te veel mensen en was het huis te klein. We hadden het allemaal koud. Van de ene dag op de andere was de winter aangebroken, en we wilden wollen kleren, zachte tapijten onder onze voeten en een oplaaiend vuur. Het zwembad waar we nog de vorige dag plezier van hadden gehad, zag er zowel niet-uitnodigend als ongepast uit.

Niet lang na al deze opwinding ging iedereen terug naar Engeland en konden Dan en ik weer aan elkaar wennen. We hadden onze jaarlijkse kibbelpartij, gevolgd door een korte periode van rust en armoede, totdat de bulk royalty's van oktober ons in staat stelde ons weer in het hol van de leeuw te wagen en de bouwvakkers terug te vragen.

Dit was geen onverdeeld genoegen: het eerste wat ze deden was de drie vervallen kamers tussen het kloeke oude gedeelte van het huis en de badkamer neerhalen. Als cacao op tiramisu werd alles bedekt met een dikke laag stof die overal in ging zitten, en Manolo, Pedro en Miguel kregen uitvoerig inzicht in onze toiletgewoontes; iedere keer dat we naar de wc wilden, moesten we het met stenen bezaaide niemandsland oversteken dat hun nieuwe werkdomein was. Naarmate het bouwen vorderde was de plee regelmatig helemaal verboden terrein, omdat er nat cement lag of pas tegels waren gelegd op de vloer van wat onze zitkamer zou worden. Zelfs als je binnen zat met de deur op slot kon je niet honderd procent zeker zijn van je privacy. De bouwvakkers liepen bijvoorbeeld regelmatig langs het raam en keken dan terloops naar binnen, waar ze dan de verraste blik zagen van wie er maar op zat. Toen nam een brutale gekko zijn intrek in de badkamer en koos een prachtige verblijfplaats boven op het medicijnkastje. Als je binnenkwam, bekeek hij je een minuut of wat en schoot dan via de scharnieren het raam uit – op de een of andere manier kon hij zichzelf heel plat maken en zich door een scheur ter breedte van een tissue wringen. Hij was heel gevoelig en kon er niet tegen in de buurt te zijn als er iemand naar de wc moest. Zodra je wegging, trok hij z'n das recht, schraapte zijn keel en keerde terug naar z'n stekje naast de lichtaansluiting.

We woonden op een prachtige plek onder nauwelijks draaglijke omstandigheden. Af en toe hadden we water en elektriciteit. 's Avonds, als de bouwvakkers waren vertrokken en er een heerlijke rust neerdaalde, namen we een paar glazen Rioja en installeerden ons voor de dagelijkse luchtshow: zomer en winter lang vindt er iedere avond een spectaculaire zonsondergang plaats: golvend, geribbeld, een zee van wolken en kleur – oranje, turquoise, indigo, azuur, scharlaken, abrikoos, magenta, de hemelse nalatenschap van Turner in volle glorie, speciaal voor ons. We vergaten er banaler zaken door, zoals die keer dat niemand ons had verteld dat Tomas met de bulldozer zou komen en dat het handig zou zijn als we ons bed uit de ezelstal weghaalden omdat hij die af zou breken. De chaos en het ongemak deerden ons niet; Dan en ik begonnen wortel te schieten. Hier hoorden we thuis.

Juans paella met zeevruchten: ons feestje

voor acht personen

6 ongepelde gamba's
12 ongepelde grote garnalen
3 eetlepels extra vergine olijfolie
2 uien, gepeld en gesnipperd
3 middelgrote tomaten, gepeld, van zaadjes ontdaan en fijngehakt
2 bollen knoflook, gepeld en fijngehakt
een flinke pluk saffraandraadjes
een flinke mespunt komijn
2,5 liter water
1 bouillonblokje
1 eetlepel milde paprikapoeder
fijngehakte verse chilipeper naar smaak
225 g gedroogde sperziebonen, een nacht geweekt en afgegoten, of diepvriestuinbonen (naar wens)
zout en zwarte peper
600 g Spaanse paellarijst
1 grote rode paprika, in kleine blokjes
12 mosselen, schoongeboend en ontdaan van de 'baard'
225 g diepvriesdoperwten

Verwarm een grote paellapan of bakpan op middelhoog vuur, voeg een eetlepel olie toe en bak de garnalen vijf minuten. Schep ze uit de pan en zet ze opzij. Verhit de rest van de olie en bak de ui een paar minuten zachtjes. Voeg tomaten en knoflook toe en bak alles nog een paar minuten. Rooster de saffraan een minuut op middelhoog vuur in een klein, droog pannetje en verkruimel hem in 2,5 liter water. Voeg het bouillonblokje, paprikapoeder en chilipeper toe aan het water en giet het mengsel over de tomaten. Doe de geweekte bonen erbij, breng alles met zout en peper op smaak en laat de saus in ongeveer drie kwartier tot de helft inkoken.

Roer de rijst en de rode paprikablokjes erdoor, zet het vuur hoger en kook het geheel ongeveer tien minuten. Voeg halverwege de kooktijd de mosselen toe. Gooi mosselen die niet opengaan weg. Roer de doperwten door de paella, leg de garnalen erop, zet het vuur laag en verhit de paella nog tien minuten. Haal de pan van het vuur, dek hem af met een schone theedoek en laat de paella twintig minuten afkoelen. Serveer hem in de pan, op kamertemperatuur.

WINTERSE TAFERELEN

Naarmate de dagen korter werden en sporadische stortbuien onze omgeving veranderden in geelbruine drab, begon ons dierbare, relatief beschaafde toevluchtsoord eruit te zien als het beschimmelde interieur van een Neanderthalergrot. Waar je ook naartoe wilde, keuken en badkamer incluis, als je een voet buiten de deur wilde zetten moest je vooruitdenken, rubberlaarzen aantrekken en een paraplu en zaklamp meenemen. Van de oude deuren paste er geen een en er zat nog steeds geen glas in de ramen. Vliegtuigtickets, papiergeld, chequeboekjes en Juans offertes dwarrelden van hun wankele stapels af zodat onze toekomst over de hele vloer verspreid lag, om zo te worden vertrapt.

Het werd kouder en onze heldhaftige bouwvakkers begonnen in het donker met werken; ze maakten een vuur om hun ijskoude vingers te warmen. Als ik ze goed genoeg had gekend, was ik naast ze gaan staan bij hun brandstapel van deuren en oude balken. Ze waren zo dik ingepakt en voelden zich zo ellendig dat ik ze 's ochtends altijd zwarte koffie bracht, met een scheut zoete anijslikeur als het die dag wel erg guur was. De oostenwind van de Sierra Nevada woei weken achtereen, even koud en snijdend als de ijzige wind van de Oeral die de winterlucht in Cambridge zo doet tintelen.

Wij woonden nog steeds in het oude zuidelijke deel van het huis toen de noordmuren werden neergehaald en vervangen; de nieuwe stonden bijna precies op dezelfde plek, maar waren heerlijk verticaal en veel hoger – we wilden niet meer gebukt gaan onder de lage, benauwende plafonds van voorheen. Naarmate de dagen lengden, werden de muren hoger, totdat negentien knoestige balken van kastanjehout de hemel op een waterige lentedag van een streepjescode voorzagen, als geraamte voor het dak van de zitkamer. Op het lege, uitgestrekte vloeroppervlak werden grote vierkante terracotta tegels gelegd. Als de bouwvakkers naar huis waren, slopen we op onze tenen naar binnen en stonden we te genieten van de galmende stilte. De afmetingen wisten ons telkens weer op het verkeerde been te zetten: kamers die er piepklein uitzagen als ze alleen maar bestonden uit muren op een berg kapotte B-2-blokken en de resten van de ochtendvuurtjes van de bouwvakkers, werden opeens enorm ruim als er een mooie vloer in lag en alle rommel was opgeruimd. Dan werden ze weer kleiner door het dak, totdat de meubels erin kwamen en ze weer groter werden.

Ik moest vaak op kantoor in Londen zijn en het was geen pretje voor Dan om in zijn eentje in Casa Miranda te zijn. Hij zat moederziel alleen in dat oude gebouw, zonder ramen, warmte of gezelschap. Het nieuwe gedeelte was ook raamloos en vanwege het drogende pleisterwerk zo vochtig dat je het tot in je botten voelde. Hij probeerde wanhopig om delen van het huis bewoonbaar te maken voordat ik terugkwam en wist wonderen te bewerkstelligen, maar daar betaalde hij wel een prijs voor. Meubels verplaatsen bijvoorbeeld: alle grote dingen moesten worden weggehaald van waar ze stonden te verstoffen of zich op de helling volzogen met regen, en in onze nieuwe kamers worden gezet. Zodra de deuren waren geplaatst, moest het overige meubilair weer uit de oude kamers worden gehaald, zodat het dak eraf kon. *Pronto.*

Hij had dagelijks ruzie met de bouwvakkers, die meestal zelf bepaalden waar de ramen en deuren moesten komen. In een poging hun drastische beslissingen voor te zijn, maakte hij gedetailleerde tekeningen van de schouw zoals we die wilden hebben, met de precieze afmetingen erbij.

'Dat moet je niet zo doen. Dat is lelijk,' zei Juan.

Daar waren wij het niet mee eens, maar Juan wist beter. Op zijn aanwijzingen bouwde Miguel een schouw die eruitzag als een hogesnelheidstrein die dwars door de muur van de zitkamer was komen denderen. We waren verbijsterd. In een vlaag van wanhoop belde ik Barbara op.

'Maak je niet druk,' zei die. 'Zeg gewoon dat ze hem overnieuw moeten maken zoals jullie dat willen.'

Zonder morren ontmantelde Miguel de TGV en bouwde een prachtig altaar voor Vulcanus, met een bankje waar je je achterste op neer kon vlijen.

We hadden nog een aanvaring met Juan over tegelplinten, die hij noodzakelijk achtte. 'Hoe moet Miranda anders de vloer schoonmaken?' wilde hij weten.

Dat was geen enkel probleem omdat ik de Niet-Schoonmaakmethode eens wilde uitproberen, dus beval Dan de bouwvakkers om Juans ideeën niet op te volgen.

Juan reageerde met veel gepruil. 'Het probleem met Dan en Miranda,' zei hij ooit gepikeerd, 'is dat ze precies weten wat ze willen.'

Om alle misverstanden verder uit te sluiten, maakte Dan van cornflakesdozen een perfecte maquette van het huis die de bouwvakkers eerbiedig nabouwden, zelfs zo eerbiedig dat de deuren asymmetrisch waren en ze bijna een rode K op de keukenmuur schilderden. Soms leek het alsof ze in alle ernst poppenhuisje speelden als ze tot aan hun knieën in de rotzooi stonden, helemaal opgezwollen van de gebreide kledingstukken. Iedereen vond die maquette geweldig; nu konden die kerels eindelijk wijs worden uit het complexe gebouw waar ze aan werkten, en het schaalmodel werd korte tijd bewoond door een gekko op doorreis.

De zwartste dag voor Dan brak aan toen de bouwvakkers eindelijk klaar waren met de muren, deuren en zelfs ramen, compleet met glas en de obligate tralies, aan de noordkant van het huis. Spanjaarden zijn panisch voor Moren of zigeuners of rondtrekkende ondergoedverkopers, en brengen tralies aan op alle onroerende goederen. We hadden nog geen slaapkamer, dus was ons bed het eerste wat verbaasde gasten zagen als ze de voordeur binnenliepen. Ik zat nog in Engeland, dus belde Dan me opgetogen op om te vertellen over de keuken, de zitkamer, de nieuwe, goede schouw en de houtkachel. Die november regende het buiten pijpenstelen en zweetten binnen de pasgekalkte muren, dus zat hij met smart te wachten op het brandhout dat zou worden bezorgd, om het drogen te bespoedigen.

Op een bijzonder gure dag met vlagen natte sneeuw kwam Pepe de houtman eindelijk een lading houtblokken brengen waarmee Dan tenminste een vuurtje kon maken om zich aan te warmen. Pepes terreinwagen stopte voor het huis, gleed toen gracieus zijwaarts over een modderhelling naar beneden en zou onder aan de heuvel zijn beland als hij niet door de vijgenboom tot staan was gebracht. Dan rende onder de gitzwarte hemel naar buiten en hielp Pepe een kleine berg houtblokken uitladen, betaalde en zwaaide hem uit. Toen zag hij, inmiddels doorweekt, de voordeur dichtslaan met de sleutel aan de binnenkant. Omdat Manolo Metálico in zijn verstrooidheid was vergeten deurkrukken te maken, was Dan buitengesloten. Hij liep om het huis heen; het begon steeds harder te regenen en het werd al donker. Iedere deur en ieder raam bleek te zijn afgesloten en gebarricadeerd, op één na: het keukenraam. De bouwvakkers hadden er nog geen tralies aangebracht omdat het gewoonweg onbereikbaar was. Het was nauwelijks groot genoeg voor Dans hoofd en zat ruim drie meter boven de grond. In het pikkedonker maakte hij een ladder van steigerpalen, klom op het levensgevaarlijke ding, waarbij hij de prikkende takken van de pruimenboom ontweek, sloeg de ruit in en wurmde zich met veel moeite door het piepkleine raampje, om dankbaar in de gootsteen te belanden. Door de regen was de stroom natuurlijk uitgevallen, dus moest hij op de tast zijn weg zoeken.

Die avond ontdekte hij dat de achterdeur niet op slot kon en hij gewoon naar binnen had gekund. Op het absolute dieptepunt van dit alles belde hij me vanuit Paco's bar in de hoop op wat medeleven, maar in plaats daarvan kreeg hij op zijn kop omdat hij niet zonder me kon. Ik heb geloof ik gezegd dat ik hem niet voortdurend kon gaan zitten oppeppen. Schandalig gewoon.

Toen ik weer thuiskwam na een winkelmanie van twee weken, met zo nu en dan een aanval van werklust, stond de open haard te branden en straalde de houtbrander een heerlijke, droge warmte uit. Ons bed was nog steeds het eerste wat je zag als je binnenkwam, maar daar stond dan – o zaligheid – mijn bureau, compleet met stopcontacten voor mijn laptop en printer. Dan had boekenkasten versleept en volgezet met onze bizarre bibliotheek van stukgelezen romans, zelfhulpboeken, *Hoe & Wat in het Spaans* en tuinboeken.

De enige schakel die ontbrak was die tussen het fornuis en de gasfles: de zeer onvoorspelbare monteur van Repsol was maandenlang spoorloos verdwenen, dus brouwden we nog steeds maaltijden op ons wankele campinggasje.

Maar ik deed eindeloos de was in de nieuwe wasmachine en de afwas in de nieuwe afwasmachine. Ik stond maar te wassen, waarbij regelmatig de elektriciteit uitviel, en voelde me net als in die advertenties waarin huisvrouwen in stevig dichtgeknoopte schorten een wasmiddelenorgasme krijgen als stof en vuil verdwijnen. Kijk toch eens! mijn bizarre kleren van de tweedehands winkel en Dans spijkerbroek, bevrijd van stokoude vlekken.

Hij had gezorgd voor lampen, een bank bij de houtkachel, kasten en dressoirs, de schommelstoel, zachte kleden op de grond, foto's aan de muren, een echte tafel met stoelen: het zag er allemaal warm en uitnodigend uit en leek eindelijk op een echt huis. Kortom een wonder, zoals ik inmiddels verwacht als Dan zich ergens mee bemoeit.

Juan hield het huis en zijn bewoners nauwlettend in de gaten en legde een schoorvoetende fascinatie voor Dans schilderijen en tekeningen aan de dag. Hij zat eindeloos de schetsboeken door te bladeren of hield zijn hoofd schuin om beter naar een schilderij te kunnen kijken. Na lang om de hete brij heen te hebben gedraaid vatte hij moed en vroeg Dan om een portret van hem te tekenen. Dan vond het fantastisch en sprak met hem af dat hij de volgende ochtend zou komen poseren. Juan kwam om acht uur – veel vroeger dan nodig – en gaf Dan niet meer dan veertig minuten, waarin hij rookte, praatte, telkens ging verzitten en uiteindelijk in slaap viel. Desalniettemin wist Dan een fraaie potloodtekening te maken van zijn hoofd en schouders. Het leek sprekend, maar Juan zag er niet bepaald uit als Antonio Banderas en het is daarna nooit meer gesignaleerd.

Als er problemen waren, zoals die keer dat het plafond in de zitkamer op twintig plaatsen begon te lekken of er zwarte rookwolken uit de schoorsteen kwamen, was Juan altijd om klokslag acht uur present, zijn zakken uitpuilend met snoep omdat hij wilde stoppen met roken. Dan kwam hij aanrijden op zijn brommer, helm op, jas aan, en liep hij met zijn handen op de rug achter een van zijn bouwvakkers aan over het rampgebied, om rustig zijn kant van het verhaal te vormen. Die vergeleek hij dan met de onze, waarna hij tot een oordeel kwam. We waren altijd tevreden met zijn besluit en de bouwvakkers blijkbaar ook. Ze deden nooit moeilijk als ze een muur moesten afbreken waar ze net drie dagen aan hadden gebouwd en Antonio had nooit de pest in als hij een hele dag roet moest vegen in onze haperende schoorsteen of werd meegesleurd door een modderstroom als hij onze waterleiding repareerde. Juan was net zo vriendelijk voor zijn mannen en nam ze net zo serieus als zijn klanten.

Als hij om geld vroeg, sprongen we dan ook meteen in de houding en deden er alles aan om de luimen van het Spaanse banksysteem te doorgronden. Toen Juan ons rond Kerstmis met klem had verzocht ervoor te zorgen dat zijn mannen genoeg geld hadden om flink feest te vieren, gingen we naar Málaga, waar bij de Banco de Santander werd beweerd dat ze een samenwerkingsverband hadden met mijn Britse bank, de Royal Bank of Scotland. De rit duurde een uur heen en terug en toen we die tocht in de vier dagen daarop herhaalden, deden we drie ontdekkingen: dat de Banco de Santander niet open was op de dag van Nuestra Señora de la Esperanza, dat hij op zaterdag om klokslag één uur dichtging en ten slotte dat de overboeking die we wilden doen om duistere bureaucratische redenen onmogelijk was. Op een gegeven moment zetten we señor Velazquez Romero, onze weerspannige leidsman bij deze transacties, onder druk toen we ontdekten dat de Royal Bank of Scotland de Banco de Santander net had opgekocht. Zijn sowieso al indrukwekkende bleekheid werd bijna lichtgevend in de daaropvolgende twintig minuten, waarin hij telefonisch probeerde deze ophanden zijnde ramp tot op de bodem uit te zoeken. Op kerstavond slaagden we er eindelijk in om genoeg geld los te peuteren voor de bouwvakkers, maar toen we aankwamen bij het kantoor waren de rolluiken naar beneden en hingen de deuren vol hangsloten in verband met de feestdagen.

Het kantoor was dan misschien gesloten, maar Juans deuren stonden wagenwijd open. Ieder jaar met Kerstmis nodigde hij een grote groep mensen uit om te komen eten in zijn stenen landhuis, dat nog het meeste weg had van een apenkooi, zonder er rekening mee te houden wie met wie was gebrouilleerd. Het huis, liefdevol en eigenhandig gebouwd, lag dan wel op loopafstand van zijn huis in Almogia, maar het plattelandskarakter zat hem in de prei, tomaten, aardappelen en snijbieten die in zijn tuin stonden, en in een schrikbarend snel wisselend aantal beesten die huisdier waren of op het menu stonden, afhankelijk van Juans grillen. Zijn vrouw Maria was nooit aanwezig op deze bijeenkomsten omdat ze als stedelinge niets van het platteland moest hebben.

Het huis zag eruit alsof Ivanhoe de hand had gehad in de stoere donkere kantelen en naar voren springende torentjes. Maar in plaats van schietgaten koos Juan voor witte plastic ramen, en er zat een witte plastic deur op de plek waar je een ophaalbrug zou verwachten. Binnen waren er geen muren of deuren; hij liet je vol trots de plek zie die officieel tot 'toilet' was gebombardeerd, waarbij hij de beoogde muren met zijn voet markeerde en je wees op het glanzende sanitair, dat akelig in het zicht lag voor intiemer bezigheden dan je neus snuiten.

De keuken bestond uit een brede stenen schouw waar Juan zijn billen stond te warmen en zijn gasten stralend aankeek, en een houtgestookte bakkersoven zo groot als een ouderwetse telefooncel waaruit een eindeloze hoeveelheid braadsledes met sappig lamsvlees kwam dat langzaam werd gesmoord met groenten en kruiden uit de tuin.

Juans gasten zaten op plastic tuinstoelen rondom een wiebelende plastic tafel, terwijl Barbara en hij ze aanspoorden om meer te eten en drinken dan ze van plan waren. Juans beheersing van het Engels is nooit verder gekomen dan het aanwijzen van de 'toelie' (toilet), vragen om 'moenie' (geld) en zijn triomfantelijke 'Wassa-matter?', een kreet die op de meeste sociale gelegenheden van pas kwam. Maar mijn Spaans was goed genoeg om zijn gebruikelijke, hoffelijke begroeting '*Guapísima*' te kunnen begrijpen en waarderen. Die Kerstmis besloten mensen die een paars hoofd hadden van de hitte en de whisky en die het eigenlijk niet konden, te gaan dansen, en met hun papieren hoedjes en steeds wankeler enkels strompelden ze onelegant om de kale leidingen en bergen baksteen heen, zonder acht te slaan op de virtuele muren, en stortten af en toe neer op de wc-bril om op adem te komen.

Dan en ik waren niet dronken genoeg om dat onderdeel van het evenement te waarderen, dus namen we opvallend nuchter afscheid van onze vrienden en de bouwvakkers en deden thuis een spannend potje Scrabble.

December voelde net als een Engelse zomer, al waren de dagen kort. We zaten met korte mouwen in de zon kerstkaarten te schrijven, geïrriteerd dat we ze te laat verstuurden. Die Kerstmis werd Pastelero, net als ieder ander dorp in het land, opgetuigd met lampjes. De enige dorpsstraat lag vol met lampenverpakkingen, totdat ze door de wind werden weggeblazen. Op de een of andere manier benadrukten de twinkelende tiara's die een vrolijke kerstsfeer uitdrukten alleen maar hoe leeg het dorp was. Wij hadden echter geen moeite met dat algehele gevoel van somberheid. Het jaar daarvoor hadden we een vreselijke kerst gehad: Dan was teruggegaan naar het huis van zijn ex-vrouw en had een afschuwelijke vervreemding gevoeld, zoals gebruikelijk is bij dat soort gelegenheden; ik was in Highbury als een eenzame feestneus te midden van een slagveld van flessen, asbakken en een Amaretti-blik dat een of andere jeugdige lolbroek als braakbak had gebruikt. De jongens waren pas opgedoken toen de middag was overgegaan in de avond, met zo'n erge kater dat je niet mocht praten. Dit jaar had ik Kerstmis opgeschort en moesten de jongens in Londen zichzelf bedruipen. Leo had een jaar vrij nadat hij zijn grafische opleiding Brighton had afgerond en Spigs was terug uit Ipswich, waar hij een opleiding ruimtelijke vormgeving volgde.

Dan en ik besloten geen Kerstmis te vieren. Nou ja, er hing een schandalige hoeveelheid kaarten door de keuken en ik kocht stiekem een snoer kerstlichtjes dat ik als minimale versiering in een van onze kleine boompjes hing. Maar we hadden geen cadeautjes en de lunch bestond uit een feestelijke spaghetti bolognese. Geen kerstknallers, geen feestjes, geen familie, geen slaande deuren, geen tranen, alleen maar een enorm gevoel van opluchting. Heel even miste ik de jongens, die ik op eerste kerstdag belde, maar zo te horen ging het prima en de dagen gingen heerlijk snel voorbij.

Na de lunch scheurden we ons los van de open haard en we waagden ons in de grijze decemberkou om de pieken boven op

El Torcal te beklimmen, die eruitzag als een berg uit een Disney-film door de mysterieuze mistflarden die om de rotsen heen zweefden. We verdwaalden, het werd donker en ik dacht al dat ik kerstnacht door zou brengen op een rots toen we een paar meter verderop het onmiskenbare geklik van stilettohakken op steen hoorden. We gingen op het geluid af en stuitten op een fraai uitgedost gezelschap van in designerkleding gehesen *malagueños* die vanaf de parkeerplaats een honderd meter lange kerstwandeling maakten. Wij hadden in een kringetje gelopen en bevonden ons op spuugafstand van ons beginpunt. Maar we hadden tenminste gletsjergroene helleborus, ofwel kerstrozen, in het wild zien bloeien.

In deze periode stelden Dan en ik onze nieuwe en onzekere relatie streng op de proef. Iedere keer dat Barbara me vertelde over een stel dat hiernaartoe was verhuisd en uit elkaar was gegaan omdat het ze te veel werd om al hun trouwe vrienden en gewoontes kwijt te zijn, en opeens vierentwintig uur per dag een partner om zich heen te hebben die ze daarvoor alleen maar bij vlagen hadden meegemaakt, zonk de moed me in de schoenen. Ik had het akelige voorgevoel dat wij zo'n stel zouden blijken te zijn. Dan en ik kenden elkaar eigenlijk niet echt, niet in dit soort zware omstandigheden: hij was weggerukt van zijn vrienden en familie, in een land waar hij de taal niet sprak, en ik ging nog steeds door voor kostwinner en dat vond ik verschrikkelijk; ik moest me iedere maand naar Engeland slepen. Telkens als ik de zonovergoten olijfvelden achterliet om aan boord te gaan van een vliegtuig, voelde ik een steek in mijn hart.

Dan had vaak heimwee en lag soms dagenlang op de bank, meestal kreunend, vaak snurkend, soms zachtjes huilend. Niet dat hij lui is; integendeel, hij vindt niets fijner dan opdrachten hebben. Hij is een geboren schilder en tovert moeiteloos prachtige landschappen tevoorschijn, en is bovendien een begaafd illustrator. Hij is alleen ook een defaitist. Hij kan de meest fantastische dingen bereiken: een berg puin verplaatsen, een stapelmuur bouwen, een schitterend landschap schilderen, een nieuw leven verzinnen voor Oscar Wilde, maar als het werk hem niet in de schoot wordt geworpen (geen best uitgangspunt als je net naar het achterland van Andalusië bent verhuisd en niemand een adreswijziging hebt gestuurd) zinkt de moed hem in de schoenen en wordt hij depressief. Ik had gehoopt dat hij door de alom aanwezige schoonheid van Spanje permanent in een goed humeur zou zijn. Het mocht niet zo zijn. Langzamerhand vonden we een *modus vivendi.* Op pijnlijke wijze leerden we elkaars zwakke plekken kennen. De dagen van opwellende tranen en schaamteloze zwaarmoedigheid werden geleidelijk minder en mijn grommende, valse hond bleef in zijn hok.

Maar aan het begin van ons verblijf in Spanje dreigden we voortdurend in chaos verzeild te raken, en het was van levensbelang om te onthouden waar alles lag. Talloze malen graaide ik verwilderd in mijn tas, met bonkend hart en een lijf dat stijf stond van de adrenaline. Als dit ritueel zich voltrok stond er altijd wel iemand te wachten, ongeduldig tikkend met zijn voet. Toen we er net echt woonden kreeg Dan een onuitstaanbare band met het poppetje op het plafond: hij wierp wel zo'n dertig keer per dag zijn blik ten hemel na een woordenwisseling die als volgt verliep:

D: 'Waar zijn de autosleutels, huissleutels, paspoorten, kaarten, sokken, *dinero*, kaartspel, steelpannetje?'
M: 'Kijk eens waar je ze het laatst hebt gezien: op tafel, op de koelkast, in mijn tas, onder het bed, in de la.'
D: 'Jij hebt ze het laatst gehad. Jij moet weten waar je ze hebt gelaten.'
M: 'Nee hoor.'
D kijkt naar boven en M neemt zich weer voor om een enkele reis Londen te boeken.

Ik vond dit een afschuwelijk destructieve gewoonte. Ik heb nooit een baan als Schatbewaarder van Kleinigheden geambieerd, maar omdat vrouwen nou eenmaal de lastpaarden zijn met een ongewenst talent voor het memoryspel is het zo gegroeid. Handtassen, dames, daar gaan we de mist in. Als je een handtas draagt is dat voor de wereld en je man een teken dat je bereid bent om onbenullige, tijdrovende verantwoordelijkheden op je te nemen. Er is een eigenaardige, ontmoedigende wetenschappelijke theorie dat de hersenen van mannen en vrouwen zich in de loop van millennia op verschillende taken zijn gaan instellen. Mannen zijn eropuit gegaan om te slachten, dus hun mentale ontwikkeling had te maken met sluwheid, opportunisme en hun weg terug naar huis zoeken. Vrouwen zijn daarentegen geconditioneerd om de dagelijkse beslommeringen te regelen, met name dingen terugvinden en dus opruimen, schoonmaken, ordenen, opslaan.

Voor die bezigheden heb je veel geheugen nodig. Aanvankelijk waren er dingen die we wel moesten onthouden, vooral sleutels. Als we weggingen, moesten we drie deuren op slot doen. (Dat was in de goede oude tijd, nu zijn het er tien.) Ik was aan de lopende band sleutels en chequeboekjes kwijt. En aangezien ik wel zevenentwintig kleinigheden moest zien te onthouden, gebruikte ik meer geheugen dan ik kon missen. Bijgevolg kon ik me meestal niet herinneren wat ons telefoonnummer, mijn naam of het Spaanse woord voor 'postkantoor' was.

Ik werd er kriegel van dat ik altijd allerlei onmisbare spullen moest bewaren en zoeken, en van het feit dat ik daar zo slecht in was werd Dan weer kriegel. Ik was juist uit Londen vertrokken om minder verantwoordelijkheden te hebben. Weliswaar hadden we aanvankelijk geen andere plek om dingen te bewaren dan mijn dodelijke handtas (of eigenlijk rugtas, vanwege de hernia). Uiteindelijk had ik zo veel bij me dat ik een kruiwagen nodig had. We hadden ook ieder jaar een herfstritueel. Als de laatste zomergast was vertrokken maakten Dan en ik even hartgrondig ruzie, haalden de afgelopen paar maanden en elkaars familie en vrienden door het slijk en begonnen plannen te maken voor een bestaan als oude vrijster/vrijgezel. In de woorden van de partner van mijn zus Judy, Hubert: 'Gasten zijn leuk als ze komen en nog leuker als ze weer weggaan.' Onder deze omstandigheden betekende bezoek hebben (waarnaar we hevig hadden verlangd) dat we elkaar maandenlang niet alleen zagen, nooit de kans hadden dingen met elkaar te bespreken, overeenstemming te bereiken, taken te verdelen. We voelden ons allebei miskend, onbemind en niet-gehoord.

Die winter hadden we wel een heel verschrikkelijke dag toen we op het punt stonden om samen terug te gaan naar Engeland. Dan zat diep in de put en kon zichzelf er pas rond het middaguur toe brengen om op te staan. Het was koud en bewolkt en we zaten allebei opgesloten in onze eigen neerslachtigheid.

Ik had besloten naar Antequera te gaan om een paar prachtige grote, zwierige kommen voor Hester te kopen, en tot mijn schande moet ik bekennen dat ik nog steeds te schijterig was om zelf te rijden. Ik zeurde net zolang totdat Dan me bracht, en we kwamen op het verkeerde moment aan omdat het siësta was. De stad was griezelig leeg. Er waren geen auto's, geen voetgangers, geen honden, en er was niets open. Kale luiken die glansden van de motregen sloten alle deuren en ramen af. Dat bleef drie uur lang zo; we zaten nukkig aan een oninteressant maal in een veel te duur restaurant. Dan vond het kopen van kommen tijd- en geldverspilling en ik wilde voor geen goud met lege handen terug naar Londen. Ik kocht meer kommen dan ik wilde of kon gebruiken, en extra grote, omdat ik zo verontwaardigd en chagrijnig was als alleen een veertienjarige kan zijn. Werktuigelijk deden we boodschappen, waarbij we alle belangrijke dingen vergaten, en reden zwijgend terug naar huis.

Ons slechte humeur werd nog verergerd doordat we die avond in Paco's bar hadden afgesproken met Clive, die zijn strijd tegen de ratten dolgraag even wilde onderbreken. Zijn uitnodiging was guller dan wat hij er voor terugkreeg omdat hij zich in het gezelschap bevond van twee nukkige ezels in de oorverdovende omgeving van Paco's bar op de 'Engelse' avond. Hij is heel goeiig en deed erg zijn best, maar omdat we geen teken van leven gaven, dwaalde hij wijselijk af naar aangenamer gezelschap om onbenulligheden mee uit te wisselen. Uiteindelijk kwam hij terug en gaf ons een lift naar huis, waar zich opnieuw een ramp voltrok. Ik was de keukensleutels kwijt, zodat we geen bril, tandenborstel of water hadden. Volgde weer een spervuur à la: 'Nou, waar heb je ze neergelegd? Jij moet weten waar ze liggen, jij hebt ze het laatst gehad.' Kribbig klommen we in bed, met de rug naar elkaar toe, gevaarlijk dicht bij de rand en met zo veel mogelijk ruimte tussen ons in.

De volgende ochtend vond ik de sleutels, samen met wat zonnebrandcrème en een balpen, keurig uitgestald op de watertank. Ze moesten uit mijn tas zijn gevallen en de bouwvakkers waren zo vriendelijk geweest om ze in veiligheid te brengen. Maar onze ellende was nog niet voorbij. Ik was mijn chequeboekje kwijt. Ik geïrriteerd, en Dan hield zijn overbekende preek. Ik verloor mijn humeur en gromde naar hem en hij zei dat ik altijd moeilijk deed over geld. Verontwaardigd zei ik dat als ik moeilijk deed over geld, dat kwam doordat ik achttien jaar lang in mijn eentje twee zoons had moeten onderhouden, iets wat me niet was komen aanwaaien, en dat ik juist een huis in Spanje had gekocht om van verantwoordelijkheden af te zijn, maar dat het sinds we hier waren gaan wonen mijn ondankbare taak was geworden om te onthouden waar ieder lullig dingetje in huis lag. 'En je beledigt me als je met je ogen rolt.'

Zo. Dat was eruit. De waarheid lag op tafel. Dan vond het vreselijk en bood zijn excuses aan en deed er alles aan om het goed te maken door de stenen bij de slaapkamerdeur weg te halen, waar ze een levensgevaarlijk obstakel vormden. Plotseling kreunde hij en verbleekte. Het was in zijn rug geschoten en hij kon niet zitten, rechtop staan, vooroverbuigen of lopen. Allemaal gruwelijk bekend.

Ik wist mijn 'rugaantekeningen' op te diepen, gekopieerd uit een boek dat Leo aan me had uitgeleend. Daarin werden ijszakken, oefeningen, pijnstillers en spierverslappers aangeraden, en die had ik toevallig allemaal. Ik had indertijd valium gekregen, dat op Dan een schrikbarend effect had. Hij lag roerloos in bed en moest de hele middag huilen; stilletjes liepen de tranen over zijn bruine, stoere wangen. Ik belde mijn chiropracticus in Bath, die de naam en het nummer van een collega in Málaga opzocht. Toen ik de volgende dag in mijn eentje naar Londen was vertrokken, wist die Dan te helpen en zijn zelfvertrouwen te herstellen. De tranen waren veroorzaakt doordat Dan zichzelf zag als een hopeloze oude vent die blijvend invalide was.

Maar dat voorval was ongebruikelijk. De waarheid was dat we het fantastisch hadden zonder het ons te realiseren. Ik werd rijkelijk betaald om maar een kwart van mijn tijd op kantoor te zitten, en maar een fractie van mijn werkzaamheden bestond uit me opwinden in de sombere beperkingen van kantoor. De rest was alleen maar leuk: naar schattige dorpjes in Gloucestershire, Suffolk, Oxfordshire rijden, met leuke, aardige mensen praten over hun passie voor planten, met zonsondergang naar huis gaan en misschien onderweg nog even wat eten in een pub aan een rivier. Zelfs ik, verwend nest dat ik was, had niets te klagen.

Als mijn klusjes erop zaten kon ik weer ontsnappen naar het paradijs. De bouwvakkers onthaalden me altijd alsof ik jaren was weggeweest en Dan was zichtbaar door het dolle heen als ik terug was. Het zag er altijd adembenemend mooi uit. Midden in de winter bloeide er een tapijt van blauwe irissen onder aan El Torcal, en erbovenop koperkleurige euphorbia en helleborus. Sterk geurende witte narcissen groeiden in het wild tussen de brokken kalksteen, naast knalgele brem en bleekroze punten van de affodil. Melkblauwe maagdenpalm slingerde zich om dieproze cistusrozen heen en aan de kant van de weg bloeide lavendel. Er was een betoverend veld met populieren op een dicht bed van *Oxalis pes-caprae*, kanariegeel tot lunchtijd, waarna ze als een strak opgerolde paraplu zedig hun blaadjes toevouwden en – *presto!* – groen werden. Wel een miljoen *Calendula arvensis* vertoonden hetzelfde kunstje buiten het dorp, en oude mannetjes waadden door de onstuimige zee van oranje bloemen met bundeltjes heerlijke bittere wilde asperges, een delicatesse die er alleen aan het begin van de lente is. Op een ochtend kwam onze dove buurman, señor Arrabal, op een van zijn filantropische plundertochten onaangekondigd de nieuwe voordeur binnenstormen, greep Dan met zijn geruwde handen beet en sleepte hem van zijn stek bij de open haard. Ze kwamen terug met bergen asperges die ze op onze heuvel hadden geplukt – señor Arrabal liet Dan zien waar je de meeste kon vinden, achter de grazende geiten.

Het weer was onvoorspelbaar: soms regende het pijpenstelen met windhozen van honderd kilometer per uur, dramatische en onverwachte bombardementen van hagelstenen zo groot als kapucijners, tere mistflarden die de valleien en de zon aan het zicht onttrokken. De dag begon akelig grijs om ons eraan te herinneren dat het winter was, waarna de wolken zich terugtrokken en we werden overgoten met een windstille, stralende zon. Korte mouwen, buiten lunchen, warmte die de kou uit onze botten joeg en ons verleidde om maar wat te rommelen: een beetje wieden, wat modderkluiten van het bakstenen pad vegen en de jasmijn en passiebloem opbinden aan stokken. Op stormachtige dagen viel de stroom regelmatig uit, zodat we geen licht, geen water, geen oven en geen computer hadden. 's Avonds – meestal koud en helder met een fonkelende sterrenhemel – brandden we blokken olijvenhout en zaten bij kaarslicht een potje te kaarten.

Als we met ons tweeën zaten te lezen, praten, koken of een potje backgammon of Scrabble deden waren we volmaakt gelukkig. Meer hadden we niet nodig. Soms tokkelde Dan wat op zijn gitaar en moest ik automatisch zingen, al vroegen mensen me meestal snel om daarmee op te houden. Van tijd tot tijd namen we ons glas *tinto* mee naar buiten en zaten, gewikkeld in onze fleece, onder de grotere, helderder Spaanse sterren. En naarmate de winter van 1998 vorderde sleet dat patroon langzaam in.

Amandel-turrón

Een van de goedmakertjes voor donkere dagen en lekkende daken is de overvloed aan extra dikmakende kersthapjes die in alle winkels verschijnen. Een dieet van gekonfijte sinaasappelschil en amandel-turrón in de kerstdagen zorgt er gegarandeerd voor dat de rits in het nieuwe jaar niet meer dichtgaat.

1 eiwit
50 g suikerklontjes
50 g honing, zo licht mogelijk van kleur
60 g amandelen, licht geroosterd, gepeld en grof gehakt
vetvrij papier en rijstpapier

Bekleed een rechthoekig bakblik of vorm, eerst met vetvrij papier en vervolgens met rijstpapier.

Klop het eiwit tot stijve pieken, zodat de kom omgekeerd kan worden zonder dat het eruit valt. Verhit de suiker en de honing samen in een pannetje. Spatel het eiwit erdoor zodra de suiker begint te smelten en samenvloeit met de honing. Roer voortdurend om alles goed te mengen, maar laat het mengsel niet bruin worden, want de turrón moet zo wit mogelijk zijn. Haal de pan van het vuur. Voeg de amandelen toe en blijf roeren. Zet de pan heel kort op een hoog vuur. Haal hem er weer af zodra het mengsel begint te karameliseren en giet het in het bakblik of de vorm.

1999

AUTOPECH

Ted en Doris hadden de pelgrimstocht ondernomen om oudjaar met ons te vieren, en het regende aan één stuk door. De kans was groot dat we het huis niet uit konden omdat de wegen waren veranderd in één grote modderpoel. Ik vond het vervelend voor de kinderen, zo opgesloten zonder vrienden of afleiding, maar ze deden er niet moeilijk over en maakten niet eens ruzie.

Maar op oudejaarsavond deden we onze traditionele rode geluksonderbroek aan en begaven ons lichtelijk ongerust op weg. Om in Almogia te komen moesten we heuvelafwaarts en dat was eng in de oude Citroën; we konden niets zien en het was nog glibberiger dan anders. We gingen even langs bij Barbara en Chris om een jasje te lenen voor Ted – op *Noche Vieja* in Taco's bar scheen formele kleding verplicht te zijn. Hij schaamde zich rot in het oubollige donkerblauwe colbert met gouden knopen, maar hij zag er fantastisch uit (lang, groene ogen, zwarte haren en knap, geknipt voor een rol als sombere, uitgetreden priester) met een donkerblauw overhemd en Chris' afgrijselijke Paisley-das. Zalig.

Om halftien was Almogia een spookstad. La Loma, het trefpunt van de Engelsen en een soort wachtpost van waaruit je iedereen kon zien komen en gaan, was donker en alle luiken waren dicht. Las Molinas, de nachtclub, was dicht. De hoofdstraat was leeg, afgezien van de korte bedrijvigheid van een oude dame die haar voordeur binnen sloop en terugkwam met om haar schouders een enorme, dode katachtige. Het beest bekeek ons met ongeïnteresseerde gele ogen. We snelden over de glibberige straten naar het hoofdplein, bij iedere behoedzame stap blij dat we geen naaldhakken of blote avondjurken hadden gekozen. Doris, Dan en ik liepen er met al onze lagen kleding bij als matrassen. Ted liep voortdurend zijn keel te schrapen en nerveus aan zijn stropdas te trekken.

We daalden moeizaam af naar het plein, en toen we in de buurt kwamen hoorden we een blikkerige Spaanse versie van 'Jingle Bells'. We kwamen de hoek om en zagen... tsja, niet zoveel eigenlijk. Op de gevel van het stadhuis stond in wijd uiteenstaande letters van rode, groene en ontbrekende peertjes *Feliz Navidad*. Daarvoor stond de zieligste kerstboom waarvoor ooit geld in andere handen is overgegaan: de kale takken, waar niet één naald aan zat, waren opgesierd met lichtjes en rode strikken. In de Engelse bar op het plein was het ijskoud maar de vaste club Engelsen was erop afgekomen.

Toen het bijna middernacht was, wist Doris wat bussen nepsneeuw op te diepen en het stadhuis had ons allemaal zakjes van rood en groen cellofaan uitgedeeld met daarin twaalf druiven, die door ervarener lieden snel werden ontpit. De dorpskinderen, nerveus giechelend van opwinding, haalden naar ons uit en bespoten ons rijkelijk met sneeuw, totdat we vlekkerig en bedolven waren en niets meer zagen.

Toen het middernacht was, begonnen er geen kerkklokken te luiden, zoals ik had verwacht, maar ging er een zakelijke fabriekssirene af. Hij was bijna uitgeloeid toen ik me realiseerde wat dat eigenlijk inhield en dat ik in één keer twaalf druiven moest opschrokken, zodat ik een vreugdeloos jaar tegemoet kon zien met in december één enorme dosis geluk; iedere druif die je bij de twaalf klokslagen van middernacht doorslikte betekende een gelukkige maand. Het stadhuis deelde flessen goedkope champagne uit, die de Spanjaarden als spuitpistool gebruikten en de Britten gulzig soldaat maakten.

Tien geweldige minuten lang viel iedereen elkaar om de hals, stonden gezworen vijanden gezellig met elkaar te kletsen, ontdekten mensen die elkaar nog nooit eerder hadden gezien opeens heel persoonlijke raakvlakken en was de wereld heel even, maar heel oprecht, één groot feest. Toen ontdekten we dat de Spanjaarden waren vertrokken en de vermetele Britten, wanhopig uit op een verzetje, alleen met hun drank en elkaar achterbleven. Ted en zijn vrienden hadden zich, ietwat ongerust nog, verzameld voor het middernachtsfeest en maakten zich op voor hun braspartij in Taco's bar; het echte werk lieten we over aan de echte zuiplappen.

Het nieuwe jaar bracht nieuwe voornemens met zich mee. Om me te kunnen blijven voordoen als professionele journaliste die heen en weer pendelde naar Londen, moest ik een antwoordapparaat en een fax hebben, en natuurlijk een telefoon. Michael Stallwood had met Telefónica gebabbeld en ze gingen er een aansluiten... misschien.

Michael was in ieder opzicht zowel vertederend als irritant. Net als zijn vader was hij grenzeloos behulpzaam, maar anders dan Chris kon hij niet goed luisteren, dus had zijn toewijding soms nare gevolgen. Hij was manusje-van-alles op het makelaarskantoor van Barbara en Juan en verveelde zich rot. Toen we langskwamen om te zeggen dat we naar Málaga gingen om een antwoordapparaat en een fax te kopen voor onze tot op heden niet-bestaande telefoon, zat hij al achter in de auto voordat we konden zeggen: 'Nou jongen, wat dacht je ervan?'

Op de heenweg werden we bedolven onder een vloedgolf aan informatie van Michael over de monddelen en het spijsverteringsstelsel van bijen, de afstand van Jupiter tot de aarde, hoe een satellietradio werkt en wat je in Alaska allemaal voor zoogdieren kunt aantreffen, en toen we eindelijk bij Carrefour aankwamen waren we nogal geïrriteerd.

Michael racete naar de telefoonafdeling en kwam terugrennen met een verpakte Samsung, die hij op de toonbank liet vallen. 'Goed, laten we wat gaan eten. Ik rammel,' zei hij.

Oké, dacht ik terwijl ik voor de Samsung betaalde. Voorzover ik wist hadden we niets afgesproken over een lunch, maar het was aardig van Michael geweest om mee te gaan. Hardop zei ik: 'Waar zullen we naartoe gaan?'

'Nou, hier vlakbij zit een heel goede Mexicaan,' zei hij. 'Lekker exotisch.'

Ditmaal was zijn keuze goedkoop, al was het verschrikkelijk. Een zogenaamd Mexicaanse eetgelegenheid met de charme van een McDonald's; de maaltijd overgoten met weke, papperige, smakeloze opgebakken bonen. Waarom zou je ze überhaupt warm maken? En waarom, wáárom zou je ze weer opbakken? En ze niet gewoon weggooien? We aten onze smakeloze brij op, dronken onze veel te dure drankjes en gingen terug naar huis.

'We hebben tenminste een antwoordapparaat,' mompelden we tegen elkaar terwijl Michael ons vertelde hoe je bommen maakt, hoeveel ringen Saturnus heeft en wat wolven eten.

Toen Telefónica drie weken later de telefoon kwam aansluiten, pijnigde ik een hele middag mijn hersenen af om te doorgronden hoe het antwoordapparaat werkte, waarvan de Japanse handleiding letterlijk was overgenomen in het Spaans, compleet met tikfouten en vaagheden. Al snel werd duidelijk dat er geen fax op zat.

We reden terug naar het kantoor en vertelden het aan Michael, die alweer in de auto zat voordat we konden zeggen: 'Geen grapjes dit keer.' We waren niet van plan geweest hem mee te nemen omdat de vorige keer geen succes was geweest, maar Michael is niet te stuiten. Even later wisten we alles over wat sporters eten, hoe kalksteen is opgebouwd, hoe zeezoogdieren communiceren en hoe een straalmotor werkt.

Maar toen we in Carrefour waren, waren we blij dat we hem mee hadden genomen. We stonden een halfuur in de rij bij de klantenservice totdat een vrouw met bruinomrande lippen zich tot ons wendde. We legden ons probleem voor, zeiden dat we het ding niet hadden gebruikt, dat we hem niet eens hadden uitgepakt omdat we een fax nodig hadden. Konden we hem inruilen en het verschil bijbetalen?

'Nee. Daar bent u te laat voor,' zei ze. 'U had het apparaat binnen veertien dagen terug moeten brengen. Wie volgt?'

Ik was sprakeloos en Dan bromde wat over consumentenrechten, maar Michael, die al tien jaar in Spanje woonde en er op school had gezeten, ontfermde zich over Modderlipje. De eindeloze spraakwaterval waar we in de auto zo gek van waren geworden kwam nu heel goed van pas en hij had haar sneller om dan een drilboor. Michael liep nog steeds te praten toen ze ons de winkel uit duwde, ditmaal met alles erop en eraan. Toen hij opgewekt vroeg waar we gingen eten, zei ik: 'Kies jij maar, Michael, als dank voor je triomf.'

'Nou, het beste, waar ik al heel lang naartoe wil, is het restaurant in de arena. Ze hebben traditionele streekgerechten en een goede wijnkaart.' De Opgebakken-Bonenknul als Bon Vivant. Braaf liepen we achter hem aan.

Met veel tamtam liep Michael het restaurant binnen en vroeg om een tafel. Dan en ik waren ontsteld: overal tafellinnen en zilver, het type gelegenheid waar je je vriendin mee naartoe neemt als je haar ten huwelijk wilt vragen: gedempt licht, roze tafellakens, één roos op elke tafel. Het leek een beetje overdreven voor Michael, die alleen maar een antwoordapparaat had omgeruild.

We hadden nog nooit eerder een menu met zoveel keus gezien en er stonden geen prijzen op; altijd een slecht teken. Met een akelig voorgevoel vroeg Dan om konijn, ik wilde een salade en vis en Michael bestelde biefstuk. De ober zei telkens dat ik geen salade én vis moest nemen. En ik zei telkens dat ik dat wel wilde. Ik won. Hij haalde zijn schouders op en schreed prevelend weg. Ik stelde me een delicaat stukje gerookte zalm voor op een discreet bedje van gemengde sla.

Als amuse bracht hij piepkleine, zalige auberginebeignets die werden geserveerd met lichte stroop, krokant, smeltend op de tong, verrassend. We leunden allemaal achterover, ten onrechte gerustgesteld, totdat ons hoofdgerecht arriveerde.

Mijn salade had de omvang van een kleine koffer: eieren en kaas, asperges en palmharten uit blik, abrikozen, tonijn, maïs, bonen, worteltjes, sla, uien, rozijnen, ansjovis en ondefinieerbare dingen van achter uit de koelkast. De zalm leek wel een walvis. Een paar minuten later kwam de ober terug met een zilveren schaal waar iets overheen stak dat op een stel honkbalknuppels leek. Het bleken de gespierde poten van Dans konijn te zijn, die in mijn ogen meer weg had van een kangoeroe, te oordelen naar zijn omvang en spiermassa. Van deze enorme, massieve boemerang van vlees zonk de moed ons in de schoenen. Michaels biefstuk was zo groot als het Afrikaanse continent in de Oxford Atlas. We aten stug door en genoten van zijn ongebruikelijke zwijgzaamheid.

Dan kon niet op tegen zijn konijn en moest heel wat laten staan. Ik kreeg nauwelijks iets op van mijn walvis en koffer, maar Michael, die kleiner is dan ik en tenger, vrat zich door zijn biefstuk en frites heen en vroeg toen om de dessertkaart, waaruit hij iets koos dat gebakken melk heette.

'Jullie zullen het heerlijk vinden. Als ik het krijg, zullen jullie spijt hebben dat je het niet ook hebt besteld.' Dan en ik moesten allebei kreunen.

Spanjaarden zijn beroerd in desserts en gebakken melk was geen uitzondering. Michael was in de zevende hemel maar ik vond het nog het meeste lijken op een rechthoekige plak koude, zompige, gezoete houtlijm. Inmiddels maakte ik me echter zorgen om de rekening. Ik wilde liever niet bedenken hoeveel al dit bestek en tafellinnen zou kosten, om maar te zwijgen over de Rioja.

'Bij dit soort eten moet je goede wijn drinken,' zei Michael tegen ons. 'Het zou misdadig zijn om het weg te spoelen met *vin ordinaire*.' Een rotgedachte.

Uiteindelijk viel het enorm mee: achtentwintig pond voor ons drieën. Dan en ik besloten terug te gaan, het liefst zonder Michael, en de volgende keer een zorgvuldige keuze te maken uit het menu. Misschien een week van tevoren op water en brood leven. Maar dat waren nog lang niet alle uitspattingen van die dag. Op geen duizenden ponden na.

Toen we in mijn oude Citroën zx door de buitenwijken van Málaga naar onze heuvel reden, zag Dan opeens een prachtig rood Citroënbusje met op het raam een briefje: 'Cristóbal, 952 031 444'. Hij hapte naar adem, smoorverliefd. Nog nooit had hij zo'n prachtig busje gezien. Michael had natuurlijk zijn mobiele telefoon bij zich en belde onmiddellijk Cristóbal, terwijl Dan kirrend zijn troetelkindje streelde. Dit exemplaar bleek toevallig al te zijn verkocht, maar Cristóbal had een hele batterij van dezelfde busjes staan, een eindje terug aan deze weg. Mijn oude Citroën had zich kranig geweerd tijdens ons verblijf in Spanje, maar hij moest mee terug naar Engeland omdat ik hem nodig had voor mijn werk. Zonder auto zouden we in Spanje totaal onthand zijn, waar maar twee bussen per dag van Pastelero naar Málaga rijden, geen van beide op een handig tijdstip. Dan had weliswaar in een vlaag van verstandsverbijstering een mountainbike gekocht – een supersonische Cannondale waar hij op Spigs' aanraden voor veel geld zowel voor als achter extra spaken op had laten zetten – maar nadat hij een klein vermogen aan deze aankoop had gespendeerd (alleen maar omdat hij zo'n mooie kleur geel had) gebruikte hij hem maar één keer, om naar de bakker te gaan die vijf minuten verderop zat. Hij vertrok vrolijk en vol goede moed, in de kracht van zijn leven, en kwam terug als een oude, gebroken man.

'Nou,' zei Michael na zijn gesprek met Cristóbal, 'dit is karma, denk je niet? Kom op. We gaan kijken. Dat kan nooit kwaad.' Wij wisten wel beter, maar gaven zwakjes toe.

Cristóbal was grauw en te dik, met een lijkbleek gezicht dat glom van het zweet en een rafelig litteken, als het poepgat van een kat op de plek waar iemand een draagbalk door zijn gezicht leek te hebben geramd. Dan mocht hem meteen en ze lieten mij mokkend achter in de oude Citroën terwijl zij andere busjes bekeken en aan een testrit onderwierpen. Ik zag ze in iets wits voorbijstuiven, onder de modder, en terugkomen in iets grijs dat met touwtjes aan elkaar hing. Ze reden eindeloos heen en weer in verschillende aftandse oude busjes, totdat Dan een keus had gemaakt, gesteund door Cristóbals verkooppraatjes. 'Het is niet de nieuwste auto, maar hij is veilig voor jullie. Ik wil jullie veiligheid. Deze auto loopt.'

Het was misschien een vage mededeling, maar de zilveren bus op leeftijd stal Dans hart: 'Hij is elf jaar oud, maar hier gaan auto's er niet op achteruit en het is een diesel. Heel zuinig. En hij wil er maar vijftienhonderd pond voor hebben!' Plus nog eens duizend om wat dingen op te knappen in de garage. Ja hoor. Hij kocht hem.

Michael hielp bij de aankoop en de papieren en reed het busje naar het tankstation, waar wij hem troffen, om hem vol te gooien met diesel. Dan moest Michaels vingers lospeuteren van het stuur (aan de verkeerde kant) en we spraken af bij de garage aan de rand van Almogia, op een uur rijden daarvandaan. Met onverwachte sluwheid stelde Michael voor om met mijn oude Citroën door een wasstraat te rijden – als vertragingstactiek, realiseer ik me nu.

'Hij ziet er eigenlijk nogal sjofel uit. Als hij schoon is ken je hem niet meer terug.' Dan vertrok en Michael en ik gingen aan de slag met borstels en spuiten. Toen ik ging betalen bewonderde ik het gloednieuw ogende marineblauw. Terwijl ik bij de kassa stond, schoot Michael vliegensvlug achter het stuur.

'O Michael, ik rij wel,' zei ik, zo nonchalant als ik kon. Hij staat bekend als een van de beroerdste automobilisten van de Costa, en voorzover wij wisten had hij net zijn vijfde auto afgeschreven. Hij bleef zitten.

'Ik rij wel, Michael,' zei ik, naar ik hoopte met schooljuffrouwachtig gezag. Hij bleef stokstijf zitten. Ik kon kiezen: hem de auto uit werken, de sleutels houden en de rest van de dag op het tankstation blijven zitten, of hem laten rijden.

Ik gaf hem de sleutels, ging naast hem zitten, nog steeds zwakjes protesterend, en we schoten de garage al uit. Michael móest per se rijden, al was het in mijn saaie oude zx. 'Maar,' zei ik tegen mezelf, 'hij kent de weg. Hij rijdt hier al vijf jaar en ik zit naast hem. Hij zet vast zijn beste beentje voor en als hij veilig heeft gereden, krijgt hij vast meer zelfvertrouwen. Meer heeft hij niet nodig. Een beetje steun.' Terwijl we met een noodgang door de doolhof van wegen van Málaga's dure wijk reden, was ik er ten onrechte van overtuigd dat hij indruk op me wilde maken.

Queen werd onze ondergang. We waren net aangeland bij een gevaarlijke nieuwe wegmarkering toen Michael zei dat ik zijn discman van de achterbank moest pakken. Met angst en beven en het gevoel dat hij zich maar op één ding tegelijk moest richten, maaide ik over mijn schouder en greep het ding bij de tentakels van de koptelefoon. Hij wilde hem aanpakken en botste frontaal tegen een tegemoetkomende auto.

Van alle emoties die in de daaropvolgende minuten door me heen gingen, was ongeloof wel de sterkste. Hoe kon hij nou zoiets doen? Welke cruciale synaps had zijn doel gemist? Door welke ontbrekende schakel was hij vergeten dat hij achter het stuur zat? Wij waren niet gewond, maar mijn arme auto wel. En we stonden midden op een drukke verkeersader, mijn glimmende blauwe wagen en de blauwgroene auto van het slachtoffer, een skinhead, *in flagrante delitto.* Enorme vrachtwagens denderden langs ons heen en voegden extra bastonen toe aan de schokgolven. Er verzamelde zich een kleine menigte toen de skinhead zijn auto van de weg duwde en wij hetzelfde deden.

Michael voelde zich behoorlijk opgelaten, deed de schade af als minimaal en verving het linkervoorwiel, waarbij hij behoorlijk vies werd. De deur, de motorkap, het spatbord en de spiegel waren niet à la minute te herstellen. We wachtten langs de kant van de weg op de politie terwijl er een fluitende wind waaide vanaf de besneeuwde Sierra Nevada. Michael zag er erg bezorgd uit en toen ik hem ernaar vroeg zei hij: 'Ja, ik knijp 'm wel een beetje. Mama vergeeft het me nooit van dit overhemd.'

Dit overhemd? Wat dacht je van mijn auto?

Nu moest ik beslissen hoe we terug zouden gaan naar Almogia. Michael in de gehavende Citroën laten rijden? Of het hem eens en voor altijd verbieden? Ik weet dat ik gek ben, maar ik dacht dat het voor zijn zelfvertrouwen het beste was als hij meteen weer achter het stuur ging zitten. Dit keer zal hij toch echt niet botsen. En, angstige lezer, dat deed hij ook niet. Hij reed zo langzaam dat oude besjes in gammele auto's voorbij scheurden als chipszakken in de wind en toeterde ijverig bij elk van de tweeënveertig haarspeldbochten. Tijdens de hele rit, die precies een uur duurde, overlegde hij met zichzelf hoe hij ervoor kon zorgen dat zijn moeder en Dan niets over dit ongeluk te weten zouden komen. Hij kwam tot de conclusie dat we moesten zeggen dat hij een lichte botsing had gehad toen we wegreden bij het tankstation, al was het een raadsel waarom het verdoezelen van de locatie de dader zou vrijpleiten. Maar omdat hij achter het stuur zat toen we bij de garage aankwamen waar Dan stond te wachten, bleef er niet veel over van zijn eindeloos geoefende smoes hoe het zover was gekomen. En Dan weigerde pertinent om Barbara iets voor te liegen.

Ik dacht dat Dan gek zou zijn van de zorgen (we hadden er drie uur over gedaan) en zou vergaan van de dorst, omdat wij al het geld hadden. Op beide punten had ik gelijk: hij had het warm en was bezorgd, en niet uitzinnig van vreugde om ons te zien. 'Je had hem niet moeten laten rijden,' was zijn korte, korzelige reactie.

Die middag moesten we terug naar Málaga om de zaak bij de politie te regelen. Het duurde eeuwen, maar tot mijn verbazing en opluchting kwamen we er zonder boete vanaf. Ik zei dat ik wel een kop koffie kon gebruiken. Met zijn gebruikelijke gevoeligheid voor onze stemming dirigeerde Michael ons naar een gigantisch winkelcentrum aan de andere kant van de stad. We zaten midden in een enorme afwasmachine met muzak en dronken peperdure pretentieuze koffie, terwijl het gerammel van bestek en de zeikerige achtergrondmuziek wedijverden met de live piano- en vioolmuziek.

Michael werd spraakzamer. 'Nou, ik ben blij dat het achter de rug is. Niets aan de hand toch? Een klein ongelukje, niets ernstigs gelukkig. Mmm, die taart smaakt naar meer. Ik denk dat ik nog een stukje neem.'

Intussen zat Dan naargeestig mijn stompzinnigheden op te sommen en wat die ons zouden gaan kosten. Hij memoreerde al mijn miskleunen en voorspelde dat mijn verzekering hier niet voor zou betalen, waar hij gelijk in kreeg. Inmiddels zat Michael te zingen. Mijn auto lag in puin en je kon er nauwelijks meer in rijden, die andere vent vroeg veel geld om die van hem te repareren en Michael zat nota bene te zingen.

Snuivend liep ik naar het damestoilet en bleef daar eindeloos zitten vloeken. Toen liep ik waardig het café in, betaalde, beende naar de auto en legde ze allebei het zwijgen op. Dan reed naar huis, zo langzaam hij kon zonder dat ik in paniek raakte en zo snel hij kon om Michael te dumpen. Hij probeerde mijn hand te pakken en vrede te sluiten, maar ik had met alle plezier zijn arm afgerukt. Zo lang mogelijk bleef Michael meedogenloos doorleuteren over koetjes en kalfjes en verviel ten slotte in stilzwijgen.

Uiteindelijk waren Barbara en Chris zo vriendelijk om alles te betalen. Geen idee hoeveel het in totaal was. Wat je wel moet weten is dat in Engeland de chauffeur is verzekerd; in Spanje is dat het vervoermiddel.

Behalve Michael, slapende honden, kuddes geiten en groepen dikke schommels die hun dagelijkse ommetje maken, zijn er in Spanje twee grote gevaren op de weg. Het ene is snel en rood en suist voorbij met tweehonderd kilometer per uur, en loopt op tienertestosteron met een hoog octaangehalte. Het andere is het oude grijze Citroënbusje dat met een slakkengang over het midden van de weg slingert, onaangekondigd stopt, naar believen links- of rechtsaf slaat, kalmpjes van de ene kant van de weg naar de andere koerst, schijnbaar stuurloos. Als je hem eindelijk, groen van irritatie, half door de berm in een blinde bocht hebt ingehaald, dan zie je een kleine oude man achter het stuur zitten, rimpelig en doorgroefd, die de wereld inkijkt met de verwondering van een kind.

Wat me uit die tijd het meest is bijgebleven is een stokoud wit Renaultbusje dat stapvoets Villanueva binnen kwam tuffen, over het midden van de weg. Hij had twee lekke banden, de uitlaat sleepte over het asfalt en leek alleen maar in elkaar te blijven zitten door de roest, en de achterdeuren stonden open zodat er een spoor van allerlei huishoudelijke attributen achterbleef op de weg: gedeukte ketels, kapotte emaillen pannen, blikken bekers. Toen hij eindelijk pruttelend tot stilstand kwam, zag ik dat er een stokoude man achter het stuur zat. Dat baarde me zorgen: had hij ooit eerder gereden? Waarom reed hij nu? Was hij door zijn vrouw uit huis gezet en had hij zomaar een achtergelaten auto genomen, voordat hij zich had bedacht dat hij niet kon rijden? Ik zal het nooit weten.

Michaels sangria

Dit was Michaels dodelijke bijdrage aan ons feestje – het was in die tijd fantastisch bevrijdend. Carpe diem, dachten we, terwijl we ons gracieus voortbewogen. Maar de volgende ochtend was er nog maar weinig beweging.

verse vruchten: sinaasappels, perziken, abrikozen, appels, mango's
vruchtensap naar smaak: sinaasappel, appel
2 flessen rode wijn
suiker naar smaak
1 fles koolzuurhoudende citroenlimonade
1 klein glas wodka, gin, Cointreau
2 kleine glaasjes rode Martini
ijs

Meng alles door elkaar in een smakelijke verhouding en laat het trekken zo lang als u zich kunt inhouden. Proost!

BEESTENBENDE

Toen de winter echt aanbrak, waren onze nieuwe zitkamer en keuken op het noorden min of meer klaar en waren de werklieden begonnen met de renovatie van de oude kern van het huis, waar uiteindelijk onze slaapkamer en de slaapkamers voor de zuidkant van het huis zouden komen.

De kletsnatte, druilerige winter ging geleidelijk over in een kille lente en we woonden nog steeds, bij de dag, op onze archeologische vindplaats. Op een dag worstelde een witte auto zich door de modder naar boven en stapte er een keurige, petieterige dame met glanzend haar uit, vergezeld van een enorme vent in politie-uniform die liep te pronken met een handvol pistolen. Gespannen vroegen we ons af wat voor wet we hadden overtreden. Ze stelde zich voor en na een hoop wezenloos onbegrip onzerzijds viel het kwartje: ze was geen overheidsbeambte, maar de plaatselijke bouwinspecteur. Voorzichtig stapte ze op haar hakjes tussen de plassen, emmers en kabels door en inspecteerde de zitkamer, badkamer en keuken, waarbij ze in een map aantekeningen maakte. Wij liepen achter haar aan, vol ontzag voor haar bewapende metgezel en doodsbenauwd dat ze de boel zou afkeuren en ons op zou dragen alles plat te gooien en weer opnieuw te beginnen. Maar ze knikte beslist en wees er alleen maar op dat het dak te hoog was om officieel aan de lokale bouwstijl te voldoen. Ze leek er niet mee te zitten. Ik was ervan onder de indruk dat er überhaupt werd gelet op lokale architectuur in dit land waar toch allerlei bouwstijlen door elkaar werden gebruikt. Zonder het zelf in de gaten te hebben, had ik een stuk grond gekocht in een gebied waarvan het uitzonderlijke natuurschoon officieel was erkend, hetgeen niet alleen van mijn droompaleis een uitzondering maakte, maar ook van dat van al mijn zichtbare buren, iets waar ik nog steeds dankbaar voor ben als ik zie wat bewoners van de gemeente Almogia allemaal ongestraft kunnen doen op maar honderd meter ten zuiden van ons.

Het huis begon langzaam ergens op te lijken. We hadden drie fatsoenlijke waterdichte kamers om in te wonen plus stromend water, en het begon echt een beetje als ons huis te voelen. In de winter hadden we ook een paar vrienden gemaakt, en het klikte vooral met Chris, Michaels vader en de man van Barbara, die ons had geholpen bij het kopen van Casa Miranda.

Chris heeft nogal een wrang gevoel voor humor en vindt het vooral leuk om Dan beet te nemen. Hij had de grootste lol toen Dan met zijn auto achteruit tegen zijn hekpaal reed; hij begon verlekkerd te dreigen met brieven van advocaten en maakte met zijn nasale Birminghamse accent volledig misbruik van Dans opgelaten gevoel. Hij vond het ook leuk dat Dan door zijn rug was gegaan en niet met me mee kon naar Londen.

'Maak je over hem maar geen zorgen,' zei hij met een knipoog naar Dan. 'Ik ken een "specialiste" aan de kust die hem er wel bovenop helpt. Bij mij is hij in goede handen, Miranda, maak je maar niet druk. Ik zorg wel voor hem.' En dat deed hij.

Een paar weken later, toen ik weer voor een klus in Londen zat, had ik Dan gebeld en een paar berichten achtergelaten, en begon me steeds meer zorgen te maken toen ik maar geen antwoord kreeg. Uiteindelijk belde ik in mijn wanhoop Chris en vroeg of hij bij het huis langs wilde gaan om te kijken of alles in orde was. Hij sprong in de auto en reed er meteen naartoe. 'Het lijkt hier wel een spookschip,' berichtte hij. 'Er ligt nog wat van het ontbijt, maar die kerel is in geen velden of wegen te bekennen.' Een ontbijt van een paar dagen oud, zo bleek. Dan was alleen maar een dag langer bij vrienden in de buurt van Gaucin gebleven, maar het was een geruststellende gedachte dat Chris de boel in de gaten hield en zich om hem bekommerde.

Hij had chronische astma, maar weigerde daar concessies aan te doen: op loeihete zomerdagen maaide hij zijn kalende 'gazon', waarmee hij een lokale stofstorm veroorzaakte. Hij was fantasierijk, begaan, grappig en innemend, en hij deed alles om anderen van dienst te zijn.

Onze vriendschap met de Stallwoods had echter één minpuntje: zowel Chris als Barbara leed aan de Wijdverbreide Britse Beestengekte. Ze hadden vijf honden en een vechtlustige kat die Tom heette. Om onverklaarbare redenen was Chris dol op Tom en trots dat het nog een echte kater was, wat inhield dat hij voortdurend onder de beten en krabben zat en het heerlijk vond om in de auto van onschuldige mensen te piesen. Wij vonden het minder leuk; de penetrante ammoniakstank bleef nog een week in het busje hangen.

Toen een jonge man die Kiko heette, in de regen langs de kant van de weg een doorweekt jong katje vond, stak hij het automatisch in zijn zak en nam het mee naar Chris, omdat hij wist dat die een zwak had voor alle dieren die in de steek waren gelaten. Chris besloot dat wij een kat moesten hebben en bracht hem bij ons. 'Wij kunnen hem niet houden, want Tom zou hem aan flarden scheuren. Het is een prachtig beestje. Kijk maar.' Hij hield het katje omhoog. 'Hij vindt jullie leuk.'

Het was een schattig zwart-wit katertje dat verdacht veel op Chris' Tom leek, al was het jadegroene snot dat hij in lange slierten over iedereen die hem oppakte heen nieste, minder charmant. Anders dan jonge katjes van oudsher doen, vluchtte hij niet meteen bibberend en miauwend naar een onbereikbare plek achter de koelkast. Integendeel; hij zat bij iedereen op de knie, ronkend als een naaimachine en met een verzaligde blik op zijn nieuwe familie, en volhardde in het soort intimiteit waarbij smerige vissenadem en rondvliegend niessnot onvermijdelijk zijn. Hij at dankbaar alles wat hij kreeg, poepte discreet op Dans prachtige kleed en deponeerde snotklodders met korstjes erin op kleren en meubels.

Maar binnen was binnen. Doris, die toen bij ons logeerde, was dol op hem, net als Dan. Ted, die er ook was, beperkte zijn affectie tot een poging hem op te sluiten in een schoenendoos. Met grote tegenzin realiseerde ik me dat we nu een kat hadden.

Het was niet onze bedoeling geweest om nu al huisdieren te hebben; we dachten dat we stante pede terug moesten kunnen naar Londen om toe te zien op de verkoop van het huis, de uiteindelijke verhuizing, mijn werk, wat dan ook, maar Chris haalde ons over en beloofde dat hij voor het katje zou zorgen als wij weg waren. Uiteindelijk hielden we Kiko, vernoemd naar degene die hem gevonden had, en hielpen hem er weer bovenop. Inmiddels was hij niet meer vertederend en aanhalig maar werd hij een alleseter, opstandig en vals.

Dan was dol op Kiko, maar ik was minder van hem gecharmeerd: hij trippelde over het aanrecht, waarbij hij een spoor van modderpootjes achterliet (of van vettigheid, het lag er maar aan of de koekenpan op zijn pad lag) en alles opat wat langer dan een nanoseconde voor het grijpen lag. Hij had ook de gewoonte om in alle enkels en ellebogen te bijten die zich binnen zijn bereik bevonden. Hij zat vooral graag op de snijplank en dat vond ik nogal onhygiënisch, ik kon er niets aan doen. Hij was ook het onhandigste beest dat ik ooit heb gezien; hij liep dingen omver of leunde ertegenaan als hij opeens zijn tenen moest likken, en had de neiging om over Dans palet te lopen en dan in de hele keuken pointillistische pootjes in allerlei kleuren achter te laten, alvorens de waarschijnlijk giftige verf van zijn pootjes te likken. Je kon op je gehoor volgen waar hij was, omdat er pannen, flessen wijn, glazen en camera's op de grond vielen. Hij was de enige kat die ik ken die loom op een vensterbank kon liggen, omrolde en dan drie meter naar beneden viel. Het werd een normaal achtergrondgeluid om hem van het aanrecht te horen springen. Maar het was handig dat hij de katten en knaagdieren uit de buurt op afstand hield.

Goed, zeiden we. Nu is het mooi geweest, wat dieren betreft. Maar niet voor Chris. Toen we begin februari thuiskwamen van het boodschappen doen, stonden er meerdere, steeds wanhopiger berichten op het antwoordapparaat waarin een voorstel werd gedaan, maar het bleef onduidelijk wat. We luisterden vol belangstelling alle berichten af en bedachten dat het misschien wel een feestje was. Iets leuks? Carlos Núñez in het Cervantes Theater? Op dat moment klopte Chris aan. Hij kwam binnen, een beetje schaapachtig, maar wilde best een glas wijn; met veel fantastie draaide hij om de hete brij heen. Eindelijk: 'Ik heb een hond in de auto. Een boxer, waarschijnlijk een rashond. Een prachtig beest. Ik wil haar wel houden, maar mijn honden moeten er niets van weten. Ze zouden haar een rotleven bezorgen. Ze is gevonden in de campo, iedereen zag haar al dagenlang steeds magerder worden, maar het is een schat van een hond, van goede komaf. Boxers zijn echte gezinshonden en ook heel goed als waakhond. Je hebt hier echt een waakhond nodig, helemaal in de campo.'

'Nee!' brulden Dan en ik in koor.

'Goed,' zei Chris. 'Dan drink ik dit glas wijn op en neem ik haar mee naar de top van El Torcal en laat haar daar achter. Ik vind het vreselijk, maar als niemand haar wil, dan zie ik geen andere oplossing. Ze houdt het vast wel een poos vol. Ze is sterk en ze zal wel eten vinden, wat bij vuilnisbakken scharrelen, dat soort dingen. Konijnen vangen. Ze kan hard rennen.' Hij stond op en keek naar de regen, die met bakken uit de lucht kwam. 'Aan de andere kant, in dit weer haalt ze het misschien niet. Misschien is dat ook maar beter. Krijgt ze longontsteking en is het snel afgelopen. Dat lijkt me het beste. Nou, dan ga ik maar. Bedankt voor de wijn.' En hij liep langzaam naar de deur.

Dan zei niets.

'Nou ja,' zei ik, 'omdat het zo regent houden we haar vannacht wel hier, en jij zoekt een huis voor haar. Ik wil geen hond, en al helemaal geen hond die eruitziet alsof ze net vreselijk slecht nieuws heeft gehoord. Dus alleen vanavond, goed? Kom je haar morgen ophalen? Afgesproken?'

Dus zo kwam Minnie in ons leven. Die arme, kleine Minnie, met een kop alsof ze bij de dokter in de wachtkamer zat, iedere rib en ader scherp afgetekend, en onder de teken. Ik schrok behoorlijk van haar en hield afstand. Dan kon het van meet af aan met haar vinden en zat de eerste avond dat ze bij ons was vrolijk op de bank teken uit haar vacht te trekken. Ik had nog nooit een hond gehad, al had ik er wel vaak een gewild. Londen is geen goede plek voor honden en een onregelmatig leven is ook niet best, maar Dan had er altijd een gewild. Hij wist wat hij ermee aan moest en kon er goed mee overweg.

Hierna gaven we Chris een document waarop we bedongen dat hij ons onder geen enkele voorwaarde nog een beest zou brengen, hoe erg het er ook aan toe was. We keken hem op de vingers tot hij het ondertekende. Maar Chris had gelijk: Minnie is een schat van een hond, aanhankelijk, waardig, speels en fantastisch gezelschap. Deze zuivere rashond met haar enorme libido was waarschijnlijk verdwaald toen ze een lekkere reu achternazat. Aanvankelijk liep ze vaak weg en was ze urenlang verdwenen, achter de plaatselijke loslopende honden aan, maar al snel had ze een vaste plaats in ons leven veroverd; ze zat naast me als ik aan het werk was en we namen haar overal mee naartoe. Tijdens uitjes gedroeg ze zich voorbeeldig, als een echt dametje.

Maar toen moest ik op een dag mijn volgende artikel via e-mail naar kantoor sturen, en ik ging met Dan en Minnie naar Málaga. Ik had mijn artikel op een laptop geschreven en op floppy gezet; we waren op jacht naar een internetcafé. We vonden een geschikte plek, sloten Minnie op in het busje met het raam op een kier en begaven ons op de levensgevaarlijke elektronische snelweg. In één duizelingwekkende stap van het Stenen Tijdperk naar de microchip. Tot onze stomme verbazing lukte het ons het artikel te versturen. Ik kocht wat *cava* om het te vieren terwijl Dan de auto ging halen.

Toen hij kwam aanrijden, was hij asgrauw. 'Minnie is verdwenen,' zei hij. Iemand had haar uit het raampje gelaten, dat zorgvuldig dichtgedaan en was er met haar vandoor gegaan. Misschien was het nog wel veel erger, zei Dan, en hadden kinderen haar losgelaten en rende ze doodsbang door de stad. Ik heb ooit een Deense dog gezien die door zijn baasje werd uitgelaten en besloot om tijdens de spits de M3 in Chiswick op te rennen. In zijn ogen was een onvergetelijke blik van pijn, schrik en verwildering te lezen toen hij van de ene auto tegen de andere bonkte, niet in staat om uit de maalstroom te ontsnappen. Hij is er misschien ongedeerd vanaf gekomen omdat het verkeer tot stilstand kwam, maar het was een hartverscheurend gezicht. Het staat op mijn netvlies gebrand en het was maar al te gemakkelijk om me Minnie in dezelfde situatie voor te stellen.

Totaal verslagen gingen we naar huis. Ik had niet verwacht dat ik er zo kapot van zou zijn. Twee dagen lang was ik in tranen; ik zag de intelligente, nieuwsgierige blik van Minnie voor me, hoorde het gekrabbel van haar poten als ze over het terracotta liep, miste het aanhankelijke maatje dat tijdens het werken altijd naast me zat. Ze liet een enorme leegte achter in ons leven.

David en Anne, de eigenaars van de kennels waar Minnie ooit had gezeten, zeiden dat ik naar het asiel moest gaan. 'Je moet snel zijn,' zeiden ze. 'Ze houden de honden nooit lang. En ze gebruiken een sterke hond als Minnie vast om te vechten. Het is verboden, maar Spanjaarden zijn dol op hondengevechten en het asiel zorgt voor de honden.' Dat was een nieuw en vreselijk beeld dat ik me maar beter niet voor de geest kon halen.

'Ze is zo goed van vertrouwen,' snikte ik. Dan stemde erin toe om naar het asiel te gaan, waar een wanhopige roedel honden zat, vrouwtjes met puppy's, een boxer met gecoupeerde oren die in de steek was gelaten, maar geen Minnie. Het is afschuwelijk om te zeggen, maar ik heb niet half zoveel verdriet gehad om ex-vriendjes die weggingen als om Minnie.

Maar ik ben een enorme doordouwer. Ik geef het nooit op. Vermetel waagde ik me aan de Spaanse taal en schreef een advertentie voor de krant van Málaga, de *Sur*. Dan verklaarde me voor gek. 'De kans dat je haar vindt is nihil,' verzekerde hij me. 'Ze is verdwenen. Hoe eerder je je erbij neerlegt, hoe sneller je er overheen bent.' Maar dan kende hij me nog niet. Ik vond een foto van Minnie en loofde een krankzinnig hoge beloning uit. Mijn advertentie was ziedend van toon, iets in de trant van: 'Een of andere schoft heeft mijn prachtige hond gestolen. Als u de plurk tegenkomt, maak hem dan af. Geef mij mijn hond terug en u krijgt deze beloning.' De aardige dame van de *Sur* was heel beleefd en wees erop dat als ik de advertentie zo zou laten, het niet erg waarschijnlijk was dat er zich een hondenontvoerder zou melden. Ze verwoordde het wat beschaafder en die vrijdag stond het in de weekeditie.

Nu had ik een probleem: als er iemand op de advertentie zou reageren, dan was mijn Spaans te beroerd om te begrijpen wat ze zouden zeggen. Zelfs om mezelf verstaanbaar te maken. En als iemand in het Spaans een boodschap achterliet op het antwoordapparaat, dan zou ik er niets van kunnen verstaan. Ik zat bij de telefoon, in de aanslag met een woordenboek naast me; de adrenaline gierde door mijn aderen. De telefoon ging. Twee keer. De eerste keer was het een lief meisje dat bij een dierenarts in Málaga werkte en een beetje Engels sprak. 'Ik weet dat het niet uw hond is, maar ik zag uw advertentie. We hebben hier een boxer. Hij is gevonden in een auto, hij heeft vier dagen opgesloten gezeten zonder eten of water. Het is een schat van een hond, met een prachtige kop en lijf, maar de dierenarts kan hem niet houden. Als u hem niet wilt hebben moeten we hem naar het asiel brengen.' Ik legde uit dat we liever onze eigen hond terug wilden, dat we erg gehecht aan haar waren geraakt, maar dat als we Minnie niet konden vinden, ik haar de volgende dag zou bellen om naar de andere boxer te komen kijken.

De telefoon ging nog eens. Dit was het telefoontje waar ik om had gebeden en dat ik vreesde. Ik meende te begrijpen dat deze jonge man, Jesús, die heel snel sprak en het vervelend en irritant vond dat ik hem niet kon verstaan, zei dat er ergens een hond was gevonden die op Minnie leek en dat hij vroeg of ze specifieke kenmerken had. Ik probeerde uit te leggen dat ze vlekken ter grootte van munten op haar borst had. Zwijgen. Toen vroeg hij kortaf of ik iemand kende die wél Spaans sprak. Natuurlijk, dacht ik, Chris. Chris kan ons helpen.

De jonge man belde Chris, ze spraken een tijdstip en plek af om hem op te halen en opeens was Dan met een zak peseta's op weg naar een verlaten parkeerplaats bij de snelweg. Hij was ervan overtuigd dat hij zou worden beroofd en voor dood zou worden achtergelaten. Ik bleef thuis om de telefoon te bemannen voor als het niet onze hond was.

Toen Dan op de parkeerplaats aankwam, probeerde er een hond uit de auto van Jesús te springen, en het was Minnie. Ze sprong tegen Dan aan, die het losgeld betaalde zonder dat er geweld plaatsvond, en reed triomfantelijk terug naar huis. Het leek wel een wonder. Ze was ongedeerd en dolblij om thuis te zijn. Een paar dagen hield ze er een rare manier van eten op na, waarbij ze haar bak probeerde om te duwen en aan de onderkant rook, een raadsel dat we niet hebben kunnen oplossen.

De volgende dag gingen we boodschappen doen in Málaga, met Minnie achter in het busje. Ik wist dat de dierenarts naast de vliegtuigloods-supermarkt zat en het verhaal over de lieve boxer die in de steek was gelaten had zo'n indruk op me gemaakt dat ik Dan overhaalde om mee te gaan kijken. We wachtten in de galmende marmeren hal terwijl de dierenarts de hond ging halen. Hij kwam terug met een hond die zo in een horrorfilm kon meespelen, een joekel van een boxer met een brede borst en een nek die net zo breed was als zijn kop; hij stond half stikkend op zijn achterpoten aan zijn riem te rukken met kwijldraden en schuim op zijn bek. Hij was broodmager en in deze houding puilden zijn ogen zo uit dat het wit te zien was, en daaronder zat een enorme nijlpaardenmuil met slobberende zwarte halskwabben en een heleboel grote tanden. Dit was wel de gulzigste babyverslinder die ik ooit had gezien. 'Aah,' zei Dan. 'Wat lief. We nemen hem.'

De terugweg, met achter in Dans busje twee honden die elkaar voor geen cent vertrouwden, was interessant. Zodra onze nieuwe aanwinst het huis binnenkwam, deed hij twee dingen die míjn wantrouwen bevestigden: hij pieste tegen de tafelpoot en probeerde met Kiko te paren. Minnie en hij konden totaal niet met elkaar overweg. Ze waren jaloers, hadden allebei aandacht nodig en lagen constant met elkaar overhoop. Ik was nooit van plan geweest om in Spanje huisdieren te nemen, en nu hadden we een onhandelbaar gezin met drie onvoorspelbare, slechtgemanierde beesten die voortdurend met elkaar in oorlog waren. Ik had het gevoel dat ik onbedoeld weer in de situatie was beland die ik had willen ontvluchten.

Maar uiteindelijk kwamen de honden tot rust en werden ze onafscheidelijk, al heeft Oscar altijd meer affectie gehad voor Kiko dan voor Minnie. Ik zal nooit begrijpen hoe Dan heeft gezien dat er achter al die kwabben een edele hond schuilging, maar Oscar ís edel en ontwapenend lief. Hij krijgt overtuigde hondenhaters bij bosjes om en Dans moeder en tante, die een hekel aan honden hebben, schrijven hem kaartjes. Zijn enige makke is dat hij wat problemen heeft met gasvorming. Maar in de snuivende en af en toe meurende kneuterigheid van ons dierenopvanghuis waren we ervan overtuigd dat ons gezin nu compleet was.

U HEBT E-MAIL – DUS NIET

Omdat ik graag contact wilde hebben met mijn zoons, die nooit gebruikmaakten van de telefoon en geen flauw idee hadden hoe je een brief moest schrijven, en omdat het op het werk inmiddels pure zelfmoord was om een kluns te zijn op technisch gebied, kocht ik een zakcomputer waarmee ik overal met iedereen zou kunnen mailen. Ik had al eeuwen overal mijn laptop mee naartoe gesleept, die draagbaar is als je aan gewichtheffen doet, maar er bij mij voor zorgde dat tijdens iedere reis mijn rugkwaal weer opspeelde.

Mijn nieuwe minicomputer was nogal eigenzinnig en had, zoals ik ontdekte na urenlang te hebben geprobeerd hem aan de e-mail te krijgen, problemen met inbellen. Toen realiseerde ik me nog niet dat e-mail ons sowieso boven de pet ging, inbelproblemen of niet, totdat de oude, enige installateur van Telefónica in zijn eentje honderden gaten had gegraven voor de telefoonpalen zodat we – misschien – een vaste telefoonverbinding konden krijgen in plaats van onze wispelturige en gebrekkige radiotelefoon. Voorlopig moest ik mijn zoons blijven bellen en bakken peseta's betalen om naar voetbalwedstrijden te luisteren op hun respectievelijke televisies, terwijl ze mijn vragen met afwezig gegrom beantwoordden, onderbroken door gebrul als er een doelpunt werd gemaakt.

Spigs werkte voor mijn zus Jocasta, dus zijn leven was tenminste op orde, al zette hij flink de bloemetjes buiten. Voorzover ik kon vaststellen leefde Leo van niets, maar het was zijn eer te na mij om geld te vragen. Nou ja, meestal dan.

De radiotelefoon had wel een gebruiksaanwijzing. Om met Engeland te bellen, moest je achttien cijfers intoetsen en zelfs als je je heel goed concentreerde en er geen hond op het kleed stond te kotsen of probeerde te paren met de kat, was de kans groot dat je één cijfer verkeerd had. Soms had je alle cijfers wel goed en verbond Telefónica je opeens door met een broodjeszaak in Peebles, of kreeg je het antwoordapparaat van een zelfingenomen Spaanse die ik niet kon verstaan en aan wie ik een hekel kreeg, of lukte het bij de derde poging om Mastercard te bereiken en begon de ellende in Engeland, waar je voortdurend keuzemenu's moest doorlopen, eindeloos in de wacht werd gezet en naar *Greensleeves* moest luisteren tot het je neus uit kwam, in de hoop dat je vóór je dood een echte, levende persoon aan de lijn kreeg. En als het regende of waaide, viel de telefoon net als alle andere elektronische apparaten uit. De combinatie radiotelefoon en dwarse minicomputer bezorgde me dagenlang irritatie terwijl ik vat probeerde te krijgen op een technologie die eeuwen op mij voorlag. Ik vond het nogal briljant van mezelf om een paar mobiele telefoons te kopen voor noodgevallen, maar die hadden slechts zelden bereik bij het huis, en als ze wel bereik hadden kwam dat doordat je op dat moment toevallig op een ladder bij het zwembad stond.

Toen zei de waarnemend redacteur dat kopij per e-mail moest worden aangeleverd, dus zaten mijn computer en ik zo'n zeven uur lang aan de telefoon om de procedure door te nemen met een geduldige technicus in Frankrijk. Ik probeerde contact te krijgen met een grote internetprovider. Om duistere redenen loopt de verbinding via Frankrijk als je in Spanje woont, dus werd deze ingewikkelde discussie gevoerd in een mengelmoes van Engels en Frans. Ik kan u ook vertellen dat als u de pech hebt om verbinding te krijgen met hun Franse vestiging, ze u onder geen beding loslaten. Het devies is: zorg ervoor dat ze nooit ofte nimmer een machtiging in hun fikken krijgen, tenzij je zeker weet dat ze het ding aan de praat krijgen en je het voortdurend gebruikt. Toen ik uiteindelijk probeerde om van deze provider af te komen, afgestompt en gefrustreerd dat ik mijn e-mail niet aan de praat kreeg, vroeg ik aan mijn creditcardbedrijf het telefoonnummer van hun financiële administratie. Ik belde op en kreeg tot mijn stomme verbazing Sexy Sarah aan de lijn, die met veel gehijg verslag deed van haar auto-erotische oefeningen. Het tweede nummer dat ik kreeg stelde me in verbinding met de personeelsafdeling van een bank in Ohio. Toen ik het bedrijf eindelijk te pakken had, kreeg ik een Fransman aan de lijn die weigerde mij m'n geld terug te geven omdat ik niet eerder had geprobeerd om de betrekkingen te verbreken. Een tweede internetprovider, aan wie ik een maandbedrag betaalde, beloofde alles maar deed niks, terwijl een derde alleen maar bereikbaar was via e-mail, dus als je problemen had om je e-mail aan de praat te krijgen, dan zat je. Ik ontdekte dat ze geen van allen geld teruggaven voor niet-geleverde diensten. In het begin had ik me uit wanhoop maar bij alledrie ingeschreven, in de hoop dat er toch minstens ééntje zou werken. Omdat ik een ontzettende stommeling ben, bleef ik ze allemaal ongeveer een jaar lang betalen. Slimme mensen laten zich tenminste geen machtiging in de maag splitsen.

Met een krankzinnige vasthoudendheid bleef ik echter proberen mijn e-mail aan de praat te krijgen, en ik zette mezelf ongelofelijk voor paal toen ik probeerde een baan te krijgen bij de National Trust. Ze waren op zoek naar een redacteur voor hun tijdschrift, en het klonk fantastisch. Ik had bladzijden vol ideeen en was dolenthousiast over de mogelijkheden: de National Trust heeft beschikking over enorm veel rijkdommen, fascinerende mensen en verhalen, prachtige oorden en gebouwen. Het klonk als de ultieme baan. En het gerucht ging dat ik hem had als ik hem wilde hebben. Nou, ik wilde wel! Ik wist dat het nog moeilijk zou worden om ze ervan te overtuigen dat het mogelijk was om het parttime vanuit Spanje te doen, maar ik was ervan overtuigd dat het me zou lukken. En zo zouden mijn redacteur en ik zijn verlost van een gearrangeerd huwelijk, dat iedere maand minder voldoening gaf.

Er was één probleempje. De National Trust wilde bewijs dat de kandidaten met computers overweg konden en vroeg ze hun cv per e-mail op te sturen. Ik was waarschijnlijk minder geld kwijt geweest als ik hem op een goudstaaf had laten graveren en door een team olympische hardlopers had laten bezorgen, dan aan dit tot mislukken gedoemde experiment.

Ik schreef mijn cv. Dat ging prima, en ik vond het behoorlijk indrukwekkend: een beetje onderkoeld maar heel enthousiast, gevat maar toch serieus, getuigend van een grondige kennis van Spode en Palladio maar toch licht van toon. Toen zat ik zeven uur lang aan de telefoon met de behulpzame Monsieur Internetprovider in Frankrijk. De conclusie was dat hij me niet kon helpen en dat de boel alleen nog te redden was als ik met mijn computer naar een van de internethulpdiensten aan de kust ging en mijn sollicitatie door hen zou laten mailen. Mijn beeldige minicomputer wilde niets weten van floppy's, dus een internetcafé was niet genoeg.

Arme Dan. Nu moet ik iets bekennen waardoor ik zeker weet dat ik in de hel kom. De volgende dag was de sluitingsdatum van de sollicitatie. Het was ook zijn vijftigste verjaardag. Niet alleen waren er geen festiviteiten, geen surpriseparty à la *In de hoofdrol*, geen taart, geen romantisch dinertje voor twee en geen cadeau, maar ik dwong hem ook nog eens om de hele dag met mij bij Mercury Internet te zitten, in een bedompt kantoortje aan een bulderende snelweg, in een poging die verdomde e-mail te versturen.

Na mijn computer ettelijke uren eensgezind te hebben laten bliepen met die van Jens uit Denemarken en Yvette uit Venezuela, zei Jens eindelijk dat Warren van de National Trust mijn cv moest hebben ontvangen en dat alles in orde was. Hij maakte me honderd pond afhandig en Dan en ik gingen naar huis, uitgeput en niet bepaald in een feeststemming. Zijn halve eeuwfeest was verreweg de saaiste dag van zijn leven geweest en we hadden ons die dag te veel verveeld om iets feestelijkers te ondernemen dan de *Simpsons* kijken en ruziemaken. Nou ja, dacht ik, in elk geval is mijn sollicitatie als redacteur van het tijdschrift van de National Trust de deur uit.

Tot mijn verbazing hoorde ik niets van de National Trust. Maar een paar weken later kreeg ik een telefoontje van een mevrouw die werkte bij de Koninklijke Vereniging voor Tuinbouw in Wisley om te zeggen dat ook zij erg onder de indruk was van mijn cv, maar naar welke baan ik eigenlijk solliciteerde? Voorzover zij wist waren er geen vacatures.

Dus zat het tijdschrift met mij opgescheept en vice versa. De plaatsvervangend redacteur krikte haar e-mailcampagne op en ik hoopte nog steeds dat er ergens op aarde een systeem was waarmee ik net kon doen alsof ik vertrouwd was met de technologie die baby's van tegenwoordig beheersen voordat ze gespeend zijn.

Maar op het computerfront zou het nog erger worden. Een paar weken later ging ik naar Engeland voor mijn werkweek, om een interview te doen voor een artikel over een tuin in Devon met allerlei rare planten uit Australië en Nieuw-Zeeland. Ik had mijn artikel opgenomen en het was klaar om uit te typen als ik terug was in Spanje, waar ik het in het weekend op mijn oude laptop kon schrijven en naar kantoor kon sturen. Al wist ik nog niet hoe. Ik logeerde in Brighton en werd op de vrijdag waarop ik zou vertrekken tweeënhalf uur te laat wakker. Goed begin. Ik had geen tijd om in te pakken en al helemaal niet om de spullen te kopen die onontbeerlijk zijn voor expats: Earl Grey-thee, marmite, vitamine C-bruistabletten. Zwetend en wel moest ik met mijn zware tas de steile heuvel op rennen naar het station. Ik had de trein gemist waarmee ik twee uur voor mijn vlucht op Gatwick aan zou komen, maar twee minuten voordat de volgende zou vertrekken kwam ik, helemaal paars, aan op het station. Mooi, dacht ik, dan hoef ik tenminste niet zo lang rond te hangen op Gatwick en word ik niet door mevrouwen met bruinomrande lippen besproeid met parfum die uit de oksels van katers is gedestilleerd.

Dat was voordat ik Juffrouw Bureaucratie van Connex South Central tegen het lijf liep. 'Nee,' zei ze. 'U kunt onder geen beding in de trein een kaartje kopen.'

'Ik waag het erop,' antwoordde ik.

Ze posteerde haar stevig geüniformeerde lichaam tussen mij en het perron. 'Als u zonder kaartje in de trein stapt, dan moet u voor de rechtbank komen.' Ze suggereerde dat ik daarna lange tijd in een zwaarbewaakte gevangenis zou moeten zitten. Ze zette haar marineblauwe hoedje recht en wees met haar marineblauwe handschoen naar een loket waar een ellenlange rij mensen stond die allemaal vage vragen hadden over rare aansluitingen en bergen muntjes uittelden om mee te betalen.

Ik vrees dat ik toen zei: 'Ja, de ballen. Een kaartje kopen en mijn vliegtuig missen? Dan laat ik het wel voorkomen.' Ik wrong me los uit haar greep en spurtte naar de trein, die een paar seconden later vertrok.

Tijdens de treinrit (en nee hoor, het was geen enkel probleem om een kaartje te kopen in de trein) had ik het triomfantelijke gevoel dat het recht had gezegevierd. Maar dat was voordat ik op de volgende heks stuitte, Juffrouw Bureaucratie van Britannia Airways.

Ik was zo slim geweest, vond ik, om een kleine tas met onmisbare dingen in te pakken, zoals mijn laptop en het bandje met het interview, die ik kon meenemen als handbagage. Maar toen ik steeds dichter bij de incheckbalie kwam, realiseerde ik me (inmiddels zwetend) dat ik mijn paspoort niet bij me had. Ik wist nog precies waar hij in zat: het achterste vakje van de rugzak die ik te klein had gevonden voor alles wat ik nodig had en die nog op de ladekast in Brighton lag. Ik was al te laat; er was geen tijd meer om terug te gaan en hem nog voor de vlucht op te halen. De man voor mij liep door en ineens stond ik oog in oog met een jeugdige versie van Delia Smith, die totaal ongevoelig was voor mijn lijkbleke gezicht en klamme handen. Ik doorzocht nog eenmaal koortsachtig de tas, en daar was hij. Ik had hem! Met het gevoel dat ik opeens een groot publiek toesprak en was vergeten om mijn kleren aan te trekken, dacht ik: goddank, crisis bezworen.

En door naar de volgende. Delia's geboende gezicht stond verveeld en ongeduldig. 'Zet uw rugzak op de weegschaal,' beval ze, terwijl in haar ogen te lezen stond: 'Suffe ouwe taart.' Pas toen zag ik een bordje waarop stond: 'Maximaal 5 kilo handbagage per persoon'. Ik had nog nooit eerder te maken gehad met een gewichtslimiet voor handbagage.

'Als ik dat had geweten, dan had ik alles anders ingepakt,' zei ik tegen Juffrouw Smith.

Verveeld, ongeïnteresseerd.

'Geen enkele luchtvaartmaatschappij heeft ooit een gewichtslimiet gesteld aan mijn handbagage.'

Verveeld, geïrriteerd.

'Mijn laptop zit in mijn rugzak en die is heel kwetsbaar en onmisbaar voor mijn werk.'

Zeer verveeld mepte Juffrouw Smith drie stickers met 'Breekbaar' op de tas. 'Hij is te zwaar,' snauwde ze. 'Hij moet worden ingecheckt.' En wachtte tot ik in het niets zou oplossen.

'Mijn laptop kan niet zomaar in het ruim. Ik ben journaliste en zonder laptop kan ik niet werken.'

Zeer, zeer verveeld en lichtelijk geïrriteerd zei ze traag en op luide toon: 'Hij moet worden ingecheckt, dat is de regel. U kunt hem meenemen en aan het grondpersoneel geven als u in het vliegtuig stapt.' Op haar gezicht stond te lezen: 'En nou oprotten, domme ouwe koe.'

Als een domme ouwe koe deed ik wat me werd opgedragen en vertrouwde mijn stoffige laptop toe aan het grondpersoneel en dacht niet dat ik hem ooit nog terug zou zien.

De reis was een waar avontuur. Joanna Lumley vertelde ons op een videoboodschap dat Britannia ons fantastisch zou verzorgen, met heerlijk eten en doldwaas entertainment. Ze wilden ervoor zorgen dat onze vlucht een heel leuk onderdeel van onze vakantie was. En wat denkt u? Niet alleen ging die wens niet in vervulling, maar toen Tim, onze captain, een halfuur lang met driehonderd kilometer per uur op 5500 meter door het zwarte wolkendek boven Málaga cirkelde, bij een buitentemperatuur van min negen graden, had leuk wel de laagste prioriteit. Dit was puur overleven.

'Niets bijzonders,' kondigde Tim aan. 'Maakt u zich niet druk. We wachten gewoon tot er een storm is overgewaaid. We hebben nog zeven ton brandstof.' Hoe lang doe je daarmee? vroeg ik me af. Een paar uur? Een paar minuten? O hemel, dacht ik, mijn testament. Alles gaat nog steeds naar de jongens en naar Edward. Dan krijgt geen cent. Misschien moest ik maar een laatste testament schrijven en dat op mijn lichaam spelden. Zodra ik eraan dacht, liep ik vast op de praktische kant van de zaak: ik had geen pen, geen papier en geen speld; die zaten allemaal in mijn rugzak in het ruim.

We landden met een nerveus applausje en ik racete naar de bagageband. Tot mijn opluchting en verbazing was mijn tas er en zat alles wat ik erin had gepropt er nog in, en mijn laptop leek ongedeerd. Ik racete verder om Dan te treffen, die vast gek van de zorgen was over onze vertraging, om te ontdekken dat hij er helemaal niet stond.

O, god, dacht ik, hij heeft zich te pletter gereden in die storm. Hij is in een ravijn gestort. Ik werd voortdurend lastiggevallen door mannen die me een auto wilden verhuren, en ik begon net een beetje hysterisch te worden toen Dan opdook, ongedeerd door de rampen die ik me had voorgesteld, alleen maar te laat omdat hij boodschappen had gedaan en de weg was kwijtgeraakt. In plaats van een verzaligde hereniging waren we nogal nukkig omdat we allebei een helse dag hadden gehad en wel wat medeleven konden gebruiken, geen verhalen van de ander die nog erger waren. Zwijgend reden we over de haarspeldbochten door de inktzwarte nacht naar huis. Omdat de regen ons pad had weggespoeld, kwam het busje niet tot aan het huis en moesten we de laatste honderd meter door het pikkedonker ploeteren, met ijskoude straaltjes water in onze nek, tot onze enkels in de modder, met mijn kostbare bezit op m'n rug. De elektriciteit deed het niet en het was ijskoud in huis. Het was niet de eerste keer dat ik het gevoel had dat de twintigste eeuw ons in de steek liet en dat we terug moesten grijpen naar het Stenen Tijdperk.

Ik had echter geen tijd voor banaliteiten: ik moest vóór maandag het artikel over onze tegenvoeters af hebben. De volgende dag was er weer elektriciteit dus zat ik in alle vroegte achter mijn laptop en typte: 'FfGhXPPqkshfsFDgh.' Dat klopte niet helemaal, dus probeerde ik het nog eens. 'MDSdshErjr3ovxzIDN.' Hmm. Ik begon licht te zweten, gevolgd door een droge keel en paniekaanvallen. Op dit kritieke punt in mijn carrière kon ik het niet maken om een handgeschreven versie naar kantoor te faxen. Ik had de goede hoop dat mijn verzekering mijn apparaat zou dekken en dat ik diezelfde dag nog een andere kon kopen of huren. Is dat zo gek gedacht? Clausule zeventien (in heel kleine lettertjes) sprak mijn verzekeraars vrij van verantwoordelijkheid voor breekbare of waardevolle objecten op reis. Moraal van het verhaal: ga alleen maar op reis met waardeloze troep.

Ik pleegde een aantal wanhopige telefoontjes, waarmee kostbare minuten voorbijgingen. Iemand raadde aan een klacht in te dienen bij Flight-Line International, waar de tickets vandaan kwamen, maar daarvoor moest ik terug naar het vliegveld van Málaga. Flight-Line bleek Thompson's te zijn, dat Britannia Airways bleek te zijn, dat Iberia bleek te zijn. Er ging heel wat tijd zitten in deze gesprekken, die in mijn steenkolenspaans werden gevoerd. Ik vertrok met een schadeformulier in tweevoud en de naam van een echte persoon op zak die ik kon sarren. Daar schoot ik nogal mee op. Tegen de tijd dat de brief met zelfabsolutie kwam was ik al verzeild geraakt in een andere crisis, en ik had geen tijd om de nodige vijfduizend telefoontjes te plegen en brieven te schrijven om hun schamele vergoeding te krijgen.

Toen ik die avond terugglibberde naar huis, laat en moe van de regen en de modder, was ik heel gedeprimeerd. De zaterdag was ik kwijt. Ik had geen tekstverwerker, niet eens een typemachine, en op maandag moest ik schuld bekennen aan Kitty. Wat moest ik doen?

Ik belde Clive natuurlijk. Die liep de anderhalve kilometer van zijn huis naar het onze, door de regen, met aan elke voet een loodzware brok klei en een zogenaamd draagbare laptop verpakt in plastic. Mijn held! Ik schreef het artikel, zette het op een schijfje en verstuurde het vanuit een internetcafé in Málaga. De directie van het blad heeft nooit geweten dat het maar weinig scheelde of ze hadden me kunnen ontslaan.

Het was begin februari, mijn zoons leken van de aardbodem te zijn verdwenen, maar Clive bleef op zijn finca. Aangezien ik altijd en eeuwig een enorm geldgebrek had, was ik nogal knorrig omdat mijn computercrisis alleen leek te kunnen worden opgelost door er in Gibraltar een te kopen, waarvan ik me herinnerde dat het een vrij goedkoop elektronicaparadijs was. Toen ik er tien jaar geleden met mijn moeder was geweest had ik er een typemachine op de kop getikt (een fantastische, eenvoudige kleine typemachine) voor belachelijk weinig geld. Omdat de technologie zich sindsdien had ontwikkeld, fantaseerde ik over bergen gelikte, bijzonder geschikte computers voor de prijs van een Sony Walkman. Tot mijn opluchting bood Clive aan om met ons mee te gaan, want hij weet alles van computers. Hij had zijn moederbord zelfs uit elkaar gehaald en weer in elkaar gezet. Ik was dolblij dat hij met ons mee zou gaan, slimme vragen kon stellen en de antwoorden kon begrijpen. Ik vond de gegevens van een fantastisch visrestaurant in La Línea, de stad die het dichtst bij Gibraltar op het Spaanse vasteland lag, en stelde voor om hem als dank mee uit lunchen te nemen.

We vertrokken in alle vroegte op een wolkeloze winterdag. Omdat het laagseizoen was, waren de wegen bijna verlaten en we gingen ontbijten bij een café met uitzicht op de zachtglanzende Middellandse Zee, omringd door fraaie palmbomen en exotische tuinen van de kustvilla's van ongure types. Het is een heel eind rijden van Almogia naar Gibraltar, en onze ontbijtstop was het laatste leuke stuk van onze reis. Daarna reden we een heel eind door een onafzienbaar niemandsland van open mijnbouw, vuilstortterreinen, olieraffinaderijen en hijskranen. En hoe dichter we bij onze bestemming kwamen, hoe lelijker het landschap werd en hoe vreemder het weer. Er stak een koude wind op en er joegen grijze wolken voor de zon langs. Hadden we maar winterkleding aangetrokken, dat was veel beter geweest.

La Línea bleek het deprimerendste oord op aarde te zijn. Onder een grijze lucht had het de charme van een vervallen Moskouse buitenwijk in combinatie met een industrieterrein gespecialiseerd in kapotte graafmachines. Het befaamde restaurant was in geen velden of wegen te bekennen. We stonden in de file om de grens over te gaan, waarvoor we spannend genoeg ook de landingsbaan van het vliegveld van Gibraltar moesten oversteken. Dat was één en dezelfde smalle baan asfalt, en ik nam me voor om nooit via Gibraltar te vliegen. Om de naargeestigheid compleet te maken ontdekten we dat Gibraltar een uniek microklimaat heeft: een dikke grijze band van wolken hangt om de Rots heen en er daalt een geruststellende motregen uit neer om je eraan te herinneren dat dit inderdaad een stukje Engeland is.

Gibraltar is een vreemd allegaartje. Ouderwetse militaire gebouwen uit de achttiende eeuw – van het soort waar Jane Austen een officiersbal bijwoonde – staan pal naast erepoorten; je vindt er kitsch en een stadsplanning van een ontstellende lelijkheid. Het zou in zijn geheel in Harrod's passen. Binnen zo'n tien minuten hadden we vastgesteld dat er twee computers op Gibraltar waren; ze werden allebei gerepareerd en hadden allebei al een eigenaar. Clive kocht ongeveer tweeduizend pakjes goedkope thee en een paar flessen van het beroemde whiskymerk Taj Mahal. Nee? Ik ook niet.

Nou, dachten we, hier kunnen we tenminste een leuk tentje vinden om te lunchen. Mispoes. We dwaalden door die eigenaardige straatjes waar alles potdicht was, en sjokten uiteindelijk terug naar het hoofdplein, waar zich een Watney's pub bevond.

'Erger dan dit kan het niet worden. We gaan hier in de zon zitten en bestellen een lekkere steak en niertjespastei. Dan ziet alles er een stuk beter uit,' zei ik moedig en confisqueerde een tafeltje voor ons in een beschut hoekje op het plein met uitzicht op zee; ik voelde me intens schuldig over het hele debacle. Het begon nu pas echt te regenen en het leek steeds meer op een zomermiddag in Ramsgate. De biefstuk en niertjespastei waren op, dus aten we kleine taaie pizzaatjes. We hadden enorm veel zin om naar huis te gaan.

Spanje en Gibraltar zijn dan misschien fysiek met elkaar verbonden, maar ze doen allebei alsof de ander niet bestaat. Er staan op het vasteland heel weinig wegwijzers naar Gibraltar en de douane liet ons urenlang in de regen in de file staan voordat ze ons met tegenzin doorlieten. Wij hadden geluk. De volgende dag werd de grens hermetisch afgesloten vanwege een visrel.

Uiteindelijk kreeg ik toch een computer – eentje die het doet, die bovendien floppy's accepteert en is mee te nemen zonder een ploeg krachtpatsers – uit een prefab kathedraal vol computers op het braakliggende terrein bij de Hooverfabriek aan de M4. Ze zagen me al aankomen voordat ik ook maar een stipje aan de horizon was. Dat kwam doordat ik tijdens het rijden luisterde naar een bandje van Isabella Rosselini die Kuki Gallmans *Ik droomde van Afrika* voorleest, en toen ik aankwam bij Computerworld was haar zoon net overleden aan een slangenbeet. Ik zat tien minuten in de auto te huilen, totdat er iemand op het raam klopte om te vragen of alles goed ging. Met uitgelopen mascara antwoordde ik verontwaardigd: 'Natuurlijk.' Ik zette mijn zonnebril op (het was nog winter en om drie uur al donker) en schreed het warenhuis binnen, waar ik met nogal wazige blik een paar laptops bekeek, snotterend en wel. Toen kocht ik de duurste met de meeste functies die Darren, de verkoper, me kon aansmeren. Het komt niet vaak voor dat er op een natte wintermiddag een snikkende panda met Ray-Ban opduikt in Computerworld die erom smeekt te worden uitgemolken. Het was slecht van me om het dubbele van mijn budget uit te geven, maar niet krankzinnig. Wat ik achteraf gezien het ergste vond, was dat Darren me een verzekering in de maag splitste die nog eens vijfhonderd pond kostte.

Maar mijn toestel gedraagt zich voorbeeldig, zelfs zo voorbeeldig dat hij als ik hem laat vallen of er thee op mors, een beetje pruttelt en zichzelf dan herstelt. Hij zit altijd onder het stof en soms onder de vogelpoep. Kiko gebruikt hem vaak als opstapje, waarbij hij cryptische berichten typt op het toetsenbord tijdens zijn jacht naar eten. Ik verkeerde even in een staat van opwinding toen er een computervirus achter het scherm kroop. Hij heeft er een hele tijd gezeten, maar is inmiddels verkast.

Als je in Spanje een huis koopt, dan kan je water, elektriciteit en telefoon wel of niet worden aangesloten. Als ze niet worden aangesloten, dan zul je erop moeten wachten en is de rekening torenhoog, afhankelijk van hoe ver de werklieden moeten reizen. Wij hadden mazzel gehad met de eerste twee. We hadden ook een soort telefoon en nu had ik zelfs een computer die het deed. Maar we kunnen nog steeds niet e-mailen en hebben geen idee waarom iedereen er zo enthousiast over is. Inmiddels heb ik vastgesteld dat het me prima bevalt in het Stenen Tijdperk en het verbaast me altijd hoe geïrriteerd mensen raken als ik voorstel om eens een leuke ouderwetse brief te schrijven.

VALLEN EN OPSTAAN

Onder het fanatieke perfectionisme van onze beste bouwvakker, Antonio, die in die lente in ons leven kwam, werd het huis stukje bij beetje opgelapt zodra er wat geld onze kant op kwam. Terwijl het langzamerhand op een normaal huis begon te lijken, bereikten ons via Barbara raadselachtige bureaucratische verordeningen.

Tijdens een van die bezoekingen kwam ik erachter dat het niet helemaal waar was dat Oscars hitsige momenten uitsluitend door Kiko werden geïnstigeerd: hij haalde zijn lippenstift ook éénmaal tevoorschijn voor Minnie. Ik had Dan afgezet bij het vliegveld (hij ging een bezoek brengen aan zijn ouders) en liep op de terugweg het kantoor van Barbara binnen, waar ik te horen kreeg dat ik een paar documenten moest laten tekenen en waarmerken bij een advocatenkantoor in Málaga. Ik heb geen idee wat het voor documenten waren, maar Barbara instrueerde me nauwkeurig op welk kantoor ik moest zijn, hoe laat en met welke papieren. Ik ging naar huis om ze te halen en laadde Oscar en Minnie in de auto. Dat was op zich al ongebruikelijk; ik weet ook niet waarom ik dacht dat ze iets toe te voegen hadden aan deze excursie – morele steun denk ik. Met mijn gebruikelijke overdreven voorzichtigheid reed ik naar Málaga, en somde in mijn slakkengang alle mogelijke rampen op: panne, verdwalen, een of andere duistere verkeersregel overtreden en publiekelijk worden vernederd en bekeurd, geen parkeerplaats kunnen vinden, weggesleept worden en het busje niet kunnen ophalen vanwege mijn kleuterspaans. Zo was ik toen.

Maar ik vond de straat verdacht snel, en nog een parkeerplaats ook. Als ik eraan terugdenk, vind ik het onvoorstelbaar dat ik me zo krankzinnig opwond. Ik weet nog dat ik me die middag zo neerslachtig en bezorgd voelde alsof ik net te horen had gekregen dat ik nog maar twee maanden te leven had. Ik graaide alle papieren bij elkaar (dat wil zeggen, alles wat ik had; ik was er inmiddels achter dat het uitgerekend gaat om het papier dat totaal onbelangrijk lijkt te zijn), deed het busje op slot (alsof iemand die snugger genoeg is om te kunnen rijden het zou willen hebben) en draaide me als een snoepjeswikkel in het rond in een poging de honden aan te lijnen. Dat lukte me allemaal zonder in al te gênante acties te vervallen zoals in snikken uitbarsten of neerzinken op het trottoir. Ik probeerde de honden zo ver te krijgen om de poot te lichten en verschanste me hoopvol een poosje nerveus tussen de palmbomen aan de Alameda Principal. Ze keken hooghartig de andere kant op. Jammer dan.

De volgende uitdaging was om het kantoor te vinden. Dat viel opnieuw mee. Maar de ingang was akelig chic, in een hoog, grondig gerenoveerd oud gebouw pal aan de Alameda Principal, met uitzicht op de haven. Kaliber Bond Street en Madison Avenue. Even had ik heel veel spijt dat ik mijn stoffige tenue had verkozen boven iets zakelijks, maar nu was het al te laat om me voor te doen als een echte volwassene. Met een onverteerbare brok angst in mijn keel haalde ik de riemen aan toen we ons op de parketvloer begaven en begonnen aan de lange klim over de gladde marmeren trap naar het penthouse. De honden weigerden de lift in te gaan. Er liepen heel wat oude stellen de trap af en ze slaakten stuk voor stuk een kreetje en drukten zich angstig tegen de muur als ik met mijn schuimbekkende beesten passeerde. Misschien wel tien stellen op zes verdiepingen.

We kwamen in de receptieruimte van de advocaat en ik probeerde de reden van mijn komst uit te leggen aan het gemanicuurde en gekapte meisje, dat haar ogen niet van mijn kwijlende beschermelingen kon houden. Ze gebaarde dat we moesten gaan zitten, en dat deed ik ook braaf. Maar Oscar en Minnie hadden zin in ritmisch gesnuif, en de tien minuten die ik moest wachten, leken wel drie jaar.

Dat was nog niets vergeleken bij de schande die toen volgde. Wij waren aan de beurt en werden ontboden in het penthouse van de advocaat. Onder andere, minder hondse omstandigheden had ik het geweldig gevonden om wat rond te dolen in dit peperdure arendsnest met zijn vele hectares spiegelglad parket, enorme palmen in potten, groots opgezette galerijen, zijn gladde, onberispelijke glasplaten waar de doorsnee werknemer een overvol Ikeabureau zou hebben dat onder de koffievlekken zat. Mijn aanwezigheid daar op die dag was een wrede straf voor een misdaad die al lang in de vergetelheid was geraakt. Toen Oscar de palmbomen zag, besloot hij dat hij toch even een plasje moest plegen. Zeven advocaten legden hun pen neer en sloegen de korte strijd gade die daarop volgde. De zwijgzame ontzetting die volgde op onze komst maakte mijn wanhopige poging hem ervan te weerhouden zijn poot te lichten bij de torenhoge Kentia er alleen maar erger op, en vestigde de aandacht op de krassen die zijn weerspannige poten op het kostbare parket maakten. Ik sleurde de twee honden naar een van de advocaten, die gebaarde dat onze man boven op de galerij zat. Grenzeloos ontmoedigd keek ik langs tien zwevende traptreden omhoog naar een gladde jonge man die eveneens aan een glasplaat zat, omringd door palmbomen.

Ik kon de honden niet beneden laten, en ze waren niet van plan om naar boven te gaan. Ik moest ze zowat dragen (Oscar woog 32 kilo, Minnie 24) en we belandden in een zwetende kluwen op het voortoneel. Zeven paar ogen volgden ieder detail van het drama dat toen volgde. Eerst wond ik de riemen om mijn stoelpoot, zo ver mogelijk bij de palmbomen vandaan.

Voordat ik kon uitleggen wat we hier kwamen doen, besloot Oscar om eens te gaan kijken hoe het uitzicht vanaf de rand van de galerij was en mijn stoel schoof gevaarlijk dicht naar de trap. Minnie was meer geïnteresseerd in het chromen onderstel waar de vijf centimeter dikke glasplaat op rustte en draaide zich in een losse knoop om de dichtstbijzijnde tafelpoot. Niet zo fraai, maar toen er even niets gebeurde, dook ik in mijn minieme Spaanse woordenschat en gooide mijn paperassen op tafel. De gladde advocaat begon ze grondig door te nemen, waarbij hij de tekst tergend langzaam volgde met zijn geboende vinger. Op dat moment blafte er ergens in de verte een hond, schoof er misschien iemand met zijn stoel of schraapte zijn keel, wat dan ook. Oscar en Minnie sprongen in de houding en stormden op de trap af. Toen Minnie aan de riem trok, schoof het onderstel van de loodzware glasplaat met een ruk van zijn plaats. Ik durfde niet op te staan omdat mijn gewicht op de stoel het enige was dat een complete ramp kon afwenden. De gladde advocaat nam alle tijd om lusteloos op te staan, Minnie los te maken, zijn bureau recht te zetten en verder te lezen. Als klap op de vuurpijl liep het angstzweet me nu over de rug, om onder aan mijn ruggengraat te eindigen in de gebruikelijke aantrekkelijke incontinentieplek.

Hij zat al op pagina twee, met nog maar drie te gaan. Hij stelde me een paar vragen, waarop het antwoord telkens hetzelfde luidde: '*No comprendo*', waarop hij geïrriteerd zuchtte en de volgende zin met zijn vinger volgde.

Intussen deed ik Minnie van de riem, die ze om mijn stoelpoot had gedraaid, haalde hem uit de knoop, lijnde haar weer aan, trok Oscar naar me toe en wist een vredig intermezzo te bewerkstelligen door de honden heel dicht naast elkaar bij mijn voeten te houden. Even kwamen ze tot rust met een spervuur van *pffffts*; boxers staan erom bekend dat ze veel scheten laten. De gladde advocaat drukte zijn naar zeep geurende hand tegen zijn neus, totdat hij hem moest verwijderen om happend naar

adem om een handtekening te vragen. Daarvoor moest ik opstaan, waarop beide honden eveneens opstonden en onder zijn bureau kropen, waar ze lichtelijk nieuwsgierig aan zijn broek snuffelden. Ik vroeg of hij ook een hond had, waarop hij antwoordde van niet; hij hield niet van honden. Of het een reactie was op deze provocerende opmerking of het resultaat van zenuwen en verwarring weet ik niet, maar op dat moment realiseerde Oscar zich plotseling, duidelijk zichtbaar onder het glazen blad waarop mijn paperassen lagen, dat zijn metgezellin toch wel heel opwindend was en probeerde haar te bestijgen met een lange, knalroze erectie. Weinig dingen zijn zo aanstootgevend als de erectie van een hond. Minnie had geen zin in een nummertje en er vond een korte schermutseling plaats onder de glasplaat.

Ik ondertekende gauw de papieren, zonder erop te letten of ik al mijn wereldse goederen aan de gladde advocaat schonk, wierp hem wat geld toe en sleepte mijn honden sneller dat penthouse uit dan een autorace van de Blues Brothers.

In de loop van de winter en de lente, toen de regen op de gebarsten rode aarde kletterde en veranderde in een kleverige smurrie, begonnen Dan en ik de omgeving te koloniseren. In maart bloeiden overal tussen de stenen nog steeds hemelsblauwe maagdenpalm en witte en zachtrode zonneroosjes; het palet werd verrijkt met paarse en roze *Echium lycopsis*, elegante, wilde, onthutsend roze gladiolen, zachtpaarse irissen, paarse lathyrus en roze phlomis. De borders hadden er niet mooier bij kunnen liggen als je ze zelf had beplant.

We plantten cipressen aan de westkant met daartussen olijfbomen in de hoop de kracht van de wind wat af te zwakken, en ook nog tien palmen, al is niet iedereen het erover eens of het nou hoge, statige bomen zullen worden of maar één kant op zullen groeien tot de spitse, compacte struikjes die je hier overal tussen de rotsen ziet staan en die grazende geiten links laten liggen. Ik wilde ook bougainville omhoog laten groeien in de ordinairste kleuren oranje en magenta die ik kon vinden, met aan de randen oleanders om alles aan het oog te onttrekken dat duidde op de voorbije aanwezigheid van de bouwvakkers: een dikke laag plastic flessen en tonijnblikjes.

Op de westhelling bouwde Dan met stapelmuurtjes terrassen om te beplanten. Tussen de bomen zette ik optimistisch stekjes van de margrieten die in het wild op de heuvels groeien, paarse pluimvormige nachtschade die we van Barbara hadden gekregen, lavendel en geurige *Coronilla glauca* met gele bloemen. Ik hou niet van gele bloemen, maar deze roken zo lekker en waren bovendien zo vastberaden om te overleven dat ik de kleur voor lief nam. Ik hoopte dat de planten het vaste verloop zouden volgen: de grond ingaan als kleine, kwetsbare plukjes, een jaar lang vechten voor hun leven en de daaropvolgende lente veranderen in een reusachtige bloemenzee.

Het griezelige was dat twijgen, stekjes en takjes in deze grond allemaal wortel schoten. Als er een hond op mijn dipladenia ging zitten of door mijn jasmijn daverde, dan gromde ik wat en duwde de kapotte resten van de plant zo'n beetje terug in de grond. Echium, oleander, geraniums en margrieten schoten gretig wortel; anjers, rozemarijn en anjelieren deden het uiteindelijk ook, terwijl de transparente-boom, waarvan ik ten onrechte had gedacht dat zelfs een kind die groot kon krijgen, veranderde in kurkdroge bruine twijgen en een onstuitbare Spaanse woordenstroom ontlokte aan Antonio, onze voorman, die ook nog eens agressief aan het hakken sloeg met zijn mes. Helaas had ik die lente zo'n honderd van die transparente-twijgen in de grond gestopt in de hoop dat het een dicht, donker, wintergroen bos zou worden, met als gevolg dat grote stukken grond eruitzagen als een zielig en zonderling plantenkerkhof. Maar ik besloot ze daar te laten staan; je wist maar nooit, misschien wachtten ze gewoon het juiste moment af. Het maakt allemaal deel uit van mijn beleid om iedere centimeter grond vol te zetten met alles wat zich binnen handbereik bevond, in de hoop het onkruid eronder te krijgen en het te overtreffen.

Die lente voelde ik me net een New Yorkse politiecommissaris als ik mijn laarzen en stijfgeworden tuinhandschoenen aantrok. Ik was immers van plan om een strijd op leven en dood aan te binden met het kwaad. Het onkruid was een stel gewetenloze, geslepen, meedogenloze drugsdealers die onschuldige zaailingen terroriseerden, toegerust met de allerlaatste snufjes. Ze opereerden snel, in kleine bendes, pasten zich met angstwekkend veel succes aan, zaaiden zichzelf uit, schoten wortel en veroverden alarmerend snel terrein. Ze deden maandenlang alsof ze sliepen en kwamen dan net als de *Alien* onverwoestbaar tot leven. Ze waren er vooral goed in om zich in piepkleine scheurtjes in metselwerk of tegels te nestelen, en dan stiekem een ellenlange wortel te produceren die het beton openbrak en met geen mogelijkheid was uit te roeien. Af en toe ging ik de strijd wel aan, aan de buitenste randen met een zeis en voor kleinschaliger schermutselingen bij het huis met een vorkje, maar de grond was zo hard dat Spigs tijdens een wel heel gevaarlijke klopjacht op een psychopatische distel de onbreekbare Wilkinson Sword roestvrijstalen mestvork brak die ik van mijn zus Judy had gekregen.

De grond was hier verrassend vruchtbaar omdat die een jaar of tien was bemest door señor Arrabal, maar het was fijne klei, die in natte winters plakkerig was en zo zwaar dat er geen beweging in te krijgen was, en in de zomerdroogte opstuivend stof vormde. Van maart tot oktober hebben we hier geen druppel regen. Aanvankelijk was het een enorme schok dat het landschap dat ik kende van zomerfoto's en -bezoekjes (de croissantkleurige gesprongen aarde zonder een spoortje groen) in de winter werd vervangen door dik weelderig gras van een meter hoog. Net als dat verdomd agressieve onkruid met wortels als touw, schiet het gras in een week tijd als een woud omhoog. Ik overdrijf niet. In april gingen Dan en ik een week met onze vriendin Maggie Perry op vakantie naar Marrakech, toen ze een *riad* ging kopen. Vóór ons vertrek had het geregend en was de grond uitgedroogd in de zon, dus was de grond niet zo hard als beton, zoals gebruikelijk. Ik besloot alle planten weg te halen uit het trieste stukje border dat we 'tuin' noemden. Ik wiedde al het onkruid, woelde de grond wat los en hoopte dat die zou veranderen in vruchtbaar, brokkelig leem, en wuifde de kleine boompjes en struikjes die ik had bevrijd van hun al te verliefde wilde buren, hartelijk gedag.

Toen we een week later terugkwamen waren mijn liefdevol verzorgde plantjes nergens meer te bekennen, alleen maar een hoog, compact eiland van gras, kaasjeskruid, wat onaangename dingen die roken naar natte rubberlaarzen, en gepantserde agressieve distels. Het was niet eenvoudig om de resten van mijn kattekruid, boerenjasmijn en vaste vlasleeuwenbek terug te vinden, waarvan ik de zaadjes op het eiland Jura had gekocht. Het onkruid uit deze streek weet dat het maar even de tijd heeft om zaadjes te produceren.

Bijna drie jaar lang konden we helemaal niets planten omdat we onder de voet werden gelopen door graafmachines, kruiwagens, cement en puin. Ik had dingen in potten, schattige piepkleine zaailingen en stekjes waar ik zachtjes voor zong, maar Dan vergat ze altijd water te geven als ik terug moest naar Engeland, en als ik dan terugkwam zagen de jasmijn en de dama de noche die ik zo liefdevol had geplant, eruit als stakerige breinaalden. Als ik de gesprongen aarde loswoelde en water gaf in de hoop dat ze weer tot leven kwamen, trof ik soms een sluimerende pad, ingegraven in de compost.

Dan maakte een compostvat van houtafval en grof draadgaas, en na wat geëxperimenteer zetten we hem in de schaduw achter het terras op het westen, onder het keukenraam. Hij stond onder de pruimenboom, de plek waar Dan met geweld het huis was binnengedrongen, zodat hij behalve al het andere dat vegeteerbaar was heel handig de overtollige pruimenoogst opving en rustig verderging met composteren. We hadden er onverwacht veel succes mee; bij mijn eerdere pogingen is compost altijd veranderd in stinkende smurrie, maar dit was precies de juiste luchtige substantie die we in een gulle laag over alle plantenbedden strooiden. De planten waren er dol op en groeiden vol enthousiasme. Het enige nadeel was dat er ook enorme hoeveelheden onverwachte tomaten, avocado's en cherimoya's op groeiden.

De bodem is hier totaal anders dan ik ooit ergens heb gezien. Als het regent, verandert hij in zulke dikke en plakkerige modder dat je maar vijf stappen kunt zetten waarna je voeten al te zwaar zijn om ze te verplaatsen, zodat je omkukelt. In de zomer komen er kloven en spleten in en verandert hij in cacao. Zoals iedere tuinliefhebber je kan vertellen, is het pure klei waar je een bloeiende pottenbakkerij mee kunt beginnen, en je moet er grote hoeveelheden organisch spul in omwoelen. Dan haalt paardenmest bij de aardige Paco in het dorp (extra aardig omdat hij me Dans jonge, beeldschone vrouw noemt; ja, misschien is hij inderdaad wel blind) en laat die dan meestal in de plastic oranje zakken verspreid over de tuin liggen. Ik weet niet goed wat er onder 'door en door rot' wordt verstaan, maar op den duur zal ook dat zijn bijdrage aan de klei leveren.

Ik wilde heel graag iets maken van het stuk grond direct rondom het huis. De strakke hoeken van deze geometrische witte huizen moesten worden afgezwakt door groene klimplanten, bladergangen en pergola's om ze tegen de genadeloze zon te beschermen. Iets als een Engelse tuin kon je wel vergeten: een groen gazon in het midden en daaromheen zachte en wollige randen. Als je er tijd en geld in wilde stoppen, kon je wel gras laten groeien. Meestal was het ruig eenjarig gras dat aan de blote voeten een beetje aanvoelde als een ruw kleed dat hard was geworden van de chips en hondenkots. Ik was onder geen enkele voorwaarde bereid om ook maar een gedachte vuil te maken aan iets dat zo lelijk was en zoveel energie opslorpte, en we maakten een ontwerp waarin het huis werd omringd door terrassen, waarvan sommige waren afgezet met bloemperken. Ik wilde een tuin waar je lui in kon zitten, geen tuin die een verlengstuk was van het huishouden.

Gazania's en de 's avonds geurende violieren zaaiden zichzelf met angstwekkende snelheid uit en vormden compacte struikjes op onverwachte plekken. Ik vergaf het ze van ganser harte: die hele zomer lang bloeiden de gazania's stug door in zulke prachtige, eigenaardige, vloekende kleuren, en de sjofele kluiten violier vervulden de avondlucht met een rijke, kruidige zoetheid die je van zo'n armetierige plant totaal niet zou verwachten.

Het was een openbaring om te zien dat de eenvoudigste eenjarigen zich in Spanje kiplekker leken te voelen. Ik denk dat ze ingesteld zijn geraakt op die constante verblindende zon, waarin ze niet langer nederig zijn maar veel voornamer worden. Aan de goudsbloemen prijken zonnige blaadjes van zijdezacht oranje satijn, Oost-Indische kers doorspekt zijn wolken scherpronde blaadjes met jubelende oranjerode spikkels, vlamt vanaf de winter op en weigert dood te gaan, zoals dat hoort bij eenjarigen. Gipskruid groeit uit tot weerbarstige witte wolken en verzacht de monumentaler planten als een prop kant aan de pols van een cavalier. Cosmea breidt zich uit tot grote filigraanstruiken met roze en zachtpaarse bloemen; papavers in alle kleuren lijken wel juwelen tegen hun ragfijne grijze gebladerte en geraniums met klimopvormige blaadjes breiden zich snel uit en bloeien de hele winter door.

Alle grijsbladige planten deden het net zo goed als ik had verwacht en groeiden uitbundig in het meedogenloze licht: rozemarijn en kruiskruid, *santolina* en alsem tuimelden in grote wolken van hete muren af, salie vormde leuke kussentjes, lavendel groeide uit tot ruige bollen van zilver, in de zomer bekroond met een aureool van paarse aren. Ze breidden zich dankbaar uit en vulden de hun toegewezen plekken, en meer: listige wapens in het anti-onkruidarsenaal.

Pioenrozen, euforbia, helleborus en irissen groeiden in het wild op El Torcal en lieten zich gewillig temmen. Hibiscus liep uit als rondborstige Hawaïaanse dansmeisjes. Ik wilde magnolia's en melianthus hebben, waarvan Beth Chatto zei dat ze haar aan een brontosaurus deden denken. We maakten plannen voor een dinosaurustuin met enorme getande en zaagvormige bladeren, kardoenen en artisjokken, yucca's, aloë's en palmen die met de melianthus om de overhand streden. Hier was tuinieren leuker en stukken minder serieus dan ik ooit had meegemaakt. Alles wat het goed deed, deed het idioot goed en de rest ging gewoon dood. Dat kwam mij prima uit. Het zijn juist de planten die tergend lang tussen leven en dood zweven en dan één allerlaatste, fatale aria zingen, die zo irritant zijn.

Minder succes had ik met de sexy *Brugmansia suaveolens*, vroeger doornappel genoemd, met witte trompetvormige bloemen die 's avonds geurden, en viltige blaadjes. Ik had hem in Modena gezien en wilde hem dolgraag hebben. Hij kon totaal niet tegen wind (tot nog toe had hij niet veel meer geproduceerd dan een knokig jichtstompje) maar ik bleef hopen en sprak hem de hele zomer bemoedigend toe. Ik heb nog niet onder de mijne kunnen liggen om bedwelmd te raken van zijn giftige parfum, zoals de oude Grieken deden. Ik krijg alleen maar een gezicht vol bladgruis. Voor sommige planten zitten we gewoon te hoog.

Dat was een van de vele onverstandige duurkopen die ik die lente voor de tuin deed. Er was een kwekerij geopend, net dichtbij genoeg om de gevaarlijke tocht in mijn eentje te ondernemen (ik ben jarenlang een schijterd geweest in de auto) en ik ging er altijd heen om een basilicumplantje te kopen, en kwam dan terug met een busje volgestouwd met abrikozen-, gleditsia-, en valse-peperbomen, jasmijn, geraniums, afzichtelijke hybride theerozen omdat die de enige waren die ze op voorraad hadden en ik per se rozen wilde hebben, dipladenia, passiflora, felicia, carissa, een gesnoeide kumquat in een pot: een woeste jungle van weelderige planten die bij elkaar vloekten. Ik vergat altijd de basilicum. Dan plaagt me nog steeds met de enorme bananenplant die ik heb gekocht en die verwijtend oprijst uit zijn pot, voortdurend aan flarden gescheurd door de wind.

Maar de abrikozenboom, die als een nietig twijgje op de meedogenloze natte helling is geplant (de voorkeursmethode van Antonio) deed het fantastisch, en droeg na twee jaar vijf zalige abrikozen die net zo smaakten als toen ik nog een klein meisje was en mijn papillen nog niet verpest waren. En de vijgenbomen die rondom het huis stonden, droegen vruchten die zo in de Tuin van Eden hadden kunnen hangen. Met hun donkerpaarse schil, opengebarsten in de hitte van de zon, kwamen ze in je mond tot een roze explosie van uitbundige zoetigheid. Verse vijgen zijn zonder enige twijfel een pornografische vrucht die slechts heel in de verte iets te maken hebben met de kille, peperdure, verpakte gevallen die je bij de supermarkt kunt krijgen.

Toen ik was bekomen van de schok dat ik niet gewoon even naar een of ander voedselimperium aan het eind van de straat kon lopen (in Londen lagen er diverse supermarkten op vijf minuten lopen van huis) waar je alles kunt kopen wat je hartje begeert, plus van alles waarvan je niet wist dat het bestond, gaf het wel een kick om al die dure specialiteiten gratis en voor niks te verbouwen, die dan ook nog eens veel beter smaakten. Nu ik in Spanje woonde, deed ik voor het eerst de schokkende ontdekking dat zelfgemaakt lekkerder is – tot nog toe was het altijd stukken minder geweest. Een geprikkelde en kwade vrouw kan nooit lekker koken, en in Londen was ik regelmatig allebei, en had ik ook nog te weinig tijd. Het absolute dieptepunt wat betreft zelfgemaakt-is-waardeloos, was toen mijn zoons me beleefd doch dringend smeekten om nooit meer een verjaardagstaart voor ze te maken. In die tijd was ik geobsedeerd door eerlijke ingrediënten, en omdat ik wilde dat mijn kleine schatten van jongens blaakten van gezondheid, brachten verjaardagstaarten altijd een crisis teweeg. Kristalsuiker? Witte bloem? Boter? Nee. Dat nooit. Over mijn lijk. Volkoren worteltaart zijn ze eigenlijk nooit echt lekker gaan vinden.

Tot onze verbazing bleef de oeroude, ziekelijke citroenboom achter het huis leven, ondanks het feit dat er zowat een ton gruis op was gestort, en komt er ook nu nog een kom vol prachtige misvormde vruchten vanaf. Tijdens mijn laatste bezoek aan Londen had mijn vriendin Suzy een zalig kippenstoofpotje gemaakt waarvan de smaak deels werd bepaald door de ingemaakte citroenen die ze mee liet stoven. Ze kwamen oorspronkelijk uit Marokko en zij had ze gekocht bij een of andere delicatessenzaak, waar ze heel wat kostten.

Die kunnen wij voor niets maken, dacht ik, met een blik op mijn prachtige nieuwe keuken waarin een gloednieuw Spaans fornuis prijkte dat het prima deed, zolang je je maar realiseerde dat de knoppen en wijzerplaatjes zo waren ontworpen dat ze in kleine kinderhandjes losschoten en dat de temperatuuraanduiding niets te maken had met de hitte in de oven. Brede aanrechten stonden te lonken en fluisterden culinaire bekoringen, de grote dubbele kraan bood door de pruimenbloesem heen uitzicht op de fraaie finca van señor Arrabal en de zonsondergang, en mijn vingers jeukten om te gaan koken. Toen Dan naar het dorp ging om een busje vol paardenmest te halen, gaf Paco hem ook een zak citroenen mee, knobbelig, met felgroene spikkels en zeker niet besproeid met welk gif dan ook. Ik vond mijn eigen kippenstoofpotje net zo lekker als dat van Suzy en maakte zelfs *lemon curd* van onze eigen citroenen. In de magnetron duurde het nog geen zes minuten. Ik vond het geweldig om een magnetron te hebben; dit was totaal nieuw voor me, een fascinerende combinatie van eten en fysica die meteen mijn beste vriend was tot het grote aardbeienjamdebacle, waarin anderhalf pond aardbeien en evenzoveel suiker als een gesmolten Vesuvius uit het deurtje kwam stromen en zorgde voor een apart effect op de vloer en het aanrechtblad, en slechts een half potje peperdure jam.

Zoals iedereen weet, hebben tuiniers een hart van goud, dus was er een overvloed aan bereidwilligheid om die arme stumpers van beginnelingen te helpen. Als Barbara langskwam, bracht ze altijd de mooiste stekken uit haar eigen tuin mee: mini-nisperoboompjes die in een gepaster omgeving abrikoosachtige vruchten hadden gedragen maar die bij mij de pijp uitgingen, aloë- en agavestekken waarvan ik gelukkig kan zeggen dat ze deze dorre omgeving en waardeloze tuinier hebben overleefd, felrode *Pelargonium domesticum*. Mabs, Barbara's energieke schoonmoeder, een tuinierster in hart en nieren met groene vingers, gaf me de exotischer planten die nog in leven zijn: glanzende witte dimorphotheca, mooie aardragende dracaena, een hoffelijke, sappige *Aptenia cordifolia*, die zich uitstrekt in een dik heldergroen tapijt dat de bodem bedekt, met hier en daar piepkleine felrode sterretjes. Mabs en ik dachten een perfect systeem uit: zaadbedrijven die graag in de smaak willen vallen bij tuinredacteuren stuurden me hun laatste F1 hybridezaadjes, en ik gaf ze aan Mabs. In ruil daarvoor gaf ze me de stevige plantjes die ze had gekweekt en die onder mijn sporadische zorg meteen verschrompelden of het met hun aangeboren vasthoudendheid fantastisch deden en uitgroeiden tot ragfijne cosmea of kitscherige felgekleurde zinnia's.

Ik deed heel erg mijn best, maar het was me nog steeds een raadsel hoe je hier moest tuinieren. Ik snapte gewoon niet wanneer je wat moest doen. Mijn moestuin was een goed voorbeeld. Op een dag in november kwam señor Arrabal aankuieren en strooide achteloos wat tuinboonzaadjes op de grond. Ze deden het fantastisch. Ik trotseerde februaristormen, koos een geschikte plek, groef en worstelde met onkruid, harkte en strooide met geitenmest (een zweterig werkje in deze massieve klei) en plantte voorzichtig sla, basilicum, *cavolo nero*, rucola, bonen en mesclunzaadjes. En wat denkt u dat er opkwam? Kardoenen, die overal in het wild voorkomen en waarvan ik nog steeds niet weet waar je ze voor moet gebruiken.

Tomaten lijken ook uit ongecultiveerde grond op te schieten, al geven ze misschien alleen maar aan waar bouwvakkers het liefst hun rotzooi storten. Wat groente betreft komt niets ook maar in de buurt van zelfverbouwde, zongerijpte kerstomaatjes. Het komt niet vaak voor dat ik begin te kwijlen van dingen met weinig calorieën, maar die onbedoelde tomaatjes waren zalig.

Hoe hard we ons best ook deden, bijna alles wat we uitprobeerden baarde Antonio en de andere bouwvakkers zorgen. In de zomer schudden ze hun hoofd over de hoeveelheid droog gras die zich overal bevond en in hun ogen een enorm brandgevaar vormde; in de winter maakten ze zich druk over de gebrekkige afwatering waardoor onze kersenbomen konden verzuipen. Juan had het gemunt op een kleine en heel ziekelijke mango die we op de binnenplaats tegen de muur van Dans atelier hadden geplant, en ging hem als een woeste hond te lijf, waarbij hij met overtuigende lichaamstaal uitlegde dat dit boompje gewoon net zolang zou wachten tot we met onze rug naar hem toe stonden en dan het gebouw van de heuvel af zou tillen. Ik heb een onverklaarbare passie voor het kweken van mango's. De ene bouwvakker na de andere verzuchtte treurig: 'Hoeveel mango's heeft u hier in de buurt zien groeien? Geen enkele. Omdat ze hier niet aanslaan.' Ik ben bang dat ze gelijk hebben.

Señor Arrabal was degene die het vaakst onverwacht op bezoek kwam. Hij zag er stokoud uit, maar was waarschijnlijk van onze leeftijd en onvoorstelbaar kras. Als jonge vent had hij zonder zadel gereden en was hij stuntman geweest, en zijn appelgrauwe merrie was nog steeds zijn favoriete transportmiddel. Elke dag reed hij de acht kilometer van zijn nieuwe, opzichtige, plastic huis in Villanueva naar zijn boerderij onder aan de heuvel om de honden te voeren, soms met zijn kleinzoon Eugenio voor op zijn zadel. Op een dag kwam hij net toen Dan aan het naaktzwemmen was. Er staat een muur om het zwembad die net hoog genoeg is om de edele delen aan het oog te onttrekken van degene die aan de andere kant staat, maar niet hoog genoeg om ook maar iets te verbergen voor een man te paard. Ik moest erom lachen: Dan die in een klassieke blote-mannenpose stond, met beide handen voor zijn kruis, pogend een beleefd gesprek te voeren met señor Arrabal zonder gebruik te kunnen maken van handgebaren of lichaamstaal. Op die manier een gesprek voeren, en dan helemaal met een man die nog niet eens een bom zou horen ontploffen, vergde een hoop van Dans vindingrijkheid. Ik denk dat señor Arrabal het nogal amusant vond. Hij had in elk geval geen haast om verder te rijden.

Het hele jaar door was zijn geheime wapen dat hij op ieder moment vanuit alle hoeken en gaten onaangekondigd kon opduiken. Van alle andere mensen weten we wanneer ze eraan komen (behalve Pantalon Paco, die doet alles lopend) omdat we hun auto kunnen horen, maar señor Arrabal had de gewoonte om van achter, beneden of opzij uit de campo op te duiken. Om negen uur 's ochtends kwam hij even inspecteren en om vijf uur 's middags kwam hij nog eens langs. Toen we op een ochtend buiten in de zon zaten te ontbijten, gehuld in een lendendoek en een slonzige kamerjas, dook hij ineens op bij het zwembad. Dat was nieuw, en we schrokken ons een ongeluk. Een tijdlang kleedden we ons helemaal aan voordat we slaperig met onze ochtendkoffie in de zon gingen zitten.

Niet alleen dook señor Arrabal altijd plotseling op, hij bracht ook altijd slecht nieuws, tenzij hij ons mysterieuze tasjes van korte stukken geknoopt zwart twijngaren kwam brengen, en dat deed hij een paar keer per jaar.

Meestal maakte hij duidelijk dat we iets aan onze bomen moesten doen waar veel tijd en werk in ging zitten, of dat we onze honden op een andere manier moesten africhten, of dat we wilde asperges moesten plukken, dat we geen passiebloemen naast onze druiven moesten laten groeien of, en dat was nog het ergste, dat we distelstelen moesten plukken, een zeer smerige plaatselijke delicatesse die al helemaal niet de aanzienlijke pijn waard is die erbij komt kijken. Hij kwam met zijn zwierige strooien hoed aanzetten op een overigens heerlijk rustige lentemiddag toen ik in het wilde weg aan het wieden was, en wond zich hevig op over de distels die ik achteloos op de berg groen had gegooid die weg kon. Hij rukte zijn trouwe mes uit zijn zak, sneed de stekels eraf en gebaarde dat wij hetzelfde moesten doen, terwijl hij als een rusteloze zeester rondstuiterde om nog meer van die rotdingen te verzamelen. Gehoorzaam haalden Dan en ik onze vingers open terwijl we bergen stelen van hun doorns ontdeden waarvan señor Arrabal de goddelijke smaak op de hem unieke wijze de hemel in prees, deed alsof hij in een pan eieren brak, de stukjes distel toevoegde, het mengsel omroerde en verzaligd zijn vingers zoende dat het zo'n zalig brouwsel was. Wij hadden zo onze twijfels, maar keken uit naar iets dat tenminste een beetje lekker was na onze pijnlijke arbeid. Het smaakte naar roerei met exra papperige kerstspruitjes op grootmoeders wijze.

Het is heel wel mogelijk dat distelstelen om medicinale redenen worden gegeten. Dat verklaarde het vreemde dagelijkse ritueel van señora Arrabal. Ze kwam iedere ochtend uit de finca om haar handen in de bos netels naast haar deur te steken. Ik snapte er niets van en vermoedde dat het om vurige zelfkastijding ging. Toen ik haar vroeg waarom ze dat deed, gebaarde ze (dacht ik) dat het hielp tegen jicht, en iedere keer dat ze haar handen in de netelstruik hield, kon ze zich een hele dag pijnloos bewegen. Maar omdat ze net zo doof is als haar man en communiceert middels onbegrijpelijke kreten en glimlachjes, heb ik het misschien niet helemaal juist vertaald, dus geef mij niet de schuld als u er alleen maar netelroos van krijgt.

Juan hielp een Engelse bewoonster van een intiemer probleem af. Ze hadden het over een bouwkwestie en het viel hem op dat ze ongemakkelijk heen en weer schoof op haar stoel. Onwillig gaf ze toe dat ze enorm veel last had van haar aambeien en dat ze er geen remedie voor kon vinden. Hij spurtte de vallei in en kwam terug met handenvol wilde waterkers. Hij zei dat ze die de rest van de dag in de zak van haar jasje moest dragen, en dat deed ze. Pas toen ze die avond aan tafel haar hand in haar zak deed en de papperige resten van de bladeren vond, merkte ze dat haar aambeien waren verdwenen. Ze heeft er sindsdien geen last meer van gehad.

De volgende gasten die de diverse ongemakken van Casa Miranda trotseerden, waren Dans ouders, Pam en David, en zijn tante Nellie, die in april 1999 een week bij ons logeerden. Ze zijn geen van allen vast ter been en het huis was een apenkooi als nooit tevoren. Als een ware Superman bouwde Dan een stenen trap van hun kant van het huis naar de onze, waarvoor hij een paar zware, min of meer vierkante keien gebruikte die in de omringende velden te vinden zijn. Er was één fatsoenlijke logeerkamer met een aangrenzende badkamer helemaal af op de ontbrekende deuren na. Ondanks het feit dat je vanuit deze fraaie suite meteen in een berg puin stapte, was hij naar onze maatstaven heel comfortabel. Op een middag ging ik lekker gaten in de muren boren en hing ik bontgekleurde *rillis*, gewatteerde lappendekens uit Pakistan, voor de deuren. Toen Nellie aankwam, trok zij zich terug in de voormalige 'keuken', het vervallen bijgebouw dat een jaar eerder in april onze slaapkamer was geweest.

Het drietal wist zich bewonderenswaardig goed te amuseren en liet zich niet van de wijs brengen door de rotzooi. Vaak zagen we ze met z'n drieën buiten zitten op de zonnigste plekjes, waarbij Nellie voorlas en Pam en David luisterden, soezend en knikkend. Het waren schatten van gasten, karig met kritiek, scheutig met complimenten. David vond mijn *cavolo nero* een beetje afschrikwekkend en zei uiterst beleefd, dat hoewel het heerlijk was, hij het wat taai vond. Hij had helemaal gelijk; mijn verfijnde Italiaanse *brassica* was zonder dat ik het in de gaten had verworden tot iets wat veel weg had van jute.

Op een ochtend kwamen Pam en David nogal pips uit hun

slaapkamer. Na wat aandringen gaven ze toe dat ze geen oog dicht hadden gedaan omdat er iets groots langs het gordijn hun kamer was binnengeslopen en de hele nacht zwaar naast hun bed had liggen hijgen. Ze hadden zich aan elkaar vastgeklampt, verlamd van angst. We kwamen tot de conclusie dat het de grote witte hond van señor Arrabal moest zijn geweest, die lief was en stokoud, maar omdat ik zelf het afgelopen jaar de gruwelen van de ongenode knaagdieren had moeten doorstaan, had ik alle begrip voor hun angst.

Ze hadden een paar dagen mooi weer, maar het kan nogal wisselvallig zijn in de lente, en hun laatste dag brachten ze samen met ons door op de bank onder een berg dekens, voor een laaiend vuur van olijvenhout dat hun tenen warmde.

Rond deze tijd begon Chris Stallwood op ons in te praten dat we met Pasen naar Málaga moesten gaan, het absolute topevenement in Spanje. Ik hoopte dat er wat meisjes in stippeljurken vol ruches zouden zijn en deed mijn best om Dan ervan te overtuigen dat dit een heel belangrijke gebeurtenis was en dat hij het heel leuk zou vinden. Omdat ik op een kloosterschool had gezeten, was ik lang niet zo geschokt door de combinatie van sensuele overdaad, zelfkastijding, dodelijke ernst en kitsch.

Ieder prutsdorp heeft zijn eigen *trono* (een grote, zwaar religieuze moloch die bij de een of andere *cofradía*, broederschap hoort) met daarop beelden van de Heilige Maagd of Christus, omstuwd door lelies, paarse irissen of felroze gladiolen en enorme rijen kaarsen. Soms staat er een hele meute veelkleurige Christusbeelden en Maria's plus Romeinse centurio's op een kluitje. Daar heb je Judas Iscariot die lijdt aan hoge bloeddruk, Pontius Pilatus, zo te zien dronken, de goede dief, bezorgd, Johannes de Doper die probeert om een ontroostbare Maria op te vrolijken. Bloed, tranen en tanden zijn flink vertegenwoordigd, evenals weelderige fluwelen gewaden met een geborduurd korstje van gouddraad, meters handgeweven kant, loodzware gouden aureolen, kronen ingelegd met kostbare edelstenen, gouden kruisen bezet met smaragden. De madonna ziet er meestal uit als Madonna in haar *Material Girl*-periode, maar dan met een glimmend gezicht. De Christusfiguur is meestal gehuld in een blitse lendendoek of een eenvoudig fluwelen gewaad, met een angstwekkende doornenkroon, meerdere koorden en kettingen en een aureool die bestaat uit een sober drietal gouden pluimen.

De tronos worden op de schouders van soms wel tweehonderdtachtig mannen door de straten getorst, van wie sommigen een kaalgeschoren hoofd en blote voeten hebben of een blinddoek dragen. Ze schuifelen uiterst traag voort. Af en toe breekt er iemand uit het gelid om er eentje te pakken in een café, en rent dan terug om zijn compadres in te halen. Dan denkt dat ze borrels van veertig procent drinken, maar ik weet zeker van niet.

Zoals te verwachten is heeft Málaga niet één trono maar wel vijfenzeventig (fel concurrerend met Sevilla), een Christus en Madonna voor iedere cofradía; de route door de stad moet zorgvuldig worden gepland om botsingen en opstoppingen te voorkomen. Vóór de tronos lopen hooggeplaatste *penitentes* met hoge en zeer dreigende Ku-Klux-Klanachtige puntmutsen op, paars, rood, bruin, groen, blauw of wit, met een spleet voor hun ogen. Ze dragen lange kaarsen waar kleine jongens heel erg op gebrand zijn; ze verzamelen de gemorste was om er balletjes van te draaien. Maar niet alle was; in de daaropvolgende weken vinden er regelmatig botsingen plaats als autoremmen het laten afweten en zijn er kreten te horen als mensen uitglijden over de gladde was op de straten. Almogia, gebouwd op een steile helling, is helemaal levensgevaarlijk en je kunt in één snelle, pijnlijke glijpartij van La Loma bovenaan naar het zwembad in de diepte suizen.

Elke trono heeft een eigen fanfare, die een sombere, eentonige melodie speelt, en helemaal achteraan loopt een symbolisch groepje vrouwen, een soort Maria Magdalena's, helemaal opgedoft in korte zwartkanten jurken, of witkanten jurken op Hemelvaart, decolletés, mantilla's en hoge hakken. Met die mensen heb ik pas echt medelijden. Blote voeten mag dan stoer zijn, maar elf uur lang in feestschoeisel over kasseien lopen is afgrijselijk. En zo lang duurt het om de Cena trono door Málaga rond te dragen.

In de Heilige Week vertrekken ze iedere dag op gezette tijden vanaf de Alameda Principal. Op Palmzondag vertrekken er vanaf halfelf 's ochtends dertien tronos, vergezeld van honderden kinderen, en slepen zich door die smalle kronkelstraatjes langs een zorgvuldig uitgestippelde route, totdat de laatste om twee uur 's nachts eindelijk wankelend op zijn bestemming aankomt.

Wij gingen op Goede Vrijdag en posteerden ons op de Alameda Principal toen de zon een wazig penumbra kreeg, klaar voor de spectaculaire zonsondergang. Een stevige vrouw van middelbare leeftijd leunde uit haar balkonraam en zong zonder begeleiding met haar prachtige heldere sopraanstem voor de passerende *nazarenos*, en de trono van de zigeuners was omringd door wulpse vrouwen in strakke kleren die dansten en zongen. Andalusiërs moeten niet zoveel van zigeuners hebben, maar ze zijn ook niet ongevoelig voor hun verleidelijke uitstraling. De sfeer van dit gebied wordt voor een heel groot deel bepaald door alles waar ze bang voor zijn: zigeuners, Moren, Afrikanen.

Het schijnt dat nog ieder jaar in de Heilige Week op woensdag een gevangene wordt vrijgelaten, ter nagedachtenis aan drie eeuwen geleden, toen gevangenen de pest trotseerden om een religieus beeld door de straten te dragen.

We hielden het zo'n twee uur uit, maar Dan leed aan godsdienstwaanzin en uiteindelijk werd zijn gekreun me te machtig. Het was tijd om ons op onze heidense weg naar huis te begeven.

Paco's gepekelde citroenen

Exotische, gepekelde citroenen zijn onmisbaar in de Marokkaanse keuken. Ze zijn heel gemakkelijk te bereiden en daarom een voor de hand liggende oplossing voor onze onverwacht grote citroenoogst. Dans kipschotel kreeg er een pikant smaakje door.

8 grote citroenen met een dunne schil
300 g zout
3 dl citroensap (van 8-10 citroenen)
1/2 theelepel zwarte peperkorrels
1 laurierblad
1 eetlepel olijfolie

Boen de citroenen en snijd ze vanaf het puntige einde in vieren, maar laat ze aan het steeleinde aan elkaar. Buig de kwarten voorzichtig open en verwijder eventuele pitten. Bestrooi de snijvlakken van elke citroen met een eetlepel zout. Duw de citroenen weer in vorm en stop ze, dicht tegen elkaar aan, in een pot van 2 liter met een klemdeksel. Voeg 2,25 dl citroensap en de rest van het zout, de peperkorrels en het laurierblad toe. Giet de rest van het citroensap erover zodat de pot helemaal vol is. Sluit de pot, schud hem en zet hem zes weken op een koele, donkere plaats (in de koelkast als het warm is). Keer de pot elke week om. Na vier weken is het troebele vocht helder geworden. De citroenen zijn klaar voor gebruik als de binnenkant van de schil niet langer wit is (open de pot om dit te controleren, sluit de pot weer goed af als het nog niet zover is).

Giet elke keer dat u de citroenen hebt gebruikt, een laagje olijfolie over de inhoud van de pot voor u hem weer sluit. Spoel voor gebruik het zout van de citroenen.

REDACTIE BUITENLAND

Kort nadat onze telefoon was geïnstalleerd, rinkelde hij. Dat was een hele gebeurtenis. Ik stoof door een rampgebied vol kruiwagens, draagbalken en emmers cement en nam op. Het was Francine Lawrence, mijn vorige redacteur, die nu een tijdschrift redigeerde voor de verffabriek Dulux. Ze wilde drie artikelen over kleurrijke huizen in Spanje en was bereid me een hele maand te geven om ze bij elkaar te schrijven. 'We willen vrolijke foto's. Heldere, verrassende kleuren die passen in de Dulux-lijn. Roze, groen, geel, details van geverfde meubels, potten, simpele dingen die wat zijn opgefleurd. Desnoods doe je het zelf, een oude kast opverven of zo. Het moet er gewoon kleurrijk, vrolijk en mooi uitzien. Ga uit van het juiste type mensen, je weet wel, hip, bij de tijd, stijlvol.'

Het was het verstandigst geweest om te lachen en op te hangen, maar we hadden het geld nodig en ik wilde contacten leggen voor als ik in de toekomst moest gaan freelancen. Ik vertoon ook de kruiperige pavlovreactie om onnozel te glimlachen en 'ja' te zeggen tegen al het werk dat me wordt aangeboden.

'Natuurlijk,' zei ik, 'lijkt me leuk. Een fantastische gelegenheid om de buurt te verkennen.' Te laat realiseerde ik me dat ik in heel Spanje geen mens kende die zijn huis met kleurtjes had opgeschilderd. Laat staan iemand die voldeed aan de karaktereigenschappen waar Francine naar op zoek was. Vier weken is niet veel tijd om mensen te vinden, huizen te bekijken, kiekjes op te sturen naar Francine, het groene licht te krijgen, een fotograaf te regelen, drie fotosessies en drie interviews te doen, ze uit te schrijven en alle pakketjes in Londen te krijgen. Zo werd het uithoudingsvermogen van Dan en mij opnieuw op de proef gesteld. Hij werd gedegradeerd tot chauffeur en het mikpunt van mijn kopzorgen. Wat we die daaropvolgende dagen vooral onderzochten was hoe depressief je kunt worden zonder jezelf van kant te maken. Zelfs het weer, dat stralend helder was geweest, werd grauw.

Onze nieuwe telefoon werd uitvoerig getest omdat ik iedereen belde die ik ooit had gesproken: ieder vaag contact, iedere schilder en dure binnenhuisarchitect die adverteerde in de chique reclamefolders die makelaars aan de kust weggeven. Ze reageerden positief, nodigden ons uit om langs te komen en hun portfolio's te bekijken en vonden het geweldig dat Jocasta, die ontelbare verfeffecten heeft bedacht, mijn zus was.

Vol goede moed gingen Dan en ik op weg naar de goudkust van Marbella, raakten hopeloos verdwaald omdat we de weg niet kenden, kwamen te laat, verhit, zweterig en met het gevoel dat we een stel suffe oplichters waren. Ik raakte helemaal in vervoering toen we indrukwekkende portfolio's doorbladerden die volstonden met kleurrijke doch eenvoudige verfeffecten, die ik net over mijn bezwete neus kon onderscheiden. Dit was het helemaal, precies wat Francine wilde. Even was ik opgelucht omdat ik dacht dat de graal in zicht was, maar het mocht niet zo zijn. We mochten alles fotograferen wat saai of wit was, maar als we Rod Stewarts volledig in luipaardenprint uitgeruste appartement (op dat moment waren ze de wc-brillen aan het bedrukken), het huis van Antonio Banderas of Bruce Willis vanbinnen wilden zien, dan konden we het wel vergeten. Eerlijk gezegd wist ik wel dat het niet precies was wat Francine zocht, maar ik wilde dolgraag even rondneuzen. Na het veelbelovende begin was dit een tegenvaller.

Vervolgens probeerde ik de stijlvolle assistente van onze advocaat, die wat mensen kende die misschien konden helpen. Ze was heel geduldig en hielp me aan een heleboel contacten, van wie er een een hele goede kanshebber leek, een Nederlandse schilder met de veelbelovende naam Art. Op de kaart zag het ernaar uit dat hij een paar uur rijden verderop woonde, dus pleegde ik de telefoontjes, maakte een afspraak en slaakte weer een zucht van iets als verlichting.

We deden er zes uur over om bij het huis van de Nederlandse schilder te komen, nadat we zowat heel Andalusië door waren gekronkeld. We herkenden het aan de enorme palmbomen. Het huis was prachtig, met kloostergangen rondom binnenplaatsen, boordevol rozen en in het midden wat hij een rozenkransboom noemde, omdat de vruchtjes op ivoren kralen van een rozenkrans leken. Er kwamen koele hoge kamers op uit met ouderwetse antieke koperen bedden en dressoirs. Alles wat hij had gedaan was prachtig en Francine zou het fantastisch hebben gevonden, op één ding na: het was allemaal wit, van voor tot achter. Zelfs de tuin bestond uit wolken witte lelies en irissen. Ontmoedigd reden we het lange eind terug naar huis.

Er waren al twee weken voorbij, we hadden nog niets en ik verviel weer in een oude gewoonte: nagelbijten. Zoals gewoonlijk hielp mijn vriendin Hester me uit de brand. Ze stuurde me via de fax een artikel dat ze had gemaakt over een schilderes die in de buurt van Granada woonde. Ik belde Francine om te overleggen, maar realiseerde me al snel dat het niets zou worden. Overal in huis zag je gemêleerde kleurvlakken, maar we moesten egale oppervlakken in zuurstokkleuren hebben. Hesters contactpersoon, wier misdaad bestond uit onregelmatig schilderwerk, kende echter iemand anders die ideaal zou zijn, dacht ze.

De volgende ochtend ging de telefoon en flitste ik tussen cementmolens, bergen gips en stapels tegels door om op te nemen. Ik werd overspoeld door een onverstaanbare Spaanse woordenstroom. Mijn hersenen weigerden dienst en de toverwoorden *más despacio, por favor* waren nergens te vinden. Ik stond daar aan de telefoon goudvissengeluiden te maken, niet in staat om een Engelse zin te produceren. De Spaanse vrouw herhaalde haar gebazel, harder en feller. Omdat ze heel slim is, probeerde ze het uiteindelijk in het Engels: 'U spreekt met Rosa. Ik heb uw naam gekregen van een Engelse schilderes die zegt dat u op zoek bent naar kleurrijke huizen om voor een tijdschrift te fotograferen. Ik woon in Salobrena en mijn huis is helemaal geschilderd, vanbinnen en vanbuiten. Ik denk dat dit is wat u zoekt.'

Joehoe! Meteen de volgende dag ging ik er met Dan naartoe, die al dat rondrijden een beetje zat begon te worden, en dit was weer een drie uur durende rit langs de kust. We hadden afgesproken in een enorm plastic hotel propvol laagseizoen-bejaarden. 'Ik draag rood met zwart,' had Rosa gezegd. Ze liep zwierig het hotel binnen en het was meteen duidelijk wie ze was. Verlegen en met het plotse gevoel dat ik te dik was en mijn kleuren totaal niet bij elkaar pasten, biechtten we op dat wij de journalisten waren met wie ze had afgesproken en reden gedwee achter haar aan over de kustweg naar haar huis, dat uitkeek op zee.

Het was perfect. Rosa is een aparte, geboren stiliste en vindt het geweldig om dingen te maken en te verven – ze had iedere centimeter van haar huis vanbinnen en vanbuiten geschilderd en overal en nergens stonden kiezelsculpturen en vreemde kinetische objecten die ze maakte als ze even niets te doen had, potten met mozaïek en vreemde arabesken van ijzerdraad waar foto's en briefkaarten in waren geklemd. Wat me nog het meest fascineerde was niet van belang voor onze excursie: zij en Juan, haar man, hadden zo'n inloopkast, een hele kamer speciaal voor kleding, allemaal op kleur opgehangen; keurige planken overladen met het subtiele ontwerperspalet van beige en grijs kasjmier en zijde. Een tempel gewijd aan Sartorius, de god van vlijmscherpe plooien en glanzende schoenen.

Hun huis stond boven op een klif met uitzicht op zee. Het was niet groot en was van lieverlee uitgebreid. Er waren kamers bijgebouwd waar nodig: een eetkamer in de buitenlucht met muren en een dak van jasmijn, een atelier met ramen op het zuiden waar Rosa werkte, en er was een zwembad op het randje van de wereld met daarachter alleen maar de zee. Ze hadden oeroude olijfbomen geplant (die vinden het niet erg om opeens van locatie te veranderen) en er hangmatten tussen opgehangen.

Dan en ik raceten door het bij elkaar geraapte interieur: Alessi zus, Paloma Picasso zo, *verre eglomisé* urnen en Marokkaanse *tadalekt* badkamermuren, en toen we alles hadden gezien, stelde Juan voor om op het strand te gaan eten. We reden door suikerriet-, avocado- en mangovelden naar een *chiringuito* aan de kust met uitzicht op de komvormige baai en de zon die in het water glinsterde. We aten gegrilde vis en gingen af en toe wat in zee spartelen, waar ze vandaan waren gekomen. Zowel Rosa als Juan sprak vlekkeloos Engels en we praatten allemaal graag over ontwerpers, architecten, films, eten, reizen en muziek. Dat was één, dacht ik, behoorlijk gerustgesteld. Nu nog maar twee.

Mijn vriendin en collega Thérèse Lang kwam met het tweede huis. Haar ex-vriend Martin was kunsthandelaar en had in de buurt van Gaucin een huis gebouwd dat hij met zijn vriendin Kate deelde. We legden de drie uur durende afstand af (één centimeter op de kaart) en kwamen toen bij een werkelijk schitterend huis waarin de mooiste kenmerken van een statige Spaanse cortijo waren gecombineerd met die van een landhuis in Gloucestershire, propvol begerenswaardig antiek en sprankelend van kleur. Die lieve Thérèse toch, dacht ik met een verzaligde blik op de weelderige terracotta-, oker- en indigokleurige muren. Hier was het probleem het schrappen: alles was wel een artikel waard, niet alleen het huis, maar ook de tuin, het uitzicht, de bosrijke omgeving met een kei van Stonehenge-afmetingen die de warmte van de zon op het zwembad weerkaatste, als een enorm warmtereservoir. Ze hadden alles zo mooi gedaan en het was allemaal zo rijk en harmonieus samengesteld dat mijn eigen verfpogingen er naïef en mager bij afstaken.

Martin en Kate onthaalden ons gastvrij, en we aten als sultans. Ik wilde voortdurend van alles opschrijven: hoe je een tuin ontwerpt met enorme keien en aloë's, hoe je couscous maakt, wat je in de sla moet doen, hoe je een stilleven op de schouw samenstelt of Indiase sari's nonchalant tot gordijnen drapeert, wat je moet dragen, wat je 's ochtends, 's middags en bij zonsondergang moet drinken, hoe je boerenplavuizen zo moet behandelen dat ze er fraai en glanzend uitzien, waar je enorme antieke deuren moet kopen en waar de beste tapijten in Marrakech, welke hippe namen je moet laten vallen, hoe je een beschaafde, ontwikkelde inwoner kunt zijn in dit oord vol boerenkinkels en hoe je moet leven. Opeens leek de manier waarop Dan en ik leefden zo knullig. Niemand zou zich ooit nietig voelen door mijn stijlgevoel of verpletterd door het professionele gemak waarmee ik mijn leven inrichtte, dacht ik.

Toen we vertrokken voelde ik me dan misschien een dwerg, maar we hadden ons tweede huis tenminste op zak. Nog ééntje. Ik zat voor de telefoon mijn hersenen af te pijnigen. Alsof de hemel mijn gebeden verhoorde, belde op dat moment een vriendin uit de buurt, Heulyn, om ons uit te nodigen voor de lunch in een restaurant dat door een familie werd gerund, in een verbouwde olijvenfabriek, dat ze net had ontdekt. We spraken af in een dorp dat Comares heette.

Na de gebruikelijke drie uur durende kronkelroute begonnen we te stijgen en we kwamen aan in Comares, balancerend op de pinakel van een torenhoge kalksteenkegel. We cirkelden omhoog door het dorp en kwamen uit op een plein met een adembenemend uitzicht op olijfgaarden en in de verte de zee. El Molino de los Abuelos stond in de hoek van het plein en Dan, Heulyn en ik werden voorgegaan naar de binnenplaats van de cortijo met hetzelfde verpletterende uitzicht, omsloten door een fraai oud grillig gebouw. Buiten in de zon nuttigden we een drankje, waarna we naar de eetzaal werden geleid. Die was van een vlak, egaal, ononderbroken hyacintblauw met enorme ramen die uitkeken op het panorama, en een enorme roze schouw. Overal in het grote ruime vertrek bevonden zich prachtige werktuigen voor de olijventeelt waarvan ik niet wist hoe ze heetten of waar ze voor dienden. De twee vrouwen die de fabriek van hun geduchte grootmoeder hadden geërfd – zij had olijven verbouwd – kookten en bedienden. Ze waren een schoolvoorbeeld van *duende*: magie, tovenarij. Ze waren nog vrij jong, aantrekkelijk en deden het fantastisch. En het hotel-restaurant zag eruit als onze derde geschilderde locatie. We kregen een rondleiding door roze, gele en pistachegroene slaapkamers vol fraaie erfstukken. Ja, dacht ik, dit is perfect: mooie, eenvoudige kamers, opgefleurd door de snoepkleuren waar Francine om had gevraagd. Het enige probleem was dat ze geen woord Engels spraken, en mijn Spaans kon op een buskaartje.

Maar ik had mijn drie locaties. Nu nog een fotograaf. In mijn loopbaan als tuinredacteur had ik opdrachten gegeven aan en samengewerkt met misschien twintig fotografen, die allemaal uitblonken in hun werk, maar dat waren helaas tuinen. Huizen zijn iets totaal anders, en Spaanse huizen zijn weer iets anders met hun verblindende banen contrasterend licht: iedereen heeft wel eens een foto gemaakt van een prachtige, zonnige kamer, om hem terug te krijgen van de drogist met een baan spookachtig witte voorwerpen tegen een zwarte achtergrond. In Spanje is het licht zo intens dat het contrast tussen licht en schaduw een ramp is op fotografisch gebied.

Kathy, van de kunstredactie, zei dat ik contact moest opnemen met Peter Williams. 'Hij maakt altijd onze mooiste kookfoto's. Hij heeft een fantastisch gevoel voor stijl en is goed in belichting, rustig en onverstoorbaar, type lievelingsoom, een soort Clint Eastwood met camera. En hij heeft een huis bij jou in de buurt.'

Hij klonk ideaal. Een fotograaf van zo'n kaliber kon natuurlijk niet zomaar al zijn werk staken om op mijn voorstel in te gaan, maar het leek hem leuk om te doen en hij kon vijf dagen overkomen, helemaal aan het eind van de maand respijt die ik van Francine had gekregen. Er was geen speelruimte voor somber weer of problemen met camera's en auto's. Aan reizen alleen al zouden we een dag kwijt zijn. Ik moest de fotosessie als een militaire operatie voorbereiden, met een schema waarin iedere minuut werd benut, ik, die niet eens het juiste paar schoenen bij elkaar kan vinden.

Peter en ik regelden alles via de telefoon. We hadden elkaar nog nooit ontmoet en geen van beiden wisten we wat we van de ander konden verwachten of van de klus die ons wachtte. Ik kneep hem vooral toen ik in mijn krakkemikkige Spaans per telefoon de fotosessie in Los Abuelos probeerde te regelen; ik begreep niet precies wat ik had afgesproken, als ik al iets had afgesproken. Ik hoopte dat ze ons voor vrijdagnacht een bed hadden aangeboden, evenals avondeten en *carte blanche* om op zaterdag te fotograferen. We hadden geld en wilden best betalen voor al deze overdaad, maar het probleem was dat het hotel alleen in het weekend open was, en ik kon met geen mogelijkheid vaststellen waar we allemaal in mochten. Ik wist niet eens zeker of er wel iemand zou zijn als we op vrijdag aankwamen. Ik hield deze mogelijke catastrofe discreet voor me. Ik regelde het zo dat we eerst het hotel in Comares zouden fotograferen, daarna Rosa en Juan in Salobrena en als klap op de vuurpijl Martin en Kate.

Peter overtrof alles waar Kathy zo over had gejubeld. Hij kwam met een zakelijk overkomende assistent, die zoveel behendige armen heeft als Durga en op de een of andere manier kon voorspellen wanneer Peter welke lens nodig had. We maakten kennis op het pleintje in Comares en hadden meteen een goed gevoel over Peters rustige, professionele uitstraling, zijn vriendelijke karakter en de manier waarop hij zich, net als zoveel lange mensen, vertrouwelijk en beschermend naar je toe boog als je iets zei.

Ik raapte al mijn moed bij elkaar en probeerde zelfverzekerd over te komen toen ik op de zware, indrukwekkende deur van El Molino de los Abuelos klopte. Het gebouw zag er potdicht en verlaten uit, en terwijl we wachtten probeerde ik mijn bezorgdheid te maskeren door als een kip zonder kop door te kakelen. Hoewel mijn knieën knikten, stelde ik ten slotte nonchalant voor om koffie te gaan drinken in de grappige jaren-vijftigbar op het plein. Vanbinnen ging er een wanhopige maalstroom door mijn hoofd van wat er allemaal mis kon zijn gegaan en hoe we dat konden oplossen, vanbuiten ratelde ik maar door over het hekwerk voor de ramen in de vorm van swingende jazzmuzikanten en muzieknoten, helemaal van gietijzer.

Het werd al laat en het begon donker te worden. Ik had gehoopt dat we in het avondlicht wat foto's konden nemen, maar die mogelijkheid begon rap te vervliegen. Ik liet de anderen drinken en liep zenuwachtig terug naar de massieve deur. Die was open en ik hoorde dat er iemand binnen was. Ik verloor bijna mijn evenwicht, zo opgelucht was ik. We werden gastvrij onthaald door de knappe man van een van de zussen, kregen een verkwikkend glas fino en een rondleiding door de openbare ruimtes en privé-vertrekken. Ze zeiden dat we overal mochten fotograferen (geloof ik).

Peter en ik stelden een grof fotoschema op en probeerden in te schatten waar je het beste licht zou hebben en wanneer. Ik probeerde hem telkens over te halen om zonnige kamers te fotograferen. Elke keer maakte hij zich er nerveus vanaf en zei dat we beter geen fel zonlicht konden nemen. Ik perste mijn lippen op elkaar en schoof de strijd voor me uit. Er hing me een groter probleem boven het hoofd: het interview.

Het diner, dat heerlijk was, voelde voor mij als een galgenmaal. Ze waren speciaal voor ons opengegaan en wij waren de enige gasten. Ze hadden een fantastisch driegangendiner bereid, maar het had net zo goed hondenvoer kunnen zijn, zo weinig genoot ik ervan. Tijdens dat eindeloze herkauwen ontdekte ik verrassende plekken waar je kunt zweten. De knieholtes? Dat is nieuw. Achter de oren? Heeft nog nooit iemand gepresteerd. De binnenkant van de ellebogen? Lijkt me uniek. Hoe aardiger en guller de hoteleigenaars werden, hoe ellendiger ik me voelde. Ik wilde overeind springen en roepen: 'Ik spreek geen woord Spaans. Zien jullie niet dat ik hier onder valse voorwendsels ben? Maak er alstublieft een potje van. Ik vergeef het jullie.'

In plaats daarvan kauwde ik braaf verder en frutselde nerveus aan mijn bandrecorder. Het uur U viel samen met de likeurtjes. Zusters plus echtgenoten zaten glimlachend om een tafeltje en gebaarden dat ik erbij moest komen zitten. Ik rende niet gillend de kamer uit, maar nam met lood in de schoenen plaats, zette mijn bandrecorder aan, haalde potlood en papier tevoorschijn en begon met een droge mond aan de onmogelijkste, afgrijselijkste vernedering van mijn leven. Dan, Peter en diens assistent zaten ruim binnen gehoorafstand en onderbraken de daaropvolgende beproeving met behulpzame opmerkingen als: 'Dat heb je net al gevraagd.' Ik worstelde me door mijn vijfwoords vocabulaire heen en liet alles langzaam door hen herhalen, waarbij ik probeerde de vragen te vermijden die een enthousiaste stortvloed aan informatie ontlokten. Het was niet het slechtste interview dat ik ooit heb gedaan, omdat ze iets te vertellen hadden. Of het verhaal dat ik heb opgeschreven hetzelfde was als het verhaal dat ze wilden vertellen, zal voor altijd een raadsel blijven. Maar het is een fantastisch hotel en de eigenaars komen in aanmerking voor een pauselijke zegen. Ze waren onvoorstelbaar intuïtief, aardig en vindingrijk. Ze lieten me foto's zien, gaven me meer materiaal om mee te werken dan ik had verdiend en lieten ons voor niets eten en slapen.

Dan en ik kregen een weelderig hemelbed en ik hoopte stiekem dat die nacht de wereld zou vergaan en we voor altijd konden blijven slapen. Maar het mocht niet zo zijn. Ik zette de wekker vóór de dageraad, omdat we wat bloemen moesten zien te vinden om de nogal strakke kamers wat op te fleuren. Niet alleen was het donker toen we opstonden, maar het regende ook nog zachtjes. Op onze tenen slopen we naar de oude trouwe Citroën en reden door druilerige wolken naar een plek waarvan ik dacht dat het een bloemenzee was. Dan is 's ochtends nooit op zijn best en die ochtend had hij overal spijt van, vooral dat hij iets met mij was begonnen. Hij zat in de auto te kreunen terwijl ik met mijn snoeischaar de kliffen op wankelde en onhandige pluimen roze zonneroosjes, wilde reseda en al het andere plukte dat er enigszins toonbaar uitzag. Na een blik op Dan, die in zijn grafstemming over het stuur gebogen zat, vroeg ik aan God of Hij me naar een andere plek over kon seinen, maar Hij stond in zijn schort wolkenschuimpjes te bakken en hoorde me niet.

Ik glibberde de kliffen weer af met armen vol prikkende dingen waar de blaadjes zo vlug ze konden vanaf vielen, en probeerde Dan uit zijn somberheid te halen. Hij is zo iemand die regelmatig moet eten, en we waren rammelend van de honger vertrokken. Dit zag er niet goed uit; ik had het gevoel dat het een lange dag ging worden.

Toen we terugkwamen, ontdekten we dat we uit de gratie waren omdat we erin waren geslaagd om tijdens ons geruisloze vertrek iedereen wakker te maken. Ik weet niet meer of we hebben ontbeten, ik denk het niet. Maar hemeltje, wat hebben we hard gewerkt. We raceten door het gebouw, legden hier details, daar panorama's vast, verplaatsten schilderijen en meubels, legden de roze sprei in de gele kamer, de witte in de groene kamer. Iemand die dit onbeduidende werk nooit heeft gedaan, weet niet hoe enorm uitputtend het is. Er giert continu adrenaline door je aderen, je moet belachelijke beslissingen nemen over hoe de witte bloemen het mooist tot hun recht komen: met de pluizige of juist met de strakkere bladeren. Er hangt een enorme spanning in de lucht en af en toe moet je opeens allerlei loodzware dingen vertillen. De grijze lucht werd op het middaguur wat milder en de zon klaarde onze zware arbeid op. Peter stemde erin toe om twee zonnige foto's te maken. De zusters bleven de gastvrijheid zelve: helpen, ons voorzien van eten en drinken, schuiven, uitleggen, ons niet voor de voeten lopen, geen bezwaar maken tegen de chaos.

We stopten lang nadat de zon was verdwenen en sloten af met een kitscherige gouden engel op een roze schouw. We hadden een fantastische collectie foto's gemaakt en een enorme bende voor de hoteleigenaars. Toen we vertrokken naar Salobrena was ik heel ontroerd toen een van de zusters haar hand op mijn arm legde en zei: '*Mi casa es tu casa.*' We hadden hun echte gasten en henzelf eindeloos veel problemen bezorgd, maar toch waren ze aardig en beleefd gebleven.

Maar er was geen tijd voor het scheppen van hechte banden: we moesten op tijd in Salobrena zijn voor het eten. Toen we bij het vallen van de avond aankwamen, onthaalden Juan en Rosa ons op een onverteerbaar feestmaal van gefrituurde vis in een hilarisch deprimerend restaurant, en een flinke hoeveelheid Rioja. Ze waren sprankelend, uitstekend gezelschap, maar wij konden nauwelijks een woord uitbrengen.

Helaas had ik al een slaapplaats geregeld. Rosa had ons er een aangeboden, maar dat vond ik te veel gevraagd en ik had de *Lonely Planet*-gids doorgewerkt. Uiteindelijk sliepen we in twee afzonderlijke hotelletjes in die doolhofachtige stad. Peter en zijn assistent in een operatiezaal, zo geschrobd en blinkend dat het wel een ijsbaan leek als je door de gangen liep; Dan en ik in een vreemde kruising tussen een bordeel en de zijkapel van een kathedraal, met het Heilig Hart (tien watt achter rood plastic) boven ons bed.

Het was te snel weer ochtend. We werkten droog brood en koffie naar binnen en raceten naar Rosa en Juan. Terwijl in Los Abuelos de grote ruimtes met de Spartaanse inrichting het probleem waren geweest, waren dat hier de claustrofobische ruimtes waarin ieder oppervlak met spullen was volgepropt. Peter probeerde achteruit door muren te lopen in een poging voldoende afstand te nemen van wat hij wilde fotograferen, terwijl ik in een noodgang al Rosa's zorgvuldige composities ruïneerde om de aandacht te vestigen op geverfde muren in plaats van een levenslange verzameling souvenirs. Ik denk dat Rosa nogal beledigd was en zodra we met een kamer klaar waren, zette ze haar drukke stilleven weer precies zo neer als het er daarvoor had bijgestaan. Maar de dag was een succes en we kwamen weer naar buiten met een prachtige collectie foto's. Rosa en Juan waren ruimhartig over onze verwoestingen en rooftochten en nodigden ons uit om op Juans naamdag in juni terug te komen.

Zonder morren laadde Peter al zijn zware en onhandelbare cameraspullen weer in zijn auto en we vertrokken naar Kate en Martin, zo'n vijf uur rijden verderop. We kwamen laat aan, totaal overspannen. Ze stopten ons vol met eten en drinken, gingen dapper om met onze zombieachtige zwijgzaamheid en stuurden ons naar bed.

We hadden twee derde van onze foto's en de druk was van de ketel. We hadden ook de luxe dat we hier twee nachten konden logeren zodat we meer tijd hadden om ochtend- en avondfoto's te nemen, want dan was het licht het mooist. Hier was het probleem dat overal waar je keek prachtige details waren of een perfect harmoniërend ensemble van stof, verf en meubelen. Zelfs onze lunch, die Kate serveerde in de schaduw- en plantrijke loggia, was een stilleven in Italiaanse renaissancestijl. Peter en ik stuiterden als springbokken in het rond, krijsend van enthousiasme over nu eens dit kiekje, dan weer dat uitzicht. Uiteindelijk hadden we genoeg materiaal over dit huis voor drie artikelen op zich.

De volgende dag ging Peter met de foto's terug naar Londen. Toen we thuiskwamen, ging ik in de ezelstal zitten met de polaroids en drie bijzonder vreemde interviews op band. Twee dagen lang zat ik te verzinnen, te verfraaien en te liegen terwijl er stukken pleisterwerk en allerhande beestjes op mijn hoofd vielen. Ik trok overdreven conclusies uit het kleinste flintertje bewijs. Ik generaliseerde erop los, schreef massa's schildertechnieken toe aan de onschuldige Moren op basis van gokwerk over wat ze me in Los Abuelos hadden proberen te vertellen. Ik was op tijd klaar en stuurde Francine waar ze om had gevraagd. Ik voelde me eventjes een superheld.

Francine gebruikte het artikel over het huis van Kate en Martin, dat er fantastisch uitzag. Maar toen besloot ze dat ze geen zin meer had in het tijdschrift van Dulux, dus de andere twee artikelen werden nooit zo beroemd als ik had beloofd. In Salobrena wordt mijn naam door het slijk gehaald en in Comares staat er waarschijnlijk een prijs op mijn hoofd. Peter had drie fantastische fotoreportages gemaakt, waarvan er twee nooit de schappen van de tijdschriftketens zouden zien. Het kan nou eenmaal raar lopen in de wereld van de geïllustreerde tijdschriften, maar het was nu erger dan anders omdat iedereen zo aardig was geweest en ze het zo geweldig hadden gevonden dat ze in druk zouden verschijnen. Ik vond de overlastvergoeding die ik ze stuurde een schijntje, gezien de algehele teleurstelling.

Maar hoe slecht het ook was afgelopen, we hadden een avontuur beleefd, tot onze grote verbazing bewezen dat we efficiënt konden werken onder zware omstandigheden, en ontdekt wat het woord 'duende' betekent.

EEN KERMIS OM SNEL TE VERGETEN

Terwijl de lente overging in een zinderende zomer, kwamen ons beider kinderen en allerlei vrienden logeren. De noordelijke kant van het huis, onze kant, was klaar en de meeste dingen deden het naar behoren, met uitzondering van de mysterieuze boiler, die een manische wispelturigheid aan de dag legde: bij vlagen werd hij gloeiendheet of ijskoud. Ook hadden we niet altijd stroom, die was overgeleverd aan de grillen van het weer en experimentele bedrading: bij een verrassend aantal lampen die ik kocht was er aan de stekker of de schakelaar een mankement dat fataal kon zijn. Elke soort lamp die subtieler was dan de alomtegenwoordige tl-buis (schemerlampen, staande lampen, halogeenlampen) was bijna niet de vinden en je moest er heel Spanje voor afstruinen. Als je er een gevonden had moest je hem voorzichtig benaderen: met rubber handschoenen en kaplaarzen.

De zuidkant met het gastenverblijf functioneerde minder goed dan de onze, met stokoude bedden waar de jongens nog in hadden geslapen, een fornuis dat er alleen maar in naam een was en een douche die niet eens probeerde om warm te worden. We kwamen er op gênante wijze achter wat eraan mankeerde. We gingen klagen bij Paco de loodgieter, die de tocht naar het huis ondernam en liet zien dat de geiser te kampen had met zuurstoftekort; hij deed de deur van het kastje waar hij in stond open en dicht, zodat het water beurtelings koud en warm werd, met de zwier van een dompteur die een koppige tijger temt. De oplossing was zo eenvoudig dat we paf stonden, volkomen sprakeloos, en alleen maar ongelovig konden toekijken hoe hij het experiment driemaal herhaalde.

Leo en Spigs' vakantie duurde korter dan ik had gewild en ze werden onmiddellijk ingezet om meubels te verslepen, het zwembad schoon te maken en waar nodig hun spierkracht te gebruiken. Ze kunnen allebei geweldig koken, dus aten we heerlijk, zij het laat, van een menu waar voornamelijk Thais en Chinees op stond, afgewisseld met zwartgeblakerde barbecues onder een met sterren bezaaide indigoblauwe lucht, waarna we tot vier uur 's nachts zaten te kaarten.

Nu de douche het goed deed, kwam Doris twee weken logeren met haar vriendin Alice, die samen roddelden en tijdschriften lazen en zich druk maakten of ze al bruin werden. Het was altijd fijn als Doris kwam logeren omdat ze uit eigen beweging allerlei rotklusjes deed, zoals de vriezer ontdooien, iets wat ik maandenlang uitstelde, en ze was bovendien een onvermoeibare en vindingrijke kok. Dan was altijd dolgelukkig als Doris wat rondscharrelde, zich voortdurend om hem bekommerde en nieuwe exotische cocktails verzon om zijn eeuwige voorkeur voor een lekker kopje thee te doorbreken.

Ted bleef drie maanden bij ons logeren terwijl zijn vrienden Fish, Will en Hugo om de beurt voor een weekje langskwamen. Behalve tijdens deze kortstondige oplevingen zat Ted buiten in de zon, zwijgend en roerloos. Ik vroeg of hij zich niet heel erg verveelde. Wat had hij de hele dag gedaan? Er volgde een lange stilte, en toen zei hij ernstig: 'Ik heb naar een wolk zitten kijken.' In die drie maanden kwamen er misschien tien woorden uit zijn mond en slaagde hij erin om onder ieder onbenullig huishoudelijk klusje uit te komen dat ik zijn kant op schoof. Op één na. Groen van ergernis eiste ik op een dag dat hij die avond zou koken. Hiervoor moesten we uitgebreid boodschappen doen in Málaga, waar hij de schappen van de Carrefour plunderde, porde en snuffelde, en af en toe op zijn lijstje keek.

Toen we thuiskwamen, trok hij zijn Hawaïaanse hemd aan, zette zijn zonnebril op en begon te snijden en te schrobben. Hij zag eruit als een gangster uit Florida en werkte met de precisie van een genetisch manipulator. Hij had besloten om *moules marinières* te maken en stak er urenlang werk in. Als ik aan mosselen denk, dan zie ik iets voor me dat je in een paar minuten in elkaar draait, maar toen Ted ze klaarmaakte gingen we pas om tien uur 's avonds aan tafel. Het was heerlijk en het wachten waard. Maar Ted snuffelde wantrouwig aan een klein mosseltje en zei: 'Ik hou niet van mosselen,' duwde zijn bord van zich af en drentelde nors naar de koelkast om te kijken wat er allemaal voor oneetbaars stond dat de houdbaarheidsdatum ver voorbij was.

Totaal onverwacht maakte Ted tijdens zijn verblijf een reeks fantastische schilderijen. Dan was aan het schilderen voor een expositie die in de herfst gehouden zou worden. Hij zat buiten op de westhelling en was bizar uitgedost in een groene sarong en een van mijn strooien hoeden. Ted zette een ezel naast hem neer en ze stonden naast elkaar schilderijen te maken die als dag en nacht van elkaar verschilden. Die van Dan waren lyrische, zinnelijke lofzangen op het Spaanse landschap waarop de ronde heuvels, de rechthoekige witte huizen, fantastische rotsen en zonsondergangen te zien waren. Die van Ted waren vrolijk, kleurrijk en abstract, en ik was er zo van onder de indruk dat ik er meteen een kocht.

Gelukkig hoef ik die van Dan niet te kopen; ik mag ze van hem lenen. Voor mijn verjaardag schilderde hij een enorm, schitterend landschap, waarvoor we de meest barokke en imposante lijst kochten die in Málaga te vinden was. Maar het portret van mij waarvan hij zei dat hij dat het jaar daarop als verjaardagscadeau wilde schilderen, staat nog steeds onaf en spookachtig in de opslag – twee onheilspellend glimmende ogen die je van tussen ectoplasmische grijze krullen aankijken.

Ik vond het geweldig als Dan schilderde. Hij kreeg altijd een serene tevredenheid over zich als hij een penseel in zijn hand had en een groot wit doek om op te schilderen. Hij heeft een natuurlijke aanleg voor tekenen en schilderen – die ongeschonden door de beperkingen van de kunstacademie heen kwam – en de manier waarop hij werkte werd gekenmerkt door een kalme zekerheid die een geruststellende en prettige uitwerking op mensen had. Op die momenten was Dan in zijn element: hij kwam even verstild uit zijn schildertrance tevoorschijn als een boeddhist die net de hele nacht heeft zitten mediteren. Hij was tevreden dat hij iets had gedaan en als ik mazzel had kookte hij zonder zich te realiseren dat ik eigenlijk aan de beurt was.

Maar er hing een donderwolkje in zijn zen-sereniteit. Zijn busje, dat ene, dat hij begin dat jaar samen met Michael had gekocht, was toe aan een APK-keuring. Als dat moment naderde werd Dan altijd onrustig en zorgelijk, en nu helemaal, omdat het busje onze enige verbinding was met de buitenwereld en zijn Spaans niet overeenkwam met de instructies die hem werden toegeblaft door de geüniformeerde ambtenaar die het bekeek. Op een dag vertrok hij met zwaar gemoed voor dit ritueel in alle vroegte naar Antequera.

Ik zag hem pas om negen uur 's avonds terug. Toen hij eindelijk kwam aanzetten, zat hij niet in het busje, maar in een machtige Toyota terreinwagen, met Juan Dobles achter het stuur. Señor Dobles, die plaatselijk bekendstond als Albóndigas (gehaktbal) was de kogelronde eigenaar van de plaatselijke garage.

Tot Dans enorme verbazing was het busje door de APK gekomen, maar toen hij vanuit Antequera naar El Torcal was gereden, had hij een ernstige fout gemaakt: hij had zijn armen triomfantelijk in de lucht gegooid. Precies op dat moment, ergens midden in de woestenij, kregen de goden het op hun heupen en kwam de bus sputterend tot stilstand. Verloren stond Dan in de brandende zon langs de kant van de weg, totdat er iemand medelijden met hem kreeg en hem een lift gaf naar de garage van señor Dobles. Albóndigas was bezig met een tractor met hernia en kon niet zomaar al zijn werk laten staan, dus had Dan die dag meer Spaans en meer over auto-onderdelen geleerd dan hij ooit dacht te moeten weten. Door de bus en z'n kwalen zat hij vast en er zat niets anders op dan de hele dag rond te hangen bij Gehaktbal.

Gelukkig vielen de twee transportloze weken, waarin het busje werd ontmanteld en weer in elkaar gezet, samen met het bezoek van Hugo, een van de weinige vrienden van Ted die auto kan rijden. We zeurden net zolang tot hij een Twingo huurde en waren mobiel in de tijd die nodig was voor de operatie en herstel van Dans busje. Maar ik besloot dat we nog een bruikbare auto nodig hadden.

Juan Dobles is een aardige vent, en terwijl Dans busje onbruikbaar in de garage stond weg te kwijnen met zijn ingewanden in een hoopje op de grond, nam hij me mee naar zijn goede vriend señor Pastrani, van de Suzuki-groothandel in Antequera. Daar werd ik verliefd op een pittige Suzuki Samurai met stoffen dak die señor Dobles aan een testrit onderwierp. Hij noemde het een juweeltje. Ik ging blind af op zijn oordeel, deed afstand van bergen peseta's en nadat alle paperassen waren geregeld reed ik er bibberend van angst in terug naar huis. Hij heeft de afwijking om in scherpe bochten van de weg af te zwalken, en daar heb je er een stuk of duizend van in alle richtingen die je uit wilt, evenals ieder ander denkbaar ongemak, maar ik vind hem geweldig.

In die periode werden we overspoeld door gasten en ik viel zoals gewoonlijk van de weeromstuit ten prooi aan mensenhaat. Zodra de mensen die ik zo graag wil zien de uitnodiging aannemen om te komen logeren, verander ik in Greta Garbo en moet ik met rust worden gelaten. Ik vond dit een perfect moment om mijn auto wat beter te leren kennen, een beetje te testen: weg van de snelweg, lekker op avontuur. Ik besloot te gaan kijken wat er aan de andere kant van de bekende van slangen en moerasschildpadden vergeven rivierbedding in Barranco del Sol lag.

Op een middag vertrok ik en joeg mezelf de stuipen op het lijf met een paar haarspeldbochten. Met steeds meer zelfvertrouwen kachelde ik omhoog naar het dorp dat we altijd zien liggen als we naar het vliegveld rijden, en daar voorbij. Ik was ontdaan over een stel jonge kerels die in de auto tuurden en triomfantelijk '*Fea!*' riepen toen ik langsreed. Het betekent 'lelijk' en is alleen maar leuk als het op andere mensen slaat. Onverschrokken reed ik door, en al snel was ik verdwaald. De weg werd een karrenspoor en het karrenspoor kreeg meer iets van een ezelpad. Ik stopte bij een vrouw die de was stond op te hangen. In mijn BBC-Spaans vroeg ik haar beleefd hoe ik in Villanueva moest komen, want ik dacht dat dat het dichtstbijzijnde dorp was. Ze staarde me aan en ik weet nu hoe een marsmannetje zich moet voelen als hij op aarde landt. Met een stortvloed aan onbegrijpelijk geratel in een taal die ik nog moet leren gaf ze aan dat ik over haar binnenplaats moest rijden, tenminste dat dacht ik. Omdat er geen ruimte was om te keren, deed ik dat ook en ik reed door een aantal tuinen, waarbij ik een oude man verraste die net een dutje deed bij de achterdeur; ik heb zijn leven waarschijnlijk met een paar decennia bekort.

Ik reed nu op een tractorspoor dat door een olijfgaard slingerde. Het liep tussen de bomen door en heel steil een heuvel af, waar het een scherpe bocht maakte. Als u ooit *Le Salaire de la Peur* heeft gezien, dan is dit de plek waar Yves Montand een scherpe bocht moet nemen op een verrot houten platform over een afgrond. Hevig transpirerend manoeuvreerde ik me in een bocht van twintig graden met acht centimeter speelruimte en zonder stuurbekrachtiging. Achter me lag een klif met een tien meter hoge wand, loodrecht naar een rivierbedding vol keien direct daaronder. Met vliegensvlugge intuïtie ontdekte ik waar de achteruit zat en ook hoe je de vierwielaandrijving moest gebruiken, wat me tot dat moment niet was gelukt. Ik slaagde erin om de bocht te nemen en zat een hele poos slapjes achter het stuur, totdat ik me realiseerde dat de zon van plan was om achter de heuvel te verdwijnen en me met duisternis te omhullen. Wat trillerig zwoegde ik verder, zonder enig idee te hebben van waar ik heen reed. Toen ik beneden de rivierbedding was overgestoken, reed ik aan de andere kant de heuvel op, tussen sinaasappelbomen door in een landschap waar geen levende ziel woonde. Het geluid van mijn bonkende hart werd plotseling overstemd door een crossmotor die me voorbijstoof en tussen de bomen door over de heuvel verdween. Nou, dacht ik, gelukkig is er nóg iemand in deze schemerige verlatenheid.

In een vlaag van weemoed dacht ik aan East Anglia, waar je dertig kilometer verderop de kathedraal van Ely kunt zien liggen en er gewoon naartoe kunt rijden. Hier kom je op iedere heuvel en iedere helling van iedere heuvel in een ander, onbekend landschap terecht. Zelfs verschillende momenten van de dag kunnen een vertrouwde omgeving onherkenbaar veranderen. En daar in het donker uit zien te komen: vergeet het maar. Terwijl de zon onderging en het kouder begon te worden, legde ik me erbij neer dat ik de nacht in de auto zou moeten doorbrengen. De heuvel waar ik tegenop reed was helemaal in schaduwen gehuld, met een randje goud erlangs. Het was wonderschoon geweest als ik niet ieder moment een ramp verwachtte; misschien was de motorrijder wel een maniakale moordenaar en wachtte hij me bij de volgende bocht op met zijn psychopatische vriendjes; ik kon een bocht verkeerd inschatten en ongezien naar beneden storten in de oleanders op de bodem van het ravijn, de benzine kon opraken, het spoor kon doodlopen, waardoor ik zou stranden en niet meer voor- of achteruit zou kunnen. Alles bij elkaar zou ik de weg naar huis vast nooit meer terugvinden. Vreemd genoeg vond ik die vooruitzichten best aanlokkelijk en voorzichtig reed ik verder de heuvel op naar de zonkant.

Ik hoopte dat ik plotseling zou weten waar ik was. Maar nee. Alleen maar de zoveelste rij mysterieuze heuvels, zonder wegen of huizen. Twee kronkelende heuvels verder kwam ik een groepje mensen tegen dat op het pad stond. Ze keken me woest aan toen ik kwam aanrijden, en ik besloot geen gesprek met ze aan te knopen of zelfs oogcontact te zoeken. In plaats daarvan reed ik dwars tussen hen door, al waren ze niet van plan om plaats te maken; ze maakten een schrikbarend vastberaden indruk. Ik voelde hun blik op mijn brede rug branden toen ik over een golvende en omslachtige weg reed die volop in het zicht lag. De angst om af te gaan won het van mijn angst voor de dood, dus ik reed onverschillig en vol zelfvertrouwen door, alsof ik het pad al van kindsbeen af kende. Nadat ik weer over twee kegelvormige heuveltjes was gekronkeld, reed ik van het oude ezelpad het asfalt op. Asfalt! Ik kon het wel zoenen. Ik had nog steeds geen idee waar ik was, maar de beschaving was nabij, met mensen die een herkenbare taal spraken, telefoons misschien, of zelfs een stuk of wat wegwijzers.

Toen het volslagen donker werd, herkende ik de buitenwijken van Villanueva, waarachter El Torcal opdoemde. Op de kaart had ik misschien vijf kilometer gereden. Maar ik kan u vertellen dat ik na mijn tocht door het Spaanse achterland niet meer bang ben voor de Zambezi. En ik was heel blij om onze gasten terug te zien.

Een paar dagen later kwam Barbara langs, bevend van opwinding. Een jonge man, een Italiaanse restaurateur, wilde het huis van Ken en Olive kopen dat uitkeek op het ravijn en de plek waar altijd ongelukken gebeurden. Met glinsterende ogen vertelde ze ons het fijne van de zaak: hij heette Giorgio en had een restaurant in Covent Garden, was getrouwd, had kleine kinderen en wilde in Almogia een restaurant beginnen. Bij de gedachte aan een Siciliaanse Giorgio en een Sloveense Martina raakten we helemaal opgewonden, evenals van het vooruitzicht van een verfijndere keuken. Barbara was de enige die de man in levenden lijve had gezien, maar in het dorp werd nergens anders over gepraat. Vanaf ons hoge lanceerplatform van totale onwetendheid bespraken we zijn leven, zijn werk en gezin, de verkoop van zijn huis in Wapping, de slechte inborst van zijn zakenpartner, de scholingsmogelijkheden voor zijn kinderen.

Toen ze eindelijk kwamen, bleken ze alle speculatie waard te zijn. Giorgio was slank, gespierd, op een eigenaardig elfachtige manier knap en zeer geschikt voor experimenten met gezichtsbeharing. Hij had opmerkzame donkere ogen en een koortsachtig energieke uitstraling, als een soort negentiende-eeuwse tbc-patiënt. Omdat hij een impulsieve man was, kocht hij het huis aan het ravijn al na één keer kijken, al was hij oorspronkelijk van plan geweest om een biologische boerderij te kopen. Hij ging met een *fait accompli* terug naar Martina in Wapping.

Hij kwam in zijn eentje naar Almogia om met de verbouwing van het huis te beginnen. Al snel had het hele dorp het over zijn plannen en krabde zich collectief op het achterhoofd vanwege het gat aan de achterkant van het huis dat de afmetingen had van een kleine landingsbaan, en werden de voor- en nadelen van het restaurant op de begane grond of de eerste verdieping tegen elkaar afgewogen. Maandenlang stond Almogia op zijn grondvesten te schudden vanwege het oorverdovende gedreun van de drilboren die door de massieve rotsgrond van Giorgio's restaurant heen boorden om de ruimte hoger te maken en zo te voldoen aan de bouwvoorschriften. De nieuwe voordeur zat ongeveer precies op de plaats waar Olives orgel had gestaan, maar dan een meter lager.

Tijdens die lange, frustrerende maanden van verwoesting en restauratie was Giorgio wanhopig en vertrok hij regelmatig in zijn zilveren Volvo, om terug te komen met een enorme granieten fontein – alleen maar omdat er de Italiaanse inscriptie *Gelati* op stond – of een woud van volgroeide palmbomen in gigantische potten waar hij geen plaats voor had.

Giorgio had een obsessie voor dieren en een bonte stoet beesten passeerde de revue in onrustbarend snel tempo. Hij had een rampzalig zwak voor paarden. Toen hij kwam, had hij nog nooit paardgereden, maar hij zag zichzelf duidelijk al over de campo daveren als een figurerende centaur. Zijn eerste paard, het paard dat de palmbomen opat, was Curro, een mooie, zachtzinnige halfbloed Arabier, waar ik uiteindelijk op leerde rijden.

Maar hij had problemen om ze onder te brengen: Giorgio had nergens plaats om wat voor beest dan ook te houden, maar hield vast aan zijn droom en kocht al snel een tweede paard. Op een dag reed Dan langs zijn huis en zag hem tot zijn verbazing handenwringend en met ten hemel geslagen ogen langs de kant van de weg staan. Dan stopte en Giorgio sprong overdreven ontdaan in de auto. 'Iek ben main paarden kwijt. Ze zain wek, verdwenen. Ze zain wek kelopen. Ze zaten vastkebonden. Main Kod!' (Heilige Teresa van Avila-pose.) 'Ze kunen óveral zíeten.' Zonder morren reed Dan zijn wenende passagier de eerstvolgende drie uur rond, over de weg naar de plek waar hij ze had gekocht, naar het huis van de vorige eigenaars, naar de bar waar hij ze ooit buiten had vastgebonden en uiteindelijk met lege handen terug naar huis. Waar het eerste wat ze zagen twee paarden waren, die van Giorgio, die gewoon het volgende weiland in waren gelopen en door een Spaanse buurman weer naar huis waren gebracht.

Die zomer nam Giorgio's mysterieuze Sloveense vrouw Martina vaste vorm aan. We maakten kennis op een feestje van Helen. We ontdekten dat Helen vasthoudt aan de etiquette van Glasgow, die lijnrecht tegenover de Spaanse staat: toen ze zei dat we om zes uur moesten komen barbecuen, dachten we dat ze tien uur bedoelde omdat het hoogzomer was en we in Spanje waren, en kwamen we om acht uur aanzetten; een mooi compromis, dachten we.

'O jee, alles is al op. Nee, Tommy, haal die koteletjes eens uit de vriezer, die kunnen we wel op de houtskool leggen, dat is prima en kijk,' begroette ze ons opgelaten, terwijl ze de verlepte restjes groen haastig in één schaal lepelde, 'er is nog een heleboel sla. Bedien jezelf. Wat willen jullie drinken? We hebben...' en ze dreunde een lijst alcoholica op waar een cocktailbar in Manhattan trots op zou zijn. Pas toen we waren voorzien van genoeg eten en drinken om een heel rugbyteam koest te houden, stelde ze ons voor aan Martina.

Martina was lang en zo slank als een creditcard, en leek nog langer en slanker doordat ze vijftien centimeter hoge plateauzolen droeg en luchtig in zwarte zijde was gehuld. Haar aantrekkelijke Sloveense gezicht met donkere ogen was een toonbeeld van irritatie en zuchtend van ergernis slaagde ze erin om zeer kortaf een uitermate vermoeide begroeting te produceren, waarna ze zei: 'Ik verveel me rot in Almogia.' Ze woonde er nog geen vierentwintig uur. We waren een beetje verslagen. Ook drong zich de gedachte aan ons op dat Giorgio's beslissing om Covent Garden te verruilen voor het niemandsland van de Spaanse campo misschien wel eenzijdig was geweest.

Onze volgende ontmoeting vond plaats op de plaatselijke *romería*, een kleine kermis die ieder jaar neerstrijkt op een stuk vlakke grond net buiten Almogia. Op zomeravonden was de muziek van Spaanse festivals te horen (flamencovoorstellingen, geïmproviseerde disco's) en ieder gehucht investeerde in vlaggetjes, bouwde een podium en zette een fanfare op. Deze romería was piepklein maar gezellig, zo onschuldig als de kermis uit onze jeugd. We gingen er op een zaterdagavond laat naartoe. Dan zat de hele weg te mopperen. Tegen een pikzwarte achtergrond van struikgewas en bomen bevond zich een piepklein eiland van twinkelende lichtjes: een paar attracties, een handjevol kerels die stilaan dronken werden zonder zich te storen aan de oorverdovende mengeling van mierzoete orgelmuziek en de schiettent op de achtergrond, een peutertreintje en een tunnel opgesierd met schilderingen van weelderige, Rubensachtige venussen. Dan en ik gingen in een attractie die me deed gillen van de lach omdat er schoenen, geld, sleutels en allerlei andere dingen in de duisternis rondvlogen. Ik wilde me dolgraag op het springkasteel storten, maar de onverbiddelijke besnorde señora die dit domein beheerde, beschouwde me als een oplichter en wees me er venijnig op dat ik geen kind meer was. De suikerspinnenman deed minder aan leeftijdsdiscriminatie, en ik had een fraaie roze sik toen ik Martina tegenkwam met de kinderen, die voorbijdeinden op de draaimolen, zich vastklemmend aan de scharlaken en magentakleurige hanen. Zij leek niet bijster onder de indruk van de kermis, maar haar drie kleine blonde schatten van kinderen, de tweeling Federico en Filippo en hun jongere zusje Paloma, waren helemaal overdonderd door deze uitbarsting van magie midden in een weiland en probeerden alles ernstig om beurten uit. Toen wij kwamen aanlopen, stond Giorgio met Juan en Barbara achter de bar, totdat hij het paard van een buurman in het oog kreeg dat was ontsnapt en als een dolle door de woestenij achter de bar dartelde, kilometers van huis. Het laatste wat we van Giorgio zagen was zijn rug, als een grillige kronkel in een tekening van Lowry, terwijl hij in de duisternis door het kreupelhout flitste in een wanhopige poging het paard te vangen.

Als onze kleine romería zo uit een boek van *De dolle tweeling* leek te komen, dan is de *feria* in Málaga uitgevonden door Georg Grosz. Als augustus op zijn heetst is en je er met geen mogelijkheid anders uit kunt zien dan als een olievlek, dan wordt in Málaga de feria gehouden. Die stroperige hitte houdt maar een week of twee aan en valt samen met de feria. Het is de grootste van Europa en beslaat twaalf hectare prachtige bouwgrond aan de rand van Málaga, een enorm leeg terrein dat altijd loompjes braak ligt, op die twee weken in de zomer na. Van de ene op de andere dag wordt het cementen niemandsland volgebouwd met reuzenraden, dansvloeren, podia voor bands en een stad aan feesttenten waar je de hele avond en nacht kunt eten en flamenco kunt bekijken, drinken en flirten. Ik moet zeggen dat het idee van de feria me wel aanspreekt; ik vind het fantastisch dat het ondenkbaar is om dit prachtige stuk grond te verkopen voor lucratiever doeleinden, dat het vanzelfsprekend is dat alles ophoudt zolang de kermis duurt. Het schijnt dat er een miljoen mensen op af komen.

Van de kermis zelf ben ik minder overtuigd. Volgens mij komt het door die felle verlichting, die slenterende menigte, de algehele armoeiigheid van kermissen, dat ik altijd naar huis wil als ik er nog maar net ben. Maar Dan is er dol op, hoe goedkoper hoe beter, en hij heeft ze vaak geschilderd.

Dat jaar was het in augustus zo heet dat we pas om middernacht tot leven kwamen en tot een uur of vier, vijf zaten te kaarten, zweetten en ons heel traag bewogen. Toen Hugo met zijn Twingo was vertrokken, gingen we het busje ophalen bij señor Gehaktbal en namen we Ted en Doris mee naar de feria om iets goed te maken van de geriatrische gezapigheid van hun verblijf. We gingen op de laatste avond, als de feria feestelijk wordt afgesloten met vuurwerk op het strand. We doften ons helemaal op en vertrokken. Om tien uur kwamen we aan, waarschijnlijk twee uur eerder dan de bedoeling was. In Spanje begint alles meestal pas om middernacht op gang te komen. De parkeerplaats was een avontuur op zich, kilometers en kilometers groot, volslagen donker, met knisperende, scherpe en zompige dingen op de grond. Van die enorme afstand konden we de weerschijn van de feria al zien en iemand die werd opgehangen – o nee, ze waren gewoon aan het bungeejumpen vanaf een enorme kraanwagen.

Behoedzaam kuierden we de kermis op en drentelden we naar de attracties. Ik wist niet precies wat de bedoeling was, of je lid moest zijn van de sociëteiten waarvan het logo op de hordes feesttenten prijkte om met een drankje naar de flamenco te kunnen kijken, of dat iedere voorbijganger zo naar binnen kon lopen. Dan had toch al niet veel zin om die dampende tenten in te worden gezogen, dus dwaalden we wat rond, volslagen doof, totdat we een stand vonden waar ze iets van de barbecue op een bordje verkochten. Ze hielden ons een hele poos bezig omdat we niet doorhadden dat het systeem op kaartjes werkte. Toen we eindelijk iets gebarbecueds op hadden, kuierden we verder te midden van meutes schaars geklede meisjes, jongens met zonnebrillen op, nog meer besnorde matrones en kleine energieke mannetjes die uit waren op een verzetje.

Er was een schattig kitsch spooktreintje dat ik er ongevaarlijk genoeg uit vond zien om het met een gerust hart voor te stellen. De andere drie keken me meewarig aan en gingen morrend akkoord. We namen plaats, er helemaal klaar voor om te gillen tegen skeletten, spinnenwebben, spoken en afgrijselijke dingen die ons zouden bespringen. We schreeuwden wel, maar dat kwam vooral doordat we een man met een moersleutel zagen die probeerde een cruciale draagbalk vast te schroeven die op een of andere manier was losgeraakt. Het hele kartonnen bouwwerk wankelde als we de bocht om gingen en de dingen die tevoorschijn sprongen waren ijzeren stangen, min of meer op scalpeerhoogte. We waren onnoemelijk opgelucht toen het protserige treintje langs het laatste slechtgeschilderde anatomische mutantenskelet reed en ons liet gaan.

Nu we dit hadden overleefd, werden we overmoedig en keken gretig uit naar de volgende spannende attractie. De kermis was zo gigantisch dat je moeilijk kon zien wat op de verschillende terreinen te doen was. Ik stelde voor om in een van de hoge toestellen te gaan, zodat we een totaaloverzicht konden krijgen en ons konden oriënteren. Ik realiseerde me niet helemaal hoe eng het toestel was dat we hadden uitgekozen. Ik had het kunnen weten toen Ted zei dat hij niet meeging. In mijn onervarenheid lachte ik wat en ging in de rij staan. Zei ik oriënteren? Ik bedoel natuurlijk zelfmoord plegen. En ik had het Deinende Vikingschip uitgekozen om dat te doen. Ik weet nog dat ik zei: 'Kijk, net een grote schommel, en als hij omhooggaat kun je de hele feria zien. Lijkt me leuk.' Aan beide uiteinden van het Deinende Vikingschip zaten stevige metalen kooien, en ik vroeg me nog even af waarom iedereen daar boven op elkaar wilde zitten in plaats van in de ruime, niet volgestouwde rijen stoelen waar wij zaten.

De eeuwigheid die daarop volgde was de ergste nachtmerrie van mijn leven, nog erger dan toen ik claustrofobisch werd in de lift die klemzat, nog erger dan de tweehonderd meter vrije val met het vliegtuig waarin ik van mijn huwelijksreis terugkwam, nog erger dan welke aanval van hopeloze zwaarmoedigheid in het holst van de nacht ook. Langzaam begon de boot vaart te maken. Aanvankelijk was het net zo'n parochie-uitje als ik had verwacht, en ik weet nog dat ik vrolijk zat te kletsen over wat er beneden allemaal te zien was. Al snel werd het te erg om te schreeuwen. Met iedere penduleslinger van die eindeloze rit kwamen we hoger, totdat we ondersteboven boven het asfalt hingen, zonder riemen of tuigje en diep ongelukkig. Mijn handen waren zo klam van het zweet dat ze van de chromen stang van de stoel voor me gleden, en ik klemde me vast aan Doris. Ik ben haar eeuwig dankbaar. Beneden in de diepte kon ik Ted zien. Als er iets is waardoor ik er niet uit ben gevallen, dan was het zijn voldane grijns. Een mensenleven verder zwaaide het ding uit. Wankelend zetten we weer voet op vaste bodem, Doris onder de blauwe plekken en veilig naast Dan, voor het geval ik weer een paniekaanval zou krijgen.

Nog steeds trillend stapten we moedig in een reuzenrad, dat inderdaad reusachtig was, en met een briljante vooruitziende blik waren we tot bedaren gekomen toen we helemaal bovenaan waren en kilometers verderop het vuurwerk op het strand begon. We hadden een prachtig uitzicht helemaal voor ons alleen. Ik ben dol op vuurwerk, en dit vuurwerk was prachtig.

Wat minder indrukwekkend was de afsluiting met vuurwerk van de feria in Pastelero. Die zomer waren er twintig straatlantaarns geplaatst, de heuvel op naar het niets, en het dorp hield voor het eerst zijn eigen fiesta. Dat bestond uit eten op het terras bij Paco en Antonio onder een overvloed aan lampjes en kijken naar de normaliter nogal plompe dorpsmeisjes die voorbijslenterden, als door een wonder veranderd in enorme spetters in hun merenguejurken met stippen, hun haren glad achterover met kammen en rozen. De jongens van het dorp beantwoordden dit fraaie vertoon met de meest uiteenlopende afgrijselijke nylon voetbalkleding, ondoordringbare zonnebrillen en flitsende kapsels. De muziek werd verzorgd door zeven oude mannen in een kringetje, overwegend met hun rug naar het publiek, die verschillende oude muziekinstrumenten bespeelden; ze heten de Verdiales. Volgens de *Capitoolgids* zijn dit *pandas*-bandjes die 'wilde primitieve muziek uit Moorse tijden ten gehore brengen, gespeeld op middeleeuwse instrumenten' door mannen met bonte, pluizige hoofddeksels vol kralen op hun hoofd.

Het was niet echt wild en primitief toen wij ze zagen, maar leek eerder op een 78-toerenplaat die werd afgespeeld op 33 toeren, al net zo opwindend als kijken naar volksdansers op een drassig weiland in Sussex. De Verdiales zijn inmiddels een toeristische attractie en hebben zich uitgebreid, waarbij ze hun voorstelling eindeloos opleuken, met als enige beperking dat ze maar één authentiek deuntje hebben dat ze de volle acht uur van het feest herhalen. Om hun jichtige syncopen kracht bij te zetten hadden ze voor deze gelegenheid een harige transseksueel meegebracht die fantastisch kon zingen. Het hele dorp liep uit: baby's van wie de meisjes linten en gouden oorbellen in hadden en de jongetjes in minipak waren gestoken, hun donzige haar met brillantine in een zijscheiding gekamd, grootouders die sinds de dood van Franco in 1975 enorme veranderingen moeten hebben doorgemaakt. Iedereen at, dronk en schreeuwde, ruzies werden vergeten, onschuld en vriendschap voerden de boventoon. Dat is het voordeel van een mild klimaat.

Ieder flutstadje heeft wel een zomerfestival; het fiesta van Almogia viel samen met een van mijn reizen naar Engeland zodat ik de groep Braziliaanse schoonheden misliep die slechts gekleed waren in visnetten en een stuk of wat veren. Maar Dan ondernam een van zijn zeldzame excursies vanuit zijn muffe hol om ze te zien en heeft het nog steeds over die gevederde danseressen en het vuurwerk.

Door de bank genomen had Dan het echter te druk voor fiesta's. Zijn expositie in Chelsea kwam snel dichterbij en hij zat met stille vastberadenheid aan zijn ezel gekluisterd. Ik was heel trots op hem en keek graag naar hem als hij, soms alleen gekleed in een palet, de laatste hand legde aan de finca van señor Arrabal of zijn geliefde stenen. Het was een hele uitdaging om de expositie vanuit Spanje te organiseren, maar we slaagden erin om een perfecte locatie te vinden, lieten uitnodigingen drukken en versturen en zorgden voor wijn en hapjes terwijl Dan zich uitleefde op het fraaie stadhuis van Málaga en El Torcal.

We nodigden ons beider familie uit voor de besloten opening: kinderen, ex-man en ex-vrouw, al onze vrienden, journalisten, Francine en Rosa en Juan voor het zeer onwaarschijnlijke geval ze in Londen waren. Dan had een romantische versie van hun huis geschilderd met de Middellandse Zee op de achtergrond. Hij wist een indrukwekkende collectie samen te stellen, maar toen we ze inpakten, viel het me op dat er geen enkel schilderij van ons eigen huis bij zat.

Dan zag het ook en liep naar buiten om een mooi plekje te vinden. Even later kwam hij teleurgesteld terug. Het huis verkeerde in een rommelige overgangsfase, omringd door kale bouwgrond en cementmolens, en zag er vanuit geen enkele hoek mooi uit. Maar hij was het ermee eens dat dat een groot gemis was en hing peinzend boven fotoalbums om inspiratie op te doen. Die kreeg hij door een van de foto's die ik had genomen toen Spigs en ik het huis voor het eerst hadden gezien, vanaf het huis van señor Arrabal met de heldergroene diagonaal van het aflopende weiland, waarop het huis eruitzag als een piepklein wit dorpje, gestreeld door de laaghangende tak van de transparente-boom. Het was heel eenvoudig, heldergroen en wit, met een wolkeloze blauwe lucht. Hij mompelde afkeurend dat je toch geen schilderij kon maken op basis van een foto, ervan overtuigd dat er niets goeds van zou komen, maar schilderde het landschapje. Ik vond het prachtig: de eenvoud, de tastbare warmte, het licht en het bouwvallige huis waar Spigs en ik op waren gestuit en voor waren gevallen.

We pakten ze allemaal in, vertrokken naar Londen en waren de hele zondag bezig om ze op te hangen voor het feestje van de volgende dag. Dan hing het schilderij van ons huis laatdunkend in een slechtverlichte hoek.

Het feest was een doorslaand succes. Maar één iemand liet het afweten: Dans tante Nellie. Op deze belangrijke afwezige na was iedereen gekomen en het was fantastisch om ze te zien en Elly, Dans ex-vrouw, voor te stellen aan Brendan, mijn ex-man, Jocasta aan Rosa en Juan, mijn zus Judy aan Dans ouders, Doris aan mijn nicht Polly en haar dochtertje Martha, Leo aan Doris' beeldschone nicht Rachel, Spigs aan zijn oude vriendin Marg van het tijdschrift, Joyce en Nick aan Hester en Chris en Francine aan Peter Williams.

We hadden het echter te druk met gezellig doen om ons bezig te houden met serieuzer zaken als het verkopen van schilderijen en verkochten daarom minder dan we hadden gehoopt. Voordeel voor mij is dat ik ze nu allemaal in Casa Miranda heb, want ik ben dol op die schilderijen. Ik vroeg me af waarom Rosa en Juan het lyrische schilderij van hun huis niet kochten. Rosa, die nooit een blad voor de mond neemt, antwoordde dat ze vond dat Dan maar eens moest beslissen of hij een puur figuratieve of juist sentimentele romantische schilder was. Maar Suzy kocht een fantastisch schilderij van de bar in Pastelero met de twee enorme palmbomen, terwijl diverse gezichten op señor Arrabals huis plus een paar rotsen, El Torcal en een paar aquarellen ook allemaal werden verkocht.

Er was één schilderij dat iedereen wel wilde kopen: dat van ons huis dat Dan met zoveel tegenzin had afgeraffeld. Toen we even wat beter keken, zagen we dat er een rode stip naast zat. Tante Nellie was stiekem vóór de opening langsgekomen en had het gekocht. We sloten de avond af met een grote club aan een grote tafel in de Chelsea Arts Club, waar we veel te veel dronken.

In tegenstelling tot de landschappen maakte Dan een lucratieve reeks vieze tekeningen: hij had opdracht gekregen om een rauw boek vol grofheden van de lexicograaf Jonathon Green te illustreren, de echtgenoot van mijn vriendin Suzy. Dan zat de hele zomer met subtiele humor onbetamelijk scatologische en obscene onderwerpen te tekenen en het kwam dan ook niet als een verrassing dat hij werd gevraagd om het volgende deel te illustreren, dat was gewijd aan de stoelgang. Hij was terecht trots op deze boeken, maar hoe graag hij ze ook aan zijn moeder wilde laten zien, hij kon het haar niet aandoen. Ze kon echter wel enige moederlijke trots voelen toen ze zijn illustraties in de *Sunday Times* zag voor Joanna Simons' wijnrubriek.

Inmiddels heeft hij een passie ontwikkeld voor computerontwerpen: hij heeft zijn laatste boekillustraties met behulp van een muis gemaakt en zichzelf geleerd hoe hij animaties moet maken op zijn wispelturige Macintosh. Ik heb de ervaring dat niemand van boven de tien kan leren omgaan met lastige computerprogramma's. Dan was veel ouder dan tien, had nooit gebruikgemaakt van iets ingewikkelders dan een kroontjespen en Oost-Indische inkt en belandde met één soepele sprong van de tijd van de ganzenpen in de geavanceerde informatietechnologie, op eigen houtje. Dat is in mijn ogen zowat geniaal.

Teds mosselen: Culinaire Reservoir Dogs

voor 4 personen

2 kg mosselen
2 eetlepels olijfolie
1 ui, gesnipperd
4 tenen knoflook, gepeld en fijngehakt
3 takjes verse tijm
2 kleine tomaten, ontveld en in blokjes
1,5 dl witte wijn
peper
een grote pluk saffraan
room (naar wens)
een handvol gehakte peterselie

Boen de mosselen schoon. Gooi beschadigde exemplaren weg, evenals mosselen die niet dichtgaan nadat ermee op de aanrecht is getikt. Verhit de olie in een enorme pan, bak de ui een minuut en voeg knoflook en tijm toe. Roer even, voeg dan de tomaten toe en bak ze een paar minuten. Voeg wijn, peper en saffraan toe, laat alles een paar minuten pruttelen en doe dan de mosselen in de pan. Leg er een deksel op, zet het vuur hoog en kook de mosselen vijf minuten tot ze allemaal openstaan. Schud de pan af en toe flink. Schep de mosselen uit de pan en houd ze warm in een schaal in een matig warme oven. Gooi exemplaren die nog niet openstaan weg. Laat eventueel zand naar de bodem van het resterende kookvocht zakken en zeef het vocht over de mosselen. U kunt het ook een beetje laten inkoken en er dan een schepje room door roeren. Bestrooi de mosselen met peterselie en serveer ze met lekker brood om het vocht op te deppen.

DE POT OP MET ARSENAL

In de herfst van 1999 leek Arsenal zich erbij te hebben neergelegd dat het meer problemen zou opleveren om het stadion in Highbury uit te breiden dan het zou oplossen, en bracht een persverklaring uit waarin werd gesuggereerd dat ze naar alternatieven zochten. Ik kwam in actie en zette mijn huis meteen op de markt. Ze zouden me niet nog een keer zo het leven zuur maken als ze van gedachten gingen veranderen. Ik zou ze dankbaar moeten zijn: nadat ik mijn huis voor het eerst in de verkoop had gedaan, had zich op de huizenmarkt een ongelofelijke revolutie voltrokken en het was nu meer dan vijftig procent meer waard dan twee jaar daarvoor.

Toen ik het huis zeventien jaar eerder had gekocht, was dat een paniekerige ervaring geweest die me heel wat geld kostte. Het was het vijfde huis waar ik een bod op had gedaan dat werd geaccepteerd: bij de andere vier was de prijs flink opgevoerd toen ik op het punt stond het contract te ondertekenen. Het was een praktisch huis, groot genoeg om hordes rondhossende jongens te huisvesten, sfeervol, zij het bouwvallig, in een van mijn favoriete brede, lommerrijke straten, en vanaf het moment dat ik erin trok had ik voortdurend geldzorgen.

Toen ik het huis weer op de markt zette, reisde ik heen en weer tussen Spanje en Engeland, dus moest ik de verkoop overlaten aan de jongens en de makelaar. Leo en Spigs en hun vrienden wilden er natuurlijk niet uit, omdat hun huurbijdrage nooit zo hoog werd als het bedrag dat we hadden afgesproken.

Ik denk dat ze de kijkers nou niet bepaald onthaalden met de bekende geroosterde koffiebonen, brood in de oven en bloemen, dus het valt me mee dat we het überhaupt hebben verkocht. Er was tenminste genoeg geld om mijn schulden af te betalen, verder te gaan met verbouwen in Spanje en zelfs om een beetje te investeren. Vaarwel Highbury, hallo vrijheid.

Het huis uiteindelijk helemaal leeghalen was heel vervelend, zoals die dingen nu eenmaal zijn. Er was weer meer troep bij gekomen en op de een of andere manier was het nog extra somber en triest omdat het winter was, koud, regenachtig en om drie uur al donker. Op de dag dat onze koper erin zou trekken, waren we uitgeput en dwaalden we in grauwe, dromerige slowmotion door de rommelige treurnis van lege kamers, waarbij we nog steeds dingen vonden om in te pakken. Maar ten slotte deden we de vertrouwde deur op slot, overhandigden de sleutels en lieten dat stuk leven achter ons.

Toen Spigs uit zijn ouderlijk huis werd gezet, had hij zijn zaakjes wonderbaarlijk goed voor elkaar. Hij werkte nog steeds voor mijn zus Jocasta bij Paint Magic en had met een stel vrienden een huurhuis gevonden in de buurt van Alexander Palace. Onze vrienden Clay en Maggie hadden Leo gevraagd om een maand op hun huis te passen, zodat hij wat tijd had om iets vasters te vinden. Hij en Winston, zijn neurotische rode kat, bleven er veel langer zitten dan ooit de bedoeling was geweest.

De uiteindelijke transacties voor het vertrek uit Highbury bleken veel ingewikkelder te zijn dan ik had verwacht. Er leek geen eind te komen aan de hoeveelheid paperassen, mensen die we op de hoogte moesten stellen, rekeningen die we moesten betalen en allerlei onvoorziene rampen. Dan trok zijn handen van de hele procedure af, zoals meestal bij alles wat met vergaderingen, zaken of geld te maken heeft. UK Removals leverde alles veilig af in Spanje, waar we de ladingen dozen uit twee verhuiswagens in de pasvoltooide keuken dumpten en daar lieten staan; we konden de inhoud nergens anders kwijt totdat de bouwvakkers klaar waren met de vier overige kamers aan de zuidkant van het huis. Verhuizen is altijd zo'n gedoe.

Tot mijn opluchting heb ik het huis in Highbury geen seconde gemist. In de jaren dat ik er had gewoond was ik een wrak geworden. Ik heb er natuurlijk ook wel goede herinneringen aan, maar ik associeer het vooral met uit het lood geslagen zijn, altijd rood staan, voortdurend in de penarie zitten vanwege de laatste belastingaanslag, de bank of het elektriciteitsbedrijf, achttien uur per dag moeten werken als ik halverwege een boek was, ten prooi aan een allesverslindende correctiewoede, waarbij ik zo'n beetje bleef hangen in relaties die op een waakvlammetje stonden en er een permanente brok verdriet zat – het zware gevoel dat ik de strijd om mijn zoons op te voeden aan het verliezen was.

Het oude millennium was voor mij afgelopen met het plotseling afkappen van oude banden, en zo begon het nieuwe ook. Als het aan het kantoor lag, brak er in januari 2000 een nieuw tijdperk voor me aan.

Op de tiende riep de hoofdredacteur me bij zich, wierp haar beige kasjmieren sjaal strijdlustig over haar beige schouder en zei: 'Als je nu ontslag neemt, dan kun je op tien april vertrekken, dat is een maandag.' Ik was een beetje overrompeld; volgens mij was ontslag nemen iets dat je vrijwillig deed.

'Wat is er?' vroeg ze. 'Je lijkt er nogal van te schrikken.'

'Ja, eigenlijk wel,' antwoordde ik. 'Het is lastig om je een ontslag voor te stellen als iets pluizigs en roze.'

'Ik ontsla je niet. Of ja, eigenlijk wel. Maar je wilde toch al weg.' Dat was waar, maar ik had gedacht dat ik weg kon als ik dat wilde.

De volgende dag riep ze me weer bij zich. 'Als je wilt, kun je je bureau nu uitruimen. Stuur de kopij voor de komende drie maanden maar op.'

Het was niet het feit dat ik na dertien jaar tuinredacteur te zijn geweest werd ontslagen dat ik zo onbeschoft vond, maar de manier waarop. Geen afscheidsrede, geen feestje, geen vaas van Liberty. Misschien was het wel even slikken voor mij en mijn trots, maar het gaf me toch bovenal een gevoel van vrijheid. Geen vergaderingen meer, geen deadlines, geen verplichting om stuntelige radio-interviews te doen met Geoff in Croydon of afgrijselijke groene poloshirtjes dragen om abonnementen op het tijdschrift te verkopen. Het moment was aangebroken dat ik echt in Spanje kon gaan wonen en wortel kon gaan schieten, iets wat me een gevoel van stabiliteit zou geven.

De plek waar ik werkte, het werk dat ik deed was gewoon te veel van het goede: te veel nieuwe gezichten, te veel evenementen, te veel papier, te veel deadlines. Ik ben eraan gewend om op mezelf te zijn en had last van mensenmoeheid. Het was zo erg dat ik geen onderscheid meer kon maken tussen wie er echt toe deed en de rest. Ik had een hekel aan de telefoon en als hij ging sloot ik mezelf grommend op in de wc. Er leek nooit genoeg tijd te zijn om een identiteit te hebben, geen moment rust en stilte om naar de vrouw in mij te kijken, een verlangen, een behoefte te formuleren, het gevoel dat ik iets anders wilde dan met rust te worden gelaten.

Meer dan een jaar lang had het leven bestaan uit drie weken Spanje, gevolgd door een week chaos in Londen, iedere avond op een andere plek slapen, proberen alles te doen: eindeloos veel bankzaken, misschien wel vijftig nieuwe mensen ontmoeten, interviewen en schrijven, me staande houden in de politieke spelletjes op kantoor, proberen contact te onderhouden met dierbare familie en vrienden terwijl ik bijna omviel van vermoeidheid. Ik had me van dag tot dag voortgesleept en kon me de luxe om Dan te missen niet veroorloven. Ik had mezelf ook de luxe van winkelen niet moeten veroorloven, maar toch struinde ik winkels af om steeds meer spullen te kopen, dwangmatig en met het schaamrood op de kaken. Boeken, muziek, kleren, nog meer koffers, make-up, ieder onbenullig prulletje, ik móest het gewoon hebben.

Maar eigenlijk wilde ik dolgraag ergens thuishoren. En in de tijd dat het huis in Highbury werd overschaduwd door het geaarzel van Arsenal, had ik niet verder kunnen gaan met mijn leven. Nu het huis was verkocht en ik was ontslagen kon ik mezelf weer opnieuw leren kennen. Ik vond het best eng om te zien wat voor iemand ik eigenlijk was.

Ik was bang dat ik me geamputeerd zou voelen nu ik weg was bij het tijdschrift met zijn bekende gebruiken en patronen. Dat was niet het geval. In plaats daarvan was ik beurtelings zo dartel als een tiener en dodelijk vermoeid, alsof ik twintig jaar slaap moest inhalen. Tussen mijn winterslaapjes door veranderde ik van een toeschouwer van het leven in iemand die het ook echt voluit leefde. Plotseling was ik die vrouw die rozen plantte en taarten bakte, een van die geluksvogels die ik het afgelopen decennium had geïnterviewd en jaloers had gadegeslagen.

Als ik was verstrikt in de politieke spelletjes op kantoor, probeerde ik me altijd voor te stellen hoe een leven zonder zou zijn, of ik me eenzaam zou voelen, wat en wie ik zou missen, of ik ooit nog zou willen schrijven of alleen maar wezenloos voor me uit zou zitten staren. Zou ik zonder werk een identiteit hebben? Zou ik me vervelen, zo erg dat ik de roman moest gaan schrijven die me al sinds de eerste klas lagere school en juf White achtervolgde? Zou ik weten hoe ik iets moest schrijven van meer dan duizend woorden met 'compost' in de eerste alinea?

Het antwoord op die laatste vraag is bevestigend. Ik schreef zo'n tien miljoen brieven, naar banken, verzekeringsmaatschappijen, water-, gas- en elektriciteitsbedrijven, internetproviders, Britannia Airways, het postkantoor, Britannia Telecom, creditcardbedrijven, accountants, financieel adviseurs en, althans zo leek het, genoeg onbenullige ambtenaren om het eiland Wight mee te bevolken. Ik had me nooit gerealiseerd hoe vreselijk ingewikkeld het is om van het ene leven over te schakelen op het andere. Totdat ik ontdekte dat je alleen met een brief iets kon bereiken, hoorde ik tijdens het intoetsen van mijn volgende keuze aan de telefoon genoeg Enya voor een paar mensenlevens, zodat de telefoonrekeningen zo hoog opliepen dat mijn knieën ervan knikten. Inmiddels weet ik dat als je in Engeland meteen het hekje intoetst, je onmiddellijk wordt doorverbonden met een echt persoon.

Ik verwachtte dat de overgang van het ene leven naar het andere me voor verrassingen zou stellen. Meestal functioneren mensen op de automatische piloot en varen ze op hun gewoontes. In Spanje moesten we van de grond af een nieuw leven opbouwen, zonder vertrouwde patronen om ons te leiden, zonder beproefde oplossingen voor problemen als depressie, isolatie, zwaarmoedigheid en verveling. Met een overvloed aan goedkope drank en talloze voorbeelden vóór ons vroeg ik me af of we zouden veranderen in aan lager wal geraakte alcoholisten. Ik ging uit van het ergste en zag ons al als een zuur oud stel, kreunend van verveling en wederzijdse antipathie. Ik geloofde ook in *self-fulfilling prophecies* en voelde me net een kwade fee, die een akelige droom met zich meedroeg en zich opdrong aan welke arme vent ook met wie ze samen was. Aanvankelijk schrok ik ervan dat Dan nog erger was dan ik. Regelmatig werkte hij nog voor het ontbijt een handjevol fatale ziektes af. En door wat voor duistere gedachten ik ook werd geteisterd, hij had het allemaal al eens meegemaakt.

Langzamerhand raakten we onze zware bagage kwijt, waarbij we af en toe door een crisis heen gingen waar we moeizaam uit krabbelden. Het geheim is dat we elkaar, afgezien van alle hevige liefdesperikelen, echt heel leuk vinden, van dezelfde dingen genieten en dol zijn op dit huis. Hij mag dan soms pruilen en zijn gestippelde zakdoek inpakken, en ik de heuvel op klimmen en allerlei verwensingen mompelen, maar we weten allebei dat we nergens liever willen zijn dan hier, en met niemand anders.

Met een zalige periode vol nietsdoen en tijd verspillen waren we een paar maanden verder. Ik kan niet zeggen dat het een onverdeeld genoegen was, maar het was broodnodig, een goedmakertje voor twintig jaar lang deadlines en mijn leven inrichten naar de dienstregeling van anderen. Ik had besloten om mezelf een jaar lang vrij te geven om lekker voor me uit te staren en later, toen ik mijn werkende laptop kreeg, eindeloos potjes FreeCell te doen. Mijn theorie was dat terwijl mijn voorste kwabben werden beziggehouden door dat domme spelletje, het creatieve onderbewustzijn bezig was met het verzinnen van de roman. Een paar duizend spelletjes later deed ik nog steeds FreeCell, was ik blijven steken op een slagingspercentage van 63 procent en had ik nog steeds geen roman.

Ons andere oorspronkelijke plan, vloeiend Spaans spreken via onbegeleide osmose, werd evenmin bewaarheid. Bij ieder gesprek dat ook maar een beetje interessant was liepen we al na de eerste drie woorden vast. In een tergend traag tempo probeerden we de woorden te onthouden en we konden er verdomme nooit op komen als we ze nodig hadden. Het schijnt dat je op je tweede moeiteloos twintig talen kunt leren, op je tiende ruim een handvol en op je vijftigste al problemen hebt om je eigen taal te onthouden. Dat is wetenschappelijk vastgesteld en wij zijn het levende, mummelende bewijs. Ik was dan ook dolblij toen Spigs een vertaalprogramma voor mijn computer meebracht. Eindelijk zal ik iets begrijpen van die officieel ogende brieven met rood onderstreepte passages, dacht ik. Ik typte een brief van Telefónica met vrij weinig rood over en in een oogwenk verscheen op mijn computer het volgende:

Geachte cliënt,

Wij wilden hem aangeven dat wij, tot op de dag van heden, geen kenteken hebben dat bovenstaande rekening is betaald.

Voor dusdanige reden waarvoor niet mogelijk betaling van het bedrag dezes, nam hij agredeceriamos *contact op met onze Dienst voor Zorg aan de Klant, 1004 (gratis nummer).*

Anders zijn wij, heel erg tot ons leedwezen, gedwongen de tele-

foonaansluiting op te schorten, die wij u komen suministrando, *aan te vangen van de dag.*

De wanbetaling van de rekening, vanaf de gepaste datum, sluit hem niet buiten van de betaling van de bijpassende vaste kosten, alsmede de kosten van herstel van de dienst.

Van de niet naar omstandigheid plaatsvindt, verlopen VIER MAANDEN *sinds de postdatum, zou hij/zij de terminale opschorting van de dienstverlening plaatsvinden.*

Daar zit je dan met je goede gedrag. Uiteindelijk bereikten we een soort doorbraak dankzij de vernieuwende leermethodes van Michael Thomas, wiens cursus Spaans ik van harte kan aanbevelen.

Ik begon ook de hoeken van de tuin aan te pakken die we op de bouwvakkers hadden veroverd. Tegen de zuid- en westzijde van het huis stonden dingen die je troggen zou kunnen noemen. Ik vulde ze eigenhandig met voor mijn gevoel tonnen aarde en zette er lavendel en stervormige blauwe felicia in, de heerlijke jasmijn sambac, waarvan de kleine suèdeachtige bloempjes een zoete, sterke geur hebben en waarvan jasmijnthee wordt gemaakt, wisteria, kamperfoelie en een geurende winterharde struik met witte bloemen die carissa wordt genoemd. Om de een of andere reden kreeg die vlekken en ging hangen; het was er hierboven waarschijnlijk te koud voor.

Mijn spectaculairste succes bereikte ik met de diepe bakken die om ons zwembad heen staan. We schilderden de muur erboven en eromheen vlammend aardbeienroze en de traptreden naar het zwembad toe zijn knaloranje. Tegen deze weelderige, kitscherige achtergrond (ik was geïnspireerd door de kleurrijke, bonte Mexicaanse gebouwen van Luis Barragan) plantte ik Saksisch blauw slangenkruid, waterkers, lavendel en klimplanten. Ik was minder overtuigd van de witte nachtschade en deed hem af als gewoontjes. Misschien was hij dat ook wel, maar hij deed verdomd hard zijn best en bruiste de hele zomer door van de witte bloempjes. De fraaie passiebloem *Passiflora allardii* daarentegen wist één enkele, zij het prachtige exotische roze bloem met franje te produceren voordat het een warrige kluwen kale takken werd. We plantten druivenranken waar ze tegen pilaren op zouden klimmen en boven ons hoofd een koel bladerdak zouden vormen. Niets wees erop dat ze ook maar iets zouden doen dat ons leven zo zou veraangenamen; ze dwaalden liever afwezig de andere kant op, zonder echt de moeite te nemen om bladeren te produceren. De dipladenia, ofwel *Mandevilla splendens*, was prachtig als hij met rust gelaten werd door de honden, met z'n perfecte roze trompetvormige bloemen nauwkeurig afgetekend tegen de ronde, glanzende winterharde blaadjes. Het is de moeite waard het te blijven proberen, al is hij misschien te verfijnd voor dit boerse achterland, maar het is de Rudolf Nurejev van de plantenwereld, omringd door een horde voetbalsupporters.

Toen ik bezig was met het beplanten van de tuin was dat met de gedachte dat alles kon, zolang het maar volkomen doorsnee was. Ik hou eigenlijk helemaal niet van bougainville omdat ik iets tegen schudbladen heb, maar ik kon het idee van een overdaad aan schreeuwerige kleuren die tegen de helling op kropen niet weerstaan. Mijn margriet, die ik als een sprietje dat wild op de heuvel groeide had uitgestoken, reageerde op zijn nieuwe omgeving door zo groot te worden als een autoscooter en zat bijna het hele jaar onder de witte bloemen, met alleen tijdens Kerstmis een korte onderbreking om zijn batterijen op te laden.

In de winter van de millenniumwisseling deden we een hele goede zet. We hebben twee hectare grond, meer dan we raad mee weten, en ik besloot dat olijfbomen een goede arbeidsbesparende manier waren om het laaggelegen stuk grond mooi op te vullen. Ik ben dol op grote groepen olijfbomen, de vorm, de kleur, de relatief eenvoudige manier (dacht ik) waarop ze stenen en stof overmeesteren. Ik stelde me een zee van wuivend groen en zilver voor die zich fraai onder ons zou uitstrekken. Ik had het idee dat Andalusië en olijfbomen voor elkaar gemaakt waren. Ik wilde geen enorme olijvenoogst (liever niet, dan zouden we die maar moeten binnenhalen en er iets mee moeten doen); alleen maar een glanzend tapijt van groengrijze bladeren die licht van kleur veranderden als de wind uit een andere hoek waaide, waar we 's zomers in de schaduw konden zitten lezen.

Dit was pure waanzin. Om te beginnen vergt het heel veel geworstel om in een koude, natte decembermaand tweehonderd olijfbomen in de grond te krijgen. Meteen nadat ze werden afgeleverd, realiseerden we ons al dat we veel te lui waren om zoiets actiefs te doen, en riepen hulp in.

Het eerste stel dat zich op het karwei stortte, deed er een hele dag over om er acht te planten. De eerlijkheid gebiedt te zeggen dat hun perfect geplante bomen er veel steviger uitzien dan de rest, maar tegen dat tarief zouden we failliet zijn tegen de tijd dat de helft in de grond zat. Barbara's dochter Emma en haar vriendje José David plantten twee keer zo snel voor de helft van het geld, maar het was nog steeds een verloren strijd. En het was zulk druilerig, koud, ontmoedigend en uitputtend werk. Toen raadde iemand aan om de gaten in de taaie klei door Rooie Bob en zijn mini-graafmachine te laten graven. Hij vond het prima en stelde voor dat zijn vrouw Jackie de bomen zou helpen planten. Ik wist niet of dat zo'n goed idee was omdat ik me er een klein grijsharig dametje bij voorstelde dat een beroerte zou krijgen van de opvliegers tijdens het zware werk, de kou en de algehele gruwelijkheid van de klus. Maar zoals gebruikelijk had ik het mis. Jackie had wel grijs haar, maar ze was een doordouwer. Ze begon met planten en twee dagen later stonden tweehonderd olijvenboompjes vrolijk te wennen aan hun nieuwe plek, net op tijd voor het nieuwe millennium.

We slaakten een zucht van verlichting. Weer mis. Het meestal lege landschap was opeens vergeven van de Spanjaarden die ons kwamen vertellen dat we de bomen te dicht op elkaar hadden geplant. Dat niet alleen, maar Pantalon Paco moest zo nodig op een donkere, mistroostige avond om middernacht langskomen op weg van de bar naar huis, om ons erop te wijzen hoe hopeloos onze boomplantactie was geweest. Hij bleef eindeloos herhalen waarom, totdat Dan hem de deur uitzette. Paco vertelde met zoveel verbeeldingskracht over ongedierte, ziektes, hoe arm de grond was, het gebrek aan goede verzorging, onze onwetendheid op snoeigebied, de overvolle beplanting, de algehele armzaligheid van onze onderneming, dat we het gevoel kregen dat een trage, pijnlijke dood nog te goed voor ons zou zijn. Het kwam er allemaal op neer dat we een stel regelrechte, onhandige beginnelingen waren.

Op vurig aandringen van Antonio, onze bouwvakker, en tegen al mijn biologische principes in, strooide ik eenmaal blauwe kunstmest rondom de bomen en besproeide ze later eenmaal met iets giftigs om het ongedierte te verdelgen. Zodra Antonio van de bouwgrond was verdwenen, liet ik de bomen aan hun lot over, hetgeen ze helemaal niet erg leken te vinden, ondanks het feit dat ze door onkruid werden overschaduwd.

We maakten onze eigen olijven in, van de vijf volgroeide olijvenbomen die al bij het huis stonden. Dat was geen succes. We hadden aanwijzingen gekregen van een vriendin die het kon weten en zo lief was om een hele dag te helpen met plukken, ze met een steen te splijten en in een plastic emmer te pekelen. Ze instrueerde ons om de pekel de tien daaropvolgende dagen elke dag te verversen en de inhoud van de emmer niet met onze handen of iets van metaal aan te raken. We volgden de aanwijzingen nauwkeurig op en ontdekten aan het eind tot onze teleurstelling dat we een emmer vol schuim hadden. Maar het kan ook zijn dat we haar instructies opvolgden totdat de tien dagen om waren en de olijven toen een poosje vergaten. Bij wijze van gewaagd experiment stopte ik ongeveer een derde in potten met peper, knoflook, citroen, Spaanse pepertjes en kruiden, maar hoe meer ik in potten deed, hoe minder appetijtelijk ze eruitzagen. Tot mijn schande moet ik bekennen dat ik midden in de nacht uit mijn bed ben gekropen en de rest in de compostbak heb gekieperd.

Nu ik echt in Spanje woonde, was een van de onvoorspelbare dingen die me overkwamen dat ik aan de lopende band verliefd werd. Niet op mensen (al had Pedro, de paardenman met die doordringende, geïnteresseerde blik in zijn bruine ogen en zijn kalme doch vurige waardigheid, er onder andere omstandigheden misschien voor gezorgd dat je je zadel afwierp en de helm van je hoofd rukte) maar het hele jaar 2000 door op plekken, bezigheden, bloemen en eten. 'Geweldig' was op dat moment ons stopwoord. Verrukking werd een normale gemoedstoestand, met af en toe een windstilte. Ik besloot dat het twee kanten van dezelfde medaille waren, met tijd als gemene deler. Van een tijdslaaf was ik opeens veranderd in een tijdmiljonair, vrij om te doen waar ik zin in had, wanneer ik maar wilde. Ik kon tot twaalf uur blijven slapen, tot vier uur 's nachts opblijven, zes uur lang gaan winkelen. Ik kon de telefoon en fax laten voor wat ze waren en naar de top van de heuvel wandelen. Of ik kon gewoon wat rommelen en genieten van een ongekende overvloed aan tijd in een weelderige overdaad van verveling en gedreutel. Als je iets gedaan wilt krijgen, dan moet je het vragen aan een drukke vrouw. Het is echt waar. Maar het tegenovergestelde is ook waar. Er gingen dagen voorbij waarop ik soms 's middags nog rondlummelde in een vormeloze kamerjas, me afvragend wat ik als ontbijt zou nemen.

Soms vulde ik die vrije tijd met het knippen van honderden blauwe en witte vierkantjes uit mannenoverhemden die ik in de loop der jaren bij tweedehands winkels had gekocht, om er zalige lichte patchworkdekens van te maken. Dat was tenminste de bedoeling. Maar ook deze kortstondige obsessie duurde niet lang genoeg om een theemuts af te maken, laat staan een royale deken. Maar mocht de patchworkbevlieging weer de kop opsteken, dan heb ik een koffer vol fraaie vierkante lapjes van tien bij tien centimeter.

De passie die in deze periode het langst standhield was koken. Ik had altijd een hekel gehad aan koken omdat ik het associeerde met doodmoe van mijn werk thuiskomen en iets moeten bedenken om twee rammelende pubers te voeren voor wie de Whoppers van Burger King het ultieme op voedselgebied waren. In Londen hoefde ik niet echt te koken omdat ik alles kon kopen wat ik wilde dat door een ander beter was gekookt, dus dat deed ik zo vaak ik het me kon permitteren en regelen. Mijn eigen repertoire bestond uit een aantal zeer eenvoudige gerechten en een flinke dosis vindingrijkheid als er niets te eten was en ik geen energie of geld had om naar de supermarkt te lopen.

Maar in Spanje kun je bepaalde basisingrediënten niet krijgen. Vreemd genoeg is er nergens marmelade te vinden. Dus dat was mijn eerste serieuze experiment waarvoor ik grote hoeveelheden suiker en onze hele kumquatoogst van de gemaltraiteerde bonsai bij de voordeur bij elkaar deed, en in paniek raakte van zachte balletjes en aangebrande pannen.

Ik was behoorlijk tevreden met het resultaat: één peperduur potje boordevol kumquat, en gesterkt door het succes kocht ik grote hoeveelheden sinaasappelen uit Sevilla die je voor een paar cent per kratje langs de kant van de weg kon krijgen. Dit was een typisch voorbeeld van zelfoverschatting, en er volgde een bloedstollend drama met een zwartgeblakerde pan en schuimende, overkokende marmelade in hoeveelheden voor een weeshuis. In mijn beleving gaf die bittere bijsmaak van aangebrande karamel net dat beetje extra en ik was er trots op, ondanks de onheilspellend donkere kleur, en niet afgeschrikt door Dans opmerking: 'Gek eigenlijk,' zei hij, leunend in zijn stoel en met een spijtige blik op zijn geroosterde boterham, 'dat als je bergen zelfgemaakt spul hebt, het lang niet zo lekker is als iets wat je koopt.'

Inmiddels weet ik wat het geheim is: je moet maat houden. De fout die ik aanvankelijk maakte was dat ik Dan afschrikte met overvloed. Je moet ingemaakte dingen verstoppen voor jezelf en je geliefde, zodat het als een geweldige verrassing komt als je een verdwaalde pot pruimenjam of ingemaakte komkommer vindt.

Er kwam een eind aan mijn diëten met het verjaardagscadeau dat ik van Dan kreeg. Hij kocht *Hoe word ik een goddelijke huisvrouw?* van Nigella Lawson voor me, omdat ik vind dat ze geweldig schrijft en had gezegd dat haar boeken het beste vrouwelijke gezelschap zijn in een vrouwarme omgeving. Als ik word omstuwd door kerels die het over voetbal en de deugden van Photoshop hebben, lees ik haar kookboeken en kijk ik naar films met Julia Roberts en Nora Ephron. Ik heb zelfs twee cd's gekocht, *Woman 1* en *2* geheten, en meegezongen met het trieste clubje, overlopend van weemoed en herkenning. Maar op een vreemde, perverse manier vond ik het lekker om bedroefd te zijn. Een vriendschap opbouwen met een vrouw is een veel delicater aangelegenheid dan met een man, waarschijnlijk sowieso omdat mannen van een andere planeet komen. Het was en is een luxe om zusjes, nichtjes en vriendinnen te missen, met terugwerkende kracht te genieten van hun gezelschap en tijd te hebben om uit te kijken naar hun volgende bezoek; daar was in Londen nooit tijd voor.

Het was niet echt de bedoeling om te gaan koken, alleen maar om te genieten van de luchtige humor van Nigella en een beetje te kwijlen over virtuele *cheesecake*. Maar omdat ze telkens benadrukte dat het allemaal heel gemakkelijk was, begon ik op de een of andere verraderlijke manier te denken dat ik gewoon iets heel gemakkelijks uit het boek kon proberen. Een doorbraak met drie limoentaarten, vier wagonladingen brownies, een blik vol koffie-walnotenkoekjes, een plakkerige citroentaart, een aardbeiencake, een pruimen-kruimeltaart met onze eigen pruimen en wat smalend gebakken, en gulzig opgeschrokte muffins met Snickers en pindakaas verder moest ik toegeven dat het een obsessie was geworden.

'Mam, je bent net een echte moeder,' zei Spigs vol ontzag na de zoveelste uitgebreide thee. Dik, bedoelde hij natuurlijk.

Dan is altijd goed geweest in brood. Eén keer, één keertje maar, werd ik wakker van de geur van versgebakken brood toen we in een enorm, nogal eng huis op het eiland Jura logeerden om een artikel te schrijven over een tuin. Hij was op zijn tenen naar beneden geslopen en had het gebakken terwijl ik nog lag te slapen. Het was geen brood maar manna, en in een vreetaanval werkten we het helemaal naar binnen, nog warm, met een half pond boter. In Spanje kunnen we bij de bakker *barras* wit brood krijgen die nog geen uur lekker blijven, waarna het al oude dakbalken zijn geworden. Maar af en toe wil je eens wat anders. Dus maakte Dan ciabatta, en toen nog eentje met zwarte olijven. En hij ging samen met Spigs pizza's bakken. Over het algemeen zie ik de lol van pizza niet in, maar deze waren ongelofelijk: royaal, lekker en smakelijk en enorm dikbelegd. Vervolgens waagde hij zich aan pesto, en dat werd zijn specialiteit: hij gebruikte verschillende soorten kaas, wilde rucola in plaats van basilicum als het daar het seizoen voor was en uitbundig langs het pad groeide en amandelen en pistachenoten in plaats van pijnboompitten. Ze waren allemaal heerlijk. Het was ook zo zalig om handenvol basilicum te strooien over alles wat we aten; basilicum en kerstomaatjes groeiden zonder onze hulp en iedere keer dat ik ze gebruikte, huiverde ik van genot.

Spigs had altijd al fantastisch kunnen koken en toen hij eind 1999 bij ons logeerde, hadden we net een spiksplinternieuwe keuken waar alles het deed. Zijn nieuwe, verbeterde milde Thaise curry's (waarin je papillen niet bij de eerste hap dodelijk worden verschroeid door pepertjes) waren fantastisch, vooral als je ze op het westelijke terras at met op de achtergrond krekelgeluiden, terwijl de scharlaken zon achter verre stroken vage lavendelblauwe heuvels verdween.

Behalve gewaagde gerechten bracht Spigs ook altijd een verfrissende storm van stevige discussies en energie met zich mee die ons, piepend van verontwaardiging, uit onze vadsige apathie joeg. Wat hij ook doet, hij doet het vol overtuiging. Als je de zitkamer in liep, dan zag je hem, bruin en behaard, push-ups doen vanaf een stoel zodat ze extra veel effect hadden, honderden op een dag. Of hij stond in de keuken driftig steranijs, citroengras en galangawortel kapot te meppen. Of je zag hem in de brandende zon met de honden om de heuvel heen *rennen*; zij lagen dan de rest van de dag uitgeput op de grond terwijl hij gewoon het zweet uit zijn blauwe ogen veegde en naar mevrouw Paco fietste om serranoham te halen. Misschien schrok ze wel even dat hij zelf zijn haar had gemillimeterd, met de tondeuse op de kortste stand.

We ontdekten het magnetronboek van Barbara Kafka en experimenteerden met het maken van onze eigen kokosmelk, bedoeld als boterzachte lichtzoete saus voor bij Spigs' Thaise varkensvlees. Het was nogal lastig te maken, nam heel veel tijd in beslag en werd toen door Kiko verduisterd en opgedronken. We vonden een Indiase winkel waar we naanbrood kochten en geweldige chutney's, en bedachten ondertussen dat we die ook zelf konden maken met de mango's en papaja's die aan de kust groeien. Er is een enorme hoeveelheid exotische Spaanse groente en fruit; pastinaak en Cox' Orange waren de weinige dingen die ik miste, al maken de plaatselijk verbouwde chemoya's, mango's en nispero's het gemis meer dan goed.

Dit soort onnozele, overbodige gerechten (jam, chutney en dingen waar je dik van wordt) was leuk. We raakten zelfs zozeer op dreef dat we een tijdje overwogen om zelf een restaurant te openen. Gelukkig zegevierde het gezonde verstand, maar voor mij was het alsof ik als vierjarige werd losgelaten in een klei- en vingerverfparadijs.

Ook Dan genoot ervan om terug te keren naar de drukke, onzinnige en vooral tijdloze bezigheden uit de kindertijd. Hij heeft altijd iets gehad met stenen en het resultaat was een hele reeks stapelmuurtjes; hij omheinde groenteperken, jonge boompjes en verborgen stenen bankjes in hun eigen kleine ommuurde microklimaat. Dankzij zijn inspanningen hebben we nu allerlei geheime plekjes waar je, al dan niet in je eentje, met een glas gin-tonic op een handige platte steen naar de zonsondergang kunt zitten kijken.

Hij maakte ook een groot, puntig standbeeld van stucgips op een staketsel van ijzerdraad, als een gekke yucca, en heeft plannen om onze weerspannige klei om te vormen tot geglazuurde tegels en potten. Zandtaartjes bakken, spelen: dat gingen we doen toen 1999 overging in 2000. We hadden allebei het gevoel dat we in een behoefte voorzagen die we veel te lang hadden onderdrukt.

Spigs' bijzonder ingewikkelde lasagne

voor acht personen

korianderblad, droog gebakken en toegevoegd aan zelfgemaakt pastadeeg gemaakt van 225 g bloem
5 eetlepels olijfolie
4 aubergines, in reepjes gesneden
6 courgettes, in reepjes gesneden
6 pili-pili of kleine rode pepertjes, heel
2 rode paprika's, fijngesneden
2 uien, gesnipperd
1 bol knoflook, gepeld en fijngehakt
2 theelepels komijnzaad
8 tomaten, fijngehakt
tomatenpuree

zout en peper
1 eetlepel boter
1 theelepel garam masala
1 theelepel korianderzaad, gekneusd
1 eetlepel gezeefde bloem
9 dl melk
225 g kaas: geraspte Parmezaanse en cheddar, plus verkruimelde blauwe kaas
gehakte verse kruiden: tijm, peterselie, koriander

Maak het pastadeeg en verwerk de koriander erin. Rol het uit en hang het over een stoel om een beetje te drogen.

Bak de aubergine- en de courgettereepjes met de pili-pili in de olie tot ze lichtbruin en gaar zijn. Schep ze uit de pan, verwijder de pili-pili en zet opzij.

Bak de paprikastukjes tot de olie begint te kleuren, voeg dan ui en knoflook toe en bak die tot ze glazig en goudbruin zijn. Voeg het komijnzaad toe en laat het meebakken tot het begint te geuren. Voeg de tomaten en een flinke schep tomatenpuree toe, breng op smaak met zout en peper en kook de massa tot hij een gelijkmatige, sausachtige consistentie heeft.

Smelt de boter voor de bechamelsaus en bak de garam masala en de gekneusde korianderzaadjes tot ze beginnen te geuren. Voeg al roerend de bloem toe en vervolgens, druppel voor druppel, de melk. Breng op smaak met zout en peper. Voeg de kaas toe als de saus dik en gaar is (maar bewaar iets om de bovenkant te bestrooien) en roer de saus ongeveer een minuut goed door.

Leg afwisselend laagjes van het aubergine-courgettemengsel, tomatensaus, pasta en bechamelsaus in een diepe ovenschaal. Strooi verse kruiden tussen de laagjes en eindig met een laag bechamelsaus. Bestrooi de bovenkant met de rest van de kaas.

Bak de lasagne 30-45 minuten in een hete oven op 200°C tot de bovenkant bruin is. Laat hem voor het opdienen tien minuten staan.

2000

LIEFDESNESTJE

Mijn nieuw verworven innerlijke rust was echter nog toekomstmuziek. Tegen de tijd dat het nieuwe jaar aanbrak, was ik weer terug in Spanje. Ondanks alle goede voornemens voor mijn Nieuwe Leven voelde ik me verdoofd en kwetsbaar, en ik kon een korte, eenzame depressie niet onderdrukken. Het weer werkte ook niet echt mee. Dan en ik hadden nu weliswaar de noordkant van het huis tot onze beschikking, al stond het er vol met een levensgevaarlijke overdaad aan meubels en dozen, maar verder was er alleen maar modder en troep. Je hoefde maar een willekeurige deur uit te stappen en je zakte tot je enkels weg in de zuigende modder. De ijskoude wind uit de Sierra Nevada kroop door deuren en ramen, en als het regende, wat vaak het geval was en nog hevig ook, dan drong het water in een wijde boog door de kieren in deuren en ramen het huis binnen, waarbij kussens, gordijnen, planken en boeken doorweekt raakten. De honden maakten al dit ongerief compleet door modder van buiten mee naar binnen te nemen en achter te laten op de banken, inclusief een doordringende natte-hondenlucht. Onze dagen begonnen in het donker als de arme bouwvakkers kwamen, die moeizaam door de smurrie ploeterden terwijl ze bezig waren met aan de zuidkant van het huis de funderingen van de keuken, woonkamer en twee slaapkamers te leggen.

Een van mijn ex-collega's, die geschokt was door mijn plotselinge ontslag, had een opdracht aan mij doorgespeeld. Onder deze omstandigheden was het nogal ironisch. Als een bedelaar uit een boek van Dickens, ingepakt in sjaals, handschoenen zonder vingers, een wollen muts, dikke gebreide sokken en onflatteus slobberend thermisch ondergoed dat ik van Dan had gejat, zat ik in onze vochtige, pas gestuukte slaapkamer, de enige kamer waar ruimte was, aan mijn bureau een boek te schrijven over open haarden. Over de pornografie van open haarden om precies te zijn. Stijf van de kou zat ik hartstochtelijk te schrijven over vuur, vlammen, warmte, houtblokken en kool, en brandde zo de hele maand januari en februari van een onverzadigbaar verlangen naar het onderwerp waar ik over schreef. In de slaapkamer was geen enkele warmtebron, behalve dan een kwaadaardig ventilatorkacheltje dat een heel klein zuchtje lauwwarme lucht uitblies, waarna de elektriciteit uitviel en ik alles wat ik op dat moment niet in de computer had opgeslagen kwijt was.

Er waren momenten dat Engeland een heerlijk georganiseerd land leek. Toen de deadline dichtbij kwam en de bouwvakkers een paar bruikbare kamers in het zuidelijke deel van het huis hadden opgeleverd besloten we daarnaartoe te verhuizen, zodat we konden profiteren van het zonlicht dat er af en toe binnenviel en de extra warmte. Ik prikte een dag waarop ik onafgebroken zou doorwerken, opgesloten in een van de nieuwe slaapkamers. Eerst zou ik naar Villanueva gaan om de post te halen en het cement om de kieren van de houtkachel mee te dichten. En dan zou ik mezelf gewoon in mijn kamer opsluiten om te werken. Toen ik mijn klusjes had geklaard stelde Dan voor om het vuilnis en de lege flessen weg te brengen en daarna bij mevrouw Paco een paar nieuwe gasflessen te halen. Verbazingwekkend hoeveel tijd dit soort onbeduidende maar broodnodige karweitjes kosten. Maar goed, toen we dat allemaal hadden gedaan, waren we toch heel tevreden. Ik nam een kop koffie mee, installeerde me met een straalkachel in mijn tijdelijke werkkamer en deed de deur dicht; mijn hoofd was één grote tijdbom omdat er met alle geweld een alinea uit wilde. Ik sloot mijn computer aan, waarop er in het hele huis kortsluiting ontstond.

Dit was de tweede dag dat de elektriciteit het liet afweten. Gisteren hadden we zo'n acht uur bij het schijnsel van kaarsen en paraffinelampen gezeten, maar toen had het geregend, gewaaid en gehageld, dus was het niet echt als een verrassing gekomen. Paco Eléctrico, die de volgende ochtend kwam kijken, kon echter niet ontdekken waarom we nu in het donker zaten en dacht dat onze ellende te maken had met problemen in Almogia.

Dan stelde voor om terug te gaan naar het leegstaande huis op het noorden, waar de elektriciteit het nog steeds leek te doen. Spigs en ik waren een uur of twee bezig met stofzuigen en opruimen, terwijl Dan de noodelektriciteit voor de koelkast in het huis op het zuiden aankreeg door elektriciteitskabels op elkaar aan te sluiten, een operatie die het huis op het noorden ontdeed van al zijn verlengsnoeren en daarmee van de meeste lampen. Bij de verhuizing kwam een hele hoop kijken: open haarden aansteken, meubels verschuiven en twee stopcontacten aanpassen voor Engelse stekkers, waarvan Dan er een afsloot omdat hij dacht dat hij niet veilig was. Nu liepen er over de heuvel kabels voor Dans computer en de koelkast in het andere huis, was het huis op het noorden in een onheilspellende duisternis gedompeld maar had wél twee warmtebronnen, en ging ik voor het laatst op strooptocht naar de andere kant, waarbij ik mijn laptop en stroomonderbreker, Sony walkman en wat cassettebandjes buitmaakte. Eindelijk kon ik aan het werk, geïrriteerd omdat het al vier uur was en ik nog geen seconde achter de computer had kunnen zitten. Ik was vergeten wat ik zo vreselijk graag had willen opschrijven en raakte zo gefrustreerd dat ik een hele zak chocoladepinda's opat en me dik en misselijk voelde. Hoopvol stak ik de stekker in het stopcontact en... boem. Een smerige, scherpe lucht en onheilspellende rookpluimpjes kwamen uit de stekker van het verlengsnoer. Was dat het? Was de stroomonderbreker van nog geen zestien pond, waarvan de computerzaak had gezegd dat hij onmisbaar was, de bron van onze ellende? Wie zal het zeggen? Ik haalde hem uit elkaar en zag iets wat nog het meeste leek op een rijtje zwartverbrande, gedroogde bonen. En zo waren we een multicontactdoos armer.

Normaal gesproken ontstak Dan iedere avond een enorme vlammenzee in de open haard in de woonkamer en als mijn dagelijkse schrijfwerkzaamheden erop zaten was het heerlijk om de slaapkamerdeur achter me dicht te trekken (nadat ik onze stokoude, levensgevaarlijke elektrische deken had aangezet) en in de woonkamer te ontdooien, omringd door de hijgende honden die aan mijn gezicht likten, terwijl Dan het eten klaarmaakte. Ik moet toegeven dat de beestenlucht niet alleen van de honden kwam. Die winter was de badkamer het ergst van alles: omdat hij op het noorden lag was het er altijd vochtig en muf; hij zat onder de houtworm, had geen verwarming en geen bad. Onvoorstelbaar dat ik ooit heb gedacht dat we geen bad nodig hadden, terwijl ik donders goed weet dat alle leed kan worden verzacht door weg te zinken in een warm bad met bubbels. Ik douchte zo kort mogelijk en met enorme tegenzin.

Hoewel ze aanvankelijk wat vijandig waren geweest en elkaar naar de keel waren gevlogen, waren Minnie en Oscar nu smoorverliefd op elkaar. Ze renden en ravotten urenlang rondom onze minuscule olijfboompjes, hij mannelijk grommend, zij brutaal en plagerig bijtend in zijn wangen. Oscars kop kwam onder de korstjes te zitten, maar omdat hij brandde van hartstocht leek het hem niets te kunnen schelen, en wij dachten dat hun geluk compleet zou zijn als we Minnie één nest puppy's lieten krijgen. We waren gewaarschuwd dat boxers veel jongen krijgen, maar in onze onwetendheid deden we dit af als bakerpraatjes. Achteraf moet ik toegeven dat je in het geval van hondennesten juist wel naar bakers moet luisteren. Maar helaas bleek Oscars voorkeur voor mannetjes, in het bijzonder katers, een probleem. Hij was dol op Minnie, maar als het op seks aankwam ging hij voor katten. Als Minnie op stoom begon te raken, werd Oscar gek van opwinding en probeerde hij vol hartstocht en volharding met Kiko te paren. Minnies liefde voor ruige types stak altijd weer de kop op en dan ging ze ervandoor met alles wat vier poten had en blafte.

In Spanje heb je voornamelijk twee soorten honden. De donkerbruine Flokati en de karamelbruine Anubis. De dreadlocks van de Flokati klitten samen door allerlei soorten mest en hier en daar een dode kikker. Het beest keek je goedig, bijna smekend aan vanonder zijn doffe, troebele, bruine ogen, maar als je met een stukje zwoerd op hem af liep, dan trakteerde hij je op een beet. De Flokati lag in iedere tuin vastgeketend onder een berg hout, en hij vergat telkens hoe lang zijn ketting was. Als mens was je natuurlijk veel slimmer en kon je de juiste lengte inschatten en tot vlak buiten zijn bereik komen. Dan zette de hond de honderd meter in, maar werd al na tien meter gekeeld. Als hij je eenmaal een keer had gebeten, kwam er altijd een overwinningslachje om zijn lippen zodra hij je zag.

Anubis was over het algemeen veel gehaaider. Dit was een grote jongen met spitse oren en een heldere blik die voortdurend de horizon afspeurde naar actie, en hij had wel wat beters te doen dan jou bijten. Hij was continu in de weer, keurde de hondenvariant van een witte BMW hier, een kameelharen jas daar, en trok op met in de steek gelaten Husky's (verrassend veel): klein, fel en van het vuilnisbakkenras, de schoffies onder de honden. Van Anubis sloeg Minnies hart op hol.

Zowel Oscar als Minnie voelde zich belabberd en verward. Omdat hij haar met zijn onbekwaamheid en perverse gedrag teleur had gesteld, blafte zij hem af. Hij was beledigd en zat te janken, als hij tenminste niet achter Kiko aan zat. Zij viel voor de vieze honden uit het dorp, maar zelfs een goede beurt had niet het magische effect dat dronken voetbalsupporters als vanzelfsprekend beschouwen; integendeel, Minnie werd humeurig, zenuwachtig en een achterbakse spelbreekster.

Mijn theorie was dat teefjes een nest puppy's konden krijgen van verschillende vaders, en terwijl er zich dagelijks een rijtje tuig voor ons huis opstelde, tuig dat in tegenstelling tot Oscar precies wist wat er van ze verwacht werd, hoopte ik stiekem dat het Oscar misschien ook een keer gelukt was. Volgens de bouwvakkers, die zeer geïnteresseerd waren in mannenzaken, moesten zuivere rashonden een handje worden geholpen. Als er hondenporno had bestaan, dan hadden we die zeker aan Oscar gegeven, maar fysieke handelingen verrichten om de boel te stimuleren? Dat nooit. Het zou trouwens een grove en respectloze inbreuk op zijn privacy zijn geweest.

Zodra Minnie zwanger was, vervielen Oscar en zij weer in hun vroegere, liefdevolle routine, al denk ik dat Minnie sindsdien wat schamperder tegen hem doet dan vroeger.

Ik had tegen Spigs en Leo gezegd dat ze langs konden komen wanneer ze maar wilden, en ik was heel blij toen Spigs een paar weken later aankondigde dat hij in april een paar dagen vrij had en een vlucht naar Spanje had geboekt. Er waren alleen twee probleempjes.

'Mam, ik heb een vlucht naar Spanje geboekt,' zei hij tegen mij. 'Het is het goedkoopste om naar Alicante te vliegen. Ik kom vrijdag om twaalf uur 's nachts aan, en op zondag om twaalf uur 's nachts vlieg ik weer terug. Ik zie jullie wel op het vliegveld.'

Dit was een goede gelegenheid voor Dan om weer eens te kijken hoe het met het poppetje aan het plafond ging. Dus in plaats van tegen Spigs te zeggen dat hij de boom in kon (Alicante ligt twaalf uur rijden verderop) kocht ik een belachelijk duur ticket naar Málaga voor hem, onder nauwelijks hoorbaar protest, omdat ik anders weer een uitbrander van Dan zou krijgen.

Het andere probleem was dat Spigs uitgerekend in precies

dezelfde week wilde langskomen als Jocasta en haar man, een architect, die wilden bijkomen van het harde werken. In die tijd runde Spigs een van Jocasta's Paint Magic-winkels, en ze waren het nergens over eens. Spigs stond zelfs voortdurend klaar met kritiek op wat hij beschouwde als haar zakelijke tekortkomingen, en ik merkte dat zij hem een vreselijk irritant ventje vond. Ze hadden altijd ruzie; ik verwachtte dan ook dat er heel wat kernbommen zouden ontploffen, en dan zou ik midden in de radioactieve neerslag zitten.

Maar in werkelijkheid vond er een aandoenlijke verzoening plaats. Hoewel ze allebei een uitgesproken mening hebben en heel koppig zijn, zijn ze er ook van overtuigd dat de familieband sterker is dan welke band ook, en het werd al snel duidelijk dat Spigs' agressieve houding maar schijn was. Jocasta was onder de indruk van zijn schilderijen, die origineel en krachtig zijn, bijna explosief zelfs, en ze gaf hem een paar goede tips om zijn werk geëxposeerd te krijgen toen hij ze moedig aan haar liet zien.

'Deze gaat over seks, zoals je aan de twee verstrengelde figuren kunt zien. Deze gaat over de vrouwen van wie ik hield en die in 1997 doodgingen, toen ik bijna gek werd.' Het tweede schilderij is enorm, groter dan een deur, en er staan drie figuren op: Spigs' stiefmoeder Jessie, die veel te jong overleed aan kanker en die hem coachte en stimuleerde, mijn moeder Eileen en een vriendinnetje dat zelfmoord had gepleegd. In 1997 waren zijn kracht en moed tot het uiterste op de proef gesteld; zelfmoord, ongelukken en ziekte hadden hun tol geëist. Het was ongelofelijk: net als hij weer een beetje overeind begon te krabbelen na de dood van de een, werd hij uit het lood geslagen door de dood van een ander.

Tijdens Spigs' *annus horribilis* was Dan fantastisch geweest. Hij was sterk genoeg om tegenwicht te bieden aan Spigs' woede en agressie, verstandig genoeg om het niet persoonlijk op te vatten en grootmoedig genoeg om hem uit te laten razen. 'Ik ben pisnijdig,' zei Spigs vaak als hij weer tekeerging. Hij had met iedereen ruzie, met Leo zelfs een keer slaande ruzie. Ik denk dat het vooruitzicht van ons nieuwe huis in Spanje mee heeft geholpen, maar zijn genezingsproces is voor het grootste deel bepaald door zijn schilderen. Nu reageerde Jocasta enthousiast op de kracht en gerichte intensiteit van die grote doeken met hun felle kleuren. Achteraf gezien had er niets beters kunnen gebeuren dan dat Spigs tijdens het bezoek van Jocasta en Richard ons leven kwam binnenstormen.

Ze kwamen vier maanden nadat UK Removals de laatste meubels uit Highbury zeer efficiënt had afgeleverd, en wij de dozen uiterst inefficiënt in de keuken hadden opgestapeld. Er was een nauwe doorgang naar de deur en je kon alleen maar staan rondom de tafel en bij het aanrecht. Jocasta is dol op uitdagingen, dus onze laksheid van vier maanden was in één dag weggewerkt. Ze vond voor alles een plekje en moedigde ons aan om een schijn van orde te wekken.

Het leek wel Kerstmis: we hadden zo lang gewacht dat het buitengewoon spannend was om al mijn bullen uit te pakken. Ik voelde een golf van blijdschap opkomen omdat het huis plotseling vol stond met herinneringen aan vrienden en familie, een aangenaam koor van stemmen om mij heen. De borden vielen me het eerst op, de felgekleurde, handbeschilderde borden die ik de afgelopen jaren van Hester had gekregen en die nu, opgestapeld tot een kakelbonte toren, bewezen dat dit thuis was.

Andere cadeaus hadden weer andere stemmen. Leo's goudgeëmailleerde doosje met een vis op het deksel riep ochtendmijmeringen op, evenals het groene kistje dat ik van Spigs had gekregen. Jocasta's gigantische, Victoriaanse waskom met zijn sierrand van gele rozen, was helemaal op zijn plaats in het huis en zag er met zijn vracht cherimoya's en mango's, papaja's en kiwi's prachtig uit, tot de noodlottige dag dat hij van een stoel viel en in stukken brak. Hij was nog te lijmen, maar zal nooit meer zo opvallend mooi zijn als vroeger. De borden van Eric Ravilious waren echter niet op hun plaats. Er staat een Bloomsbury-achtige vrouw op, type Virginia Woolf, die in een ligstoel onder een boom een boek ligt te lezen met iets wat op een winkelwagentje lijkt binnen handbereik, allemaal in geel en grijs. Heel Engels.

Nadat we op ieder horizontaal vlak leuke spulletjes hadden uitgestald, besloten we een feestje te geven en nodigden we Chris en Barbara uit voor de lunch. De zon scheen, de lucht was blauw en het was lekker warm. Hoewel er aan de horizon nog sneeuw glinsterde op de Sierra Nevada, was het op deze aprildag al aangenaam genoeg om in korte mouwen te lopen. Op aandringen van Jocasta, voor wie het de normaalste zaak van de wereld is, besloten we buiten te eten. Minnie waggelde lusteloos tussen onze benen door, zo rond en hard als een bruine watermeloen op pootjes, niet in staat om adem te halen of te eten vanwege de puppy's die ieder moment geboren konden worden en vanwege de warmte, en als het te zwaar werd om rechtop te blijven staan, kukelde ze om. Oscar lummelde wat rond en liep voortdurend in de weg.

Jocasta en ik zeulden de ronde blauwe tafel naar het terras op het westen en zetten er een ratjetoe aan stoelen omheen. Onder druk van Jocasta had Dan mokkend de pastamachine uit zijn maagdelijke doos gehaald en stond te rommelen met eieren en bloem; hij vroeg om de haverklap wat waar stond. Hij werd gehinderd door een schemerduister dat het gevolg was van een culinaire opleving van Richard. Die had besloten om wat te experimenteren met gebakken aubergines, waarbij het huis blauw stond van een dikke, verstikkende rook. Bovendien had hij op de tafel en de twee aanrechtbladen een slordige verzameling messen, snijplanken, kommen water, schoteltjes zout, bloem, stelen en stronken uitgestald.

Jocasta bracht een blad met glazen, borden en bestek naar buiten en ik speelde met het gevaarlijke maar in mijn ogen feestelijke idee om een recept voor Pimm's uit te proberen dat ik in het blad *Week* had zien staan en dat 'Drink mij!' schreeuwde. Ach, waarom ook niet? Het was een prachtige dag. Chris en Barbara konden ieder moment komen, we hadden voor die middag geen plannen en langs de weg groeide een blauwe bos wilde borage. Ik pakte de welgevormde, wulpse glazen karaf die ik van Hester had gekregen en schonk er al morsend twee maten gin en rode vermout in, en één maat oranje Curaçao. Ik vulde de karaf voor de helft met spuitwater en voor de andere helft met citroenlimonade, gooide er wat partjes sinaasappel en citroen in, een paar plakjes komkommer en twee sprietjes harige borage. Met veel lawaai rukte ik een stel onwillige ijsblokjes van hun plek, vastgevroren in de vriezer, roerde de boel nog eens om en schonk voor iedereen een flink glas in.

Spigs viel vanuit de tuin binnen met een arm vol basilicum en wat wilde rucola die hij had gevonden. Toen begon hij, als het brave jongetje dat hij soms is, Parmezaanse kaas te raspen en knoflook te pellen om pesto te maken.

Inmiddels was Dan erin geslaagd de eieren en de bloem te overmeesteren en kon wel wat hulp gebruiken bij het vouwen en rollen van de pasta. De stukken deeg werden glanzend platgeperst door de gladstalen rollers, die ze steeds langer, steeds dunner maakten tot je er de nerven van het tafelblad doorheen kon zien. Tot slot sneden we het deeg in gekartelde stroken, die we over het houten wasrek aan het plafond te drogen hingen. Pas na een tijdje viel het ons op dat Oscar met de elegantie van een biervat omhoogsprong om de pastaslierten van de lijn af te slaan.

Alles bij elkaar maakten de intense, prikkelende geur van de basilicum, het gesmolten goud van de olijfolie op de vensterbank en de koele, marmeren gladheid van de pasta er een zinnenstrelend feest van voordat we ook maar een hap hadden gegeten. Omdat we een lichte trek voelden opkomen, maakte Dan een pot olijven open die ik het jaar daarvoor met Kerstmis had ingemaakt en die ik sindsdien met argwaan had bekeken. Ik was geenszins van plan om ze op te eten, ondanks de pepertjes en knoflook, peperkorrels, tijm en venkel. Ik mompelde zachtjes: 'botulisme'. Ik kon me het onappetijtelijke schuim in de pekelemmer maar al te goed herinneren. Maar vreemd genoeg nam mijn zelfvertrouwen toe naarmate de karaf met Pimm's leger werd. De olijven zagen eruit als een artistiekerig stilleven uit een dure meubelcatalogus, en ze smaakten heerlijk. Groen, paars, kastanjebruin, de kleuren van een verschoten tapijt, bespikkeld met kruiden en knoflook: ze vormden een volmaakte mix van zoet en bitter, pittig en mild – er was heel wat gaande in die olijvenpot.

Toen de Pimm's op was, kwamen Chris en Barbara aan met een boodschappennetje vol goede Rioja en *manchego curado*, de prijzige *viejo*. Ik maakte nog een karaf Pimm's en we haalden de kaas uit het papier, sneden er gedachteloos minstens een kwart van af en genoten van de zoutige prikkeling, die erop duidde dat hij goed gerijpt was, voordat hij zijn plek op de tafel in de zon vond. Waar we hem onmiddellijk vanaf moesten halen omdat we nog net nuchter genoeg waren om te zien dat Kiko onopvallend in Minnies schaduw het moment lag af te wachten waarop hij de tafel kon overvallen. Het zou niet zo erg zijn als hij alleen dat verdomde eten had opgegeten, maar hij vond het ook nog leuk om een zo groot mogelijk oppervlak overhoop te halen, waarbij hij onhygiënisch op een bord, snijplank of in een slakom zat.

We stapelden Richards krokante, zwartgeblakerde aubergines op een felgele Marokkaanse schaal en brachten ze mee naar buiten, samen met een kommetje gewijde honing – Spaanse stroop uit een pot met een fraaigeklede en gekroonde maagd op het etiket.

Tijdens deze chaotische lunch werden we steeds kleveriger; er hingen druppels honing aan onze kin en onze vingers plakten aan elkaar vast.

Ik bedacht ineens dat ik wat hummus had gemaakt. Ik pakte hem uit de koelkast en bestrooide hem met een groen laagje koriander, een wolkje paprikapoeder en maakte hem nog wat zachter met een scheutje goudkleurige extra vergine olijfolie.

Dan maalde de pesto met de stamper fijn in de vijzel, er stond een enorme pan water te koken voor de pasta en eindelijk was het moment aangebroken waarop we konden gaan zitten en van het leven konden genieten.

'Het is begonnen!' We verstijfden. Minnies eerste puppy kwam tevoorschijn. Ze had het nest van dekens dat we voor haar hadden gemaakt in de koelte van de woonkamer, links laten liggen en baarde haar kinderen onder de blauwe tafel waar de lunch stond uitgestald. Vreemd genoeg had opeens niemand trek meer.

De zeven uur daarna waren opwindend en angstaanjagend. Wist ze wel wat ze moest doen? Wisten de puppy's wel wat ze moesten doen? Zou ze er niet per ongeluk op gaan zitten? Moesten we haar helpen? Hoe wisten we wanneer het afgelopen was? Moesten wij iets doen? Maar als er een puppy was geboren in het omhulsel van zijn vruchtvlies, likte Minnie hem voorzichtig schoon en deed instinctief alles wat ze moest doen. Ze had het nog nooit eerder gedaan, had het waarschijnlijk nog nooit eerder gezien, maar ze wist precies waar ze moest bijten, waar ze moest likken, hoe ze moest zitten zodat haar piepkleine puppy's bij haar melk konden, en hoe teder ze moest zijn. Tot mijn schande moet ik bekennen dat ik die hele puppygeboorte walgelijk vond en toen ik had vastgesteld dat er voldoende uitermate geschikte toeschouwers waren, sloop ik weg.

Uiteindelijk kreeg Minnie elf puppy's, voornamelijk bruin en niet echt spectaculair, met een paar witgevlekte ertussen. Vanaf het moment dat ze begonnen te ademen, waren de witte speelser, groter en over het algemeen mooier dan de bruine mannetjes. De witte werden op de voet gevolgd door de bruine vrouwtjes; ze ontdekten sneller vluchtwegen, vonden sneller eten en konden eerder springen. Er waren dus minimaal twee vaders. Toen de bruine puppy's nog klein waren, waren hun snoeten in elkaar gedrukt, dus maakte ik mezelf wijs dat Oscar van een of twee de vader was.

Het terras op het westen stond volledig in het teken van het puppynest, maar op het oostelijk gelegen terras was intussen een kalkoen geland. Terwijl ik in de keuken stond te kokhalzen, reed er een grote, zilverkleurige Volvo het pad op, waar Giorgio, onze Italiaanse buurman, uit sprong, zwaaiend met een vuile, bijna-volwassen kalkoen. Hij drukte hem in de armen van een onwillige Dan, sprong weer in zijn auto en ronkte weg.

''IJ ies voor julie, maar daar staat tekenover dat julie mai moeten uitnodieken om 'em op te komen eten.' Hij beweerde dat de kalkoen niet overweg kon met zijn kippen, maar zei ook dat hij de volgende kerst zo zwaar zou zijn dat hij onder zijn eigen gewicht zou bezwijken. Die gedachte alleen al was afstotelijk, maar het beest leek ook nog te zijn vetgemest met de restjes van het voedsel van normale dieren. Hij had een bos overwegend witachtige veren, die hier en daar uit zijn roze bulterige huid staken. Zijn poten waren van loodgietersmateriaal en zijn kop zat vol walgelijke, opgezwollen paarsroze uitsteeksels en aanhangsels. Richard was meteen dol op hem.

Tijdens de eerste vijf uur van zijn korte verblijf bij ons maakte hij kalkoengeluiden en liep hij ons in de weg. Richard liep hem achterna, maakte geruststellende klokkende geluidjes en beschermde hem tegen Kiko, Oscar en mij. Verder was er niemand geïnteresseerd in de ongenode kalkoen, maar Richard vatte een mysterieuze hartstocht voor hem op en werd onrustig zodra hij niet meer te zien was, waarop hij een zoektocht organiseerde. Alleen om hem een plezier te doen deed ik net alsof ik geïnteresseerd was en liep ik met hem mee, totdat hij zei: 'Ik heb een perfect nest voor de kalkoen gevonden; een plekje waar hij veilig en tevreden is.'

Toen was het Richard die voor zijn leven moest vrezen, want

ik ontdekte dat hij in de mand met mijn handgeknoopte, handgeverfde sjaals uit Achmedabad een nest voor de kalkoen had gemaakt. Hij had gelijk: de kalkoen zag er erg tevreden uit en had zich lekker in onbetaalbare omslagdoeken en geborduurde sjaals genesteld. Maar niet lang. Tjonge, wat leerde die kalkoen snel vliegen. Toegegeven, ik zette hem beleefd buiten de deur, verontschuldigde me binnensmonds en vroeg me af of hij luizen had.

De kalkoen bleef net lang genoeg om wat vlekkerige uitwerpselen naast de stofnesten en hondenbrokken op de keukenvloer te deponeren en ging er toen vandoor. De avond voor zijn onbetreurde verdwijning ging de telefoon. Dan nam op en tot zijn stomme verbazing hoorde hij aan de andere kant van de lijn een kleine aubade van klokkende geluiden. Het was Richard die zijn nieuwe vriend wilde spreken.

Wat de puppy's betreft nam Minnie alle verantwoordelijkheid op zich voor het voeden en wassen. Tien dagen lang was ze een modelhond. Ze had een bonte verzameling spenen, tien in totaal, waarvan sommige zo groot als pruimen en andere zo klein als rozijnen, en de pruimen werden in rap tempo opgeëist door de brutaalste puppy's. Een van de elf, die ontdekte dat hij te veel was voor de beschikbare voeding, ging dood. We hielden hem warm en deden wat we konden, maar hij gleed langzaam van ons weg. Het was erg emotioneel en Spigs maakte ter nagedachtenis een kleine grafsteen waar hij onder ligt, omringd door bloemen. 'Hier ligt Minnies puppy. Moge hij rusten in vrede.'

'Aah,' zei hij, terwijl hij vertederd naar de tien overgebleven puppy's keek, 'een liefdesnestje.'

Hummus

een kommetje geweekte en gekookte kikkererwten van 100-150 g gedroogde kikkererwten (bewaar het kookvocht)
5 tenen knoflook
1 dl tahin
1 theelepel gemalen komijn
een mespunt chilipoeder, of een paar druppels tabasco
sap van 2 of 3 citroenen
3 eetlepels olijfolie
zout en peper
olijfolie, gehakt korianderblad en paprikapoeder om te garneren

Doe kikkererwten, knoflook, tahin, komijn, chilipoeder, citroensap en olijfolie in een blender en voeg zoveel kookwater toe tot een dikke romige massa ontstaat. Breng op smaak met zout en peper. Schep de hummus in een mooi schaaltje, giet er een laagje olijfolie over en bestrooi hem met paprikapoeder en wat fijngehakte koriander. Doop er geroosterd pitabrood of stukjes rauwkost in.

Guacamole

2 rijpe avocado's
1 rode chilipeper, zeer fijn gehakt
1 tomaat, ontveld, zonder zaadjes en fijngehakt
een handvol fijngehakt korianderblad (bewaar wat om te garneren)
sap van 1 of 2 citroenen
4 tenen knoflook, geperst
1/2 uitje, heel fijn gesnipperd
zout en peper

Prak alle ingrediënten fijn in een kom of pureer ze glad in een keukenmachine. Bestrooi de guacamole met fijngehakt korianderblad. Doop er geroosterd pitabrood in.

SOEPSERIE

Het eerste halfjaar van 2000 werkten Giorgio en Martina als bezetenen om het restaurant af te krijgen. Martina had telkens weer iets nieuws te klagen over de onhebbelijkheden van de Spaanse bouwvakkers: hun neiging om haar te zoenen zodra ze daar de kans toe kregen, het feit dat ze niet begrepen hoe ze de waterval moesten maken die ze had ontworpen voor hun zes meter hoge wand aan de achterkant van het huis, of het feit dat ze pertinent weigerden om zwarte gaatjesmatten in de tuin te leggen. Het huis was dan misschien een puinhoop, maar in een paar weken tijd had ze buiten een klein wonder verricht: een originele tuin met ronde kiezelstenen uit de rivier en rotsblokken van de campo, afgewisseld met palm-, vijgen- en citroenbomen en bougainville langs het pad. Haar planten bloeiden en gedijden op ieder plekje dat ze ervoor had bestemd, zagen er 'doordacht' uit en ik moet een licht gevoel van jaloezie opbiechten en een heel klein beetje leedvermaak, omdat Giorgio's nieuwste dieren altijd het lekkerste en meest exotische voedsel kregen.

We volgden de opkomst en ondergang van hun tuin en dierenpopulatie met belangstelling en vroegen ons soms af of Giorgio's restaurant er ooit zou komen. Hij had er in elk geval genoeg ideeën en energie voor; zijn probleem was zelfs dat hij van allebei te veel had, met als gevolg dat hij dagelijks over van alles en nog wat van gedachten veranderde. Er waren dagen dat hij een bar wilde openen voor de jeugd van Almogia, en op andere dagen wilde hij alleen maar rijke en nette klanten van de Rotary-club in designerkleding. De ene dag werd het een meersterrenhotel, de volgende dag een bescheiden, artistiek rustoord. Af en toe dreigde hij zelfs de hele onderneming af te blazen. Hij overwoog een makelaarskantoor te beginnen, vroeg mij om mee te doen met een dorpje van houten huisjes waar je zelf voor eten moest zorgen, waar gelukkig niets van terechtkwam, en haalde Dan over om kunstenaar en docent ter plaatse te worden in de uiteindelijke versie van het plan, wat dat ook mocht wezen. Dan nam op zondag hun kinderen vaak mee op sleeptouw, zogenaamd om hen schilderen en BBC-Engels te leren, want hun bewonderenswaardige, meertalige gezinsopbouw had een zangerig, origineel taalgebruik opgeleverd: charmant, maar niet correct. De werkelijke reden was dat Dan bijzonder gesteld was geraakt op Giorgio en Martina, en vooral op hun kinderen, die hem aan het lachen maakten. Zo had hij een goede reden om naar de Barranco el Sol te wandelen en tussen de slangen en moerasschildpadden door te peddelen die in de rotsen tussen de oleanders zaten, iets waar hij altijd erg van genoot.

Giorgio's manege, geleid door de geduldige Pedro, trok echter heel veel klanten, ondanks verhalen over zadelpijn en klanten bij wie de adrenaline door het lijf gierde omdat ze door Giorgio in volle galop over kliffen en door ravijnen werden gejaagd. Sommigen van hen, vooral puberjongens en Spigs, gaven stiekem de voorkeur aan Giorgio's meteen-in-het-diepe-filosofie boven de eindeloze achtjes die ze van Pedro moesten draaien.

Mijn oude vriendin Sophie kwam een weekje bij ons logeren. Deze kleine, krachtige en energieke vrouw is pas in haar element als ze iets fysieks doet. Ze is een ideale gast: ze is altijd enthousiast, kan autorijden, doet mee en kookt af en toe, betaalt zo nu en dan voor de boodschappen en dist altijd de waanzinnigste roddelverhalen op. Na ons eerste jaar waren we straatarm en we moesten onze vrienden en familie uiteindelijk met het schaamrood op de kaken vragen of ze wilden bijdragen aan de kosten voor hun verblijf. Spanje is goedkoper dan Islington, maar het leven is er niet gratis. Dit is een nijpend probleem voor veel Engelsen die hier wonen. Sommigen van hen gaan zelfs zo ver om naar een kleinere woning te verhuizen, een in mijn ogen bespottelijke en extreme maatregel. We vonden het altijd leuk als er mensen kwamen, maar hadden gewoon geen zin om tot de bedelstaf gebracht te worden.

Sophie houdt van echte mannen en toen we iets gingen drinken bij Giorgio viel ze als een blok voor hem. Een paar jaar daarvoor had ze leren paardrijden om een romantische tocht door India te kunnen maken, met overnachtingen in bouwvallige paleizen, ver buiten de gebaande paden. En toen wij haar vertelden dat Giorgio paarden had, tenminste, we dachten dat hij ze nog had, wurmde ze zichzelf in een zwarte broek en een witte bloes, zette een honkbalpet op bij gebrek aan iets dat betere bescherming bood en stond vol opwinding bij de deur.

Op een avond ging ze met Dan en Giorgio op pad, toen het zonlicht schuin op de zomerse velden viel, en ze bleven zo lang weg dat Spigs en ik ons een beetje ongerust begonnen te maken. Toen ze eindelijk thuiskwamen, leek Dan net een bos tulpen die te lang op water heeft moeten wachten, maar Sophie straalde en bleef maar praten. 'Wat een tocht! Ik heb nog nooit zo'n mooie rit gemaakt. Gewéldige paarden – Giorgio heeft ons in vliegende vaart door het gebied geleid. We hebben kílometers gereden. Wat een práchtig land om in te rijden – zoveel mooie heuvels en dalen en de uitzichten... We zijn door amandelgaarden gereden, en tussen olijfbomen door... Ik had heel snel door dat Giorgio totaal niet wist waar we waren en toen móest ik gewoon de leiding nemen. Ik bedoel, we waren echt compleet verdwaald, en dat is heel gevaarlijk als het donker wordt. Zal ik een salade maken voor het avondeten? Ik heb wat van mijn eigen walnootolie meegenomen, en die is héérlijk met lollo rosso en

Roquefort. Maar goed, ik zorgde ervoor dat we weer thuiskwamen, geleid door de maan. Het was pikdonker toen we bij de stallen aankwamen. Giorgio zei dat hij niet wist wat hij zonder me had gemoeten.'

Enzovoorts, enzovoorts. De volgende dag had ze het er nog over toen ze een schaal bruschetta klaarmaakte, knapperig en rijkbelegd met ansjovis, tomaten en knoflook: hoe geweldig het was geweest, wat een fantastisch paard Caporal was, hoe mooi het landschap, en het was Giorgio voor, Giorgio na.

In die tijd twijfelde Giorgio weer of hij wel een restaurant moest beginnen en had even een bevlieging om schaapherder te worden, met het idee dat hij dan een rustig, filosofisch leven zou kunnen leiden en dat het misschien wat lucratiever was dan een restaurant. Voor deze carrièrewending kocht hij vijftig schapen van Pedro's oom en bereidde zich voor op een bestaan als herder. Na twee dagen verveelde hij zich al en verruilde de schapen voor geiten.

Een paar weken later nodigde Giorgio Spigs uit om met hem te gaan paardrijden. Hij vroeg hem tussen neus en lippen door of hij wel eens eerder had gereden en terwijl Spigs een antwoord stond te geven dat alle mogelijke nuances omvatte (terwijl hij net zo goed meteen 'nee' had kunnen zeggen) ging Giorgio ervandoor. Spigs sprong op Caporal en ging achter hem aan. Zonder helm, zonder ervaring, zonder enig idee wat hij met teugels, voeten, het paard zelf aan moest, galoppeerde hij dwars door het land achter Giorgio aan, viel van zijn paard bij een heel scherpe bocht en nog eens omdat hij tegen een wel heel laaghangende tak aan reed, en hees zich telkens weer onbevreesd op het paard. Toen ze in de avondschemering over de top van de heuvel ons veld op kwamen galopperen, zagen ze er prachtig uit: bezweet, bruinverbrand en met ontblote bovenlijven. Sophie zou zijn flauwgevallen van opwinding. Spigs was al net zo erg als zij; hij strompelde naar de eettafel, zinderend van opwinding, en had het nog dagenlang over de rit.

Na deze vuurdoop met takken en bochten gingen we allemaal echt op rijles bij Pedro. Met een engelengeduld bekeek hij ons en gaf aanwijzingen in een interessante mengelmoes van Duits, Spaans, wat woordjes Essex-dialect en lichaamstaal. Ik ben bang voor paarden, maar Pedro's kalmte werkte aanstekelijk. Toch stond het angstzweet me altijd in de nek, vooral toen Curro een speelse minachting aan de dag legde voor de eindeloze achtjes. Ik was dankbaar dat Pedro zei dat ik zo'n jeugdige houding had, al wist ik niet precies wat hij daarmee bedoelde. Spigs had een natuurlijke hang naar alles wat gevaarlijk was en Dan, die met alle viervoeters overweg kan, reed met een zorgeloos gemak dat was gebaseerd op wat hij nog wist van de lessen van vroeger. Na een paar weken rondjes rijden in de bak en proberen te begrijpen hoe de teugels en stijgbeugels werkten, stelde Pedro voor om een ritje door de vrije natuur te maken.

Op een zonovergoten avond liepen we stapvoets door onbekend gebied, over smalle paadjes door akkers, met uitzicht op prachtige vervallen finca's, rivierbeddingen die roze waren van de oleanders en onbewerkte *maquis* bezaaid met keien waar herten en wilde zwijnen tussen de pijnbomen, beekjes en rozemarijn leven. We hielden stil bij een verlaten cortijo die onbereikbaar was voor alle andere vormen van vervoer, en bekeken het voorname, gevaarlijke interieur. Boven was er een enorme ruimte, over de hele breedte van het gebouw, met drie ramen van de vloer tot het plafond, bijna net zoals de bouwvallige Georgiaanse landhuizen in het zuiden van Ierland, maar dan met zonlicht. Oude kasten met glazen deurtjes stonden nog steeds vol stoffig, gebroken servies, ijzeren bedden waren weggezakt in verrotte slaapkamervloeren, gigantische potten olijven stonden half begraven in de kale grond van de provisiekamer, *bergère*-stoelen met rieten zittingen die al lang waren vergaan stonden op een kluitje in de grote zaal waar de familie ze had achtergelaten op die laatste, stoffige avond toen ze definitief afscheid namen en een hangslot aan de voordeur hingen.

Eventjes droomde ik ervan miljonair te zijn en dit intrigerende landhuis met gesloten luiken in oude staat te herstellen. Het stond op het zuiden, op een steile heuvel met een voorplein van ronde keien, omsloten door pokdalige stenen balustraden. Enorme cipressen omkaderden een fraai uitzicht met in de verte de glinsterende zee. Het gebouw zelf en de grote hoeveelheid raadselachtige huisjes eromheen stonden op een soort pas met grote bomen, een beschut toevluchtsoord, omsloten door eucalyptus, pijnbomen, johannesbroodbomen, vijgenbomen en cipressen. We liepen rond onder de fluisterende blaadjes van deze geheime, vergeten plek, totdat de zon de heuvel aan de overkant onderdompelde in gesmolten goud. Toen reden we, vol plannen voor als we opeens rijk waren, met tegenzin door de steeds langer wordende schaduwen terug.

Om onze razende honger te stillen plukte Pedro amandelen van de bomen waar we langskwamen en kraakte ze tussen twee stenen. Probeer het niet zelf: het lukt je toch niet en je bezeert er alleen maar je knokkels mee. Patrijzen schoten tussen de struiken vandaan. Ik schrok me telkens rot maar mijn paard gelukkig niet, en in tegenstelling tot de meeste Spanjaarden had Pedro niet meteen de neiging om op ze te schieten. Hij kent deze streek op zijn duimpje en kan dan ook in het donker de weg naar huis vinden. Gelukkig maar, want het was allang donker toen we terugkwamen bij Giorgio's huis.

Het begon herfst te worden en de openingsdatum van La Familia kwam steeds dichterbij. Terwijl Giorgio bij wijze van experiment een uitstapje maakte naar varkens, zat Martina ook niet stil. Naast alle voorspelbare dingen die ze deed, zoals voor de kinderen zorgen, koken, een stortterrein omtoveren tot een tuin en het huis kraakhelder houden, vond ze op de een of andere manier ook nog tijd om te schrijven, gitaar en piano te spelen, en alsof dat allemaal nog niet genoeg was, schilderde ze ook nog eens aardige vrouwelijke naakten. Een paar dagen voordat het restaurant zou worden ingewijd, richtte ze haar talent op de buitenmuren. Nog voor de verf was opgedroogd, was er een nieuwe *denuncio* uitgevaardigd. Ze had gekozen voor bruinrood op de voorste muur, boterbloemgeel op het hek, zachtpaars op de hekomlijsting, inktachtig nachtblauw aan de achterkant, opgelicht met limoengroene dakgoten en een knalroze achtermuur. Plotseling verordonneerde de burgemeester dat de huizen en restaurants in Almogia grotendeels wit moesten zijn aan de zijkant die zichtbaar was vanaf de weg. Waarop de ladders en de verf weer naar buiten werden gesleept en ze koos voor licht-terracotta muren, met op de diepere ramen een accent van gebroken wit. Het zag er prachtig uit.

Giorgio trok zich er niets van aan omdat hij ditmaal in de weer was met konijnen, en hij reageerde heel hoffelijk toen Oscar en Minnie ze probeerden op te eten. Het lukte ze niet, maar ze gingen wel op de hokken zitten, waarbij de spijlen vervaarlijk doorbogen, wat de konijnen weer uitbuitten door de heuvels in te rennen toen Giorgio even niet oplette omdat hij in beslag werd genomen door een uitstapje naar patrijzen en kwartels.

Hierdoor had Martina alle vrijheid om haar ideeën voor het interieur van het huis uit te voeren, die een vakkundige combinatie waren van stadse beschaving en excentrieke antropologie. Het meubilair was van zwaar, donker hout, de verlichting ongewoon zacht en de muren waren in neutraal vermiljoen geverfd. Martina decoreerde de muren met dure, uitvergrote foto's van Papoea's, slechts getooid met al dan niet enorme slagtanden door hun neus en hun vrouwen, wier hangborsten in een koud seizoen als sjaal konden dienen. Ze gaf Dan opdracht om op de muur op ware grootte een Papoea te schilderen, inclusief peniskoker, en we vroegen ons af of die zou dienen als jashaak. Maar de gehele decoratie veroorzaakte zoveel opschudding dat het plan uiteindelijk werd opgeschort.

Intussen waren beneden in het restaurant gigantische wc's, een keuken van glas en staal en een bar geïnstalleerd. Toen het openingsdiner nabij was, bood Giorgio Spigs een baan als ober aan. Het liep gesmeerd: ditmaal zou het restaurant echt opengaan, Spigs kreeg een betaalde baan en kon zich uiteindelijk misschien zelfs verder bekwamen in zijn culinaire vaardigheden en Giorgio had een slimme, enthousiaste ober. Het gerucht ging dat Giorgio het restaurant zou openen met een gala-avond in de slagtand-door-de-neuszaal met een uitgebreid diner. Voor die gelegenheid zou Martina koken.

Spigs was dagenlang in de weer om menukaarten te ontwerpen en te printen, hij ging op zoek naar zwarte schoenen, witte overhemden, zwarte broeken en hielp waar hij kon. Op de openingsdag van La Famiglia kwam de bekende groep Britten opdraven die een tafel hadden gereserveerd en een allegaartje nieuwsgierige Spanjaarden die aan de bar hingen en van Giorgio op hun kop kregen omdat ze geen gepaste kleding droegen: ''Et ies een kala-avond, 'et ies een 'ele belangraike avond, en zai komen 'ier ien 'un werkkleren! Iek ka Manolo Metálico zekken dat 'ai zain drankje op moet drienken en kan vertrekken.' Een gevaarlijke zet, aangezien Manolo Metálico een belangrijk en invloedrijk man is in Almogia.

We bestelden een drankje en werden naar onze tafel geleid, opgelucht dat we in onze zondagse kleren waren gekomen. Spigs had blijkbaar promotie gemaakt, want hij droeg een koksjasje met een dubbele rij knopen en bleek Martina in de keuken te helpen. Giorgio bediende en Martina's jongere zus, Michaela, stond achter de bar oogcontact te vermijden in antwoord op de avances van Manolo Metálico. Er lag zwart damast op de tafels, er hingen elegante lage halogeenlampen die witte lelies uitlichtten en op de achtergrond klonk een mompelende Sting. Het menu bestond uit een salade als *hors d'oeuvre*: een driekleur van kerstomaatjes met echte buffelmozzarella en handenvol basilicum, aangemaakt met olijfolie en balsamico-azijn, gevolgd door tortellini van paddestoelen en pompoen in kaassaus of gegrilde lamskoteletjes, geserveerd met rode paprika's en aardappeltjes. Voor toe konden we kiezen tussen de obligate whiskytaartjes waar alle Spanjaarden zo van houden en die gemaakt lijken te zijn van gezoet, uitgewrongen plastic, of de verreweg te prefereren appeltaart die Martina zelf had gebakken. Ik keek liefdevol naar Spigs terwijl Martina en hij in perfecte harmonie om het werkeiland heen draaiden, en voelde een moederlijke trots in me opwellen.

Op zaterdag werkte Spigs van acht uur 's ochtends tot vier uur 's nachts. Bij het krieken van de dag begon hij met het printen van de menukaart en als klap op de vuurpijl hielp hij 's nachts een maaltijd bereiden voor Giorgio, Michaela en Martina. Toen ontsloeg Giorgio Michaela, die La Famiglia in tranen verliet. Op zondag ontsloeg hij Martina. Plotseling was Spigs chef-kok, souschef, barman en afwasser tegelijk. Hij strompelde heel laat naar huis, van uitputting niet meer tot praten in staat. Op maandag ging hij naar zijn werk, om te ontdekken dat Giorgio ook hem had ontslagen.

Toen we een poosje niet met elkaar hadden gepraat, wist Dan een wapenstilstand te bewerkstelligen tussen Giorgio, Spigs en mij, want in deze kleine gemeenschap is het belachelijk om ruzie te hebben. Ik verwachtte opengesperde neusgaten en gestampvoet van Spigs, maar in plaats daarvan was hij het er meteen mee eens dat het allemaal nogal onbenullig was. Het werd duidelijk dat Giorgio in een vlaag van bizar optimisme en omdat hij door alle frustratie op was van de zenuwen, open was gegaan lang voordat hij of het restaurant eraan toe waren. Hij stond onder hoge druk, en toen hij dan eindelijk echt openging, compleet met professionele kok, was het restaurant een daverend succes.

Er vonden nog een paar onvermijdelijke personeelswisselingen plaats, onder wie Giorgio's moeder en een stel geëmigreerde Argentijnen die geweldig konden koken en het drie maanden uithielden. Ze trokken een spoor van gebroken harten onder de dorpsmeisjes, waarna ze, waarschijnlijk onder druk, terugkeerden naar Argentinië. Uiteindelijk ging Martina weer in de keuken staan, waar alles prima verliep en ze een grote schare vaste klanten trok. Het eten kreeg al snel de reputatie gegarandeerd lekker te zijn, in royale porties en altijd specialer dan wat ook buiten Málaga. Elk weekend stonden er dure auto's bij de ingang geparkeerd. Ondanks aanhoudende problemen met de kledingvoorschriften, waarop Giorgio hen zeer streng moest aanspreken, bleef het restaurant populair onder hippe twintigers uit Almogia die de gezinssleur wilden ontvluchten naar de bohémienachtige glamour van La Famiglia, dat nu verwarrend genoeg ook bekendstond onder de naam Papa Giorgio.

Uiteindelijk leverde het restaurant de hyperactieve eigenaar voldoende uitdagend werk op dat hem uit de problemen hield en waar hij goed in was. Al snel werd hij in de streek een geliefd en legendarisch persoon vanwege zijn onvoorstelbare excentriciteit en onweerstaanbare charme.

Tegenwoordig heeft Giorgio een cavia als huisdier, die Paloma in een emmer houdt.

Martina's zongedroogde tomaten: eind zomer

Martina is een stijlvolle, gedreven kokkin. Het eten bij Giorgio ziet er altijd fantastisch uit, het smaakt heerlijk en je krijgt er twee keer zoveel als iemand die niet met zijn handen werkt op kan. Ik ben gek op zongedroogde tomaten – het parfum van de zomer – en ik was verrukt toen ze ons een pot van haar eigen tomaten gaf.

Snijd rijpe tomaten in tweeën, doop ze in grof zout en leg ze met het snijvlak naar boven twee weken te drogen in de zon. Bescherm ze eventueel met een net tegen insecten. Stop ze in gesteriliseerde potten, aangevuld met goede olijfolie, en laat ze drie tot zes weken staan, afhankelijk van de grootte.

DE LEEUW EN DE SCHORPIOEN

De weken na de geboorte van Minnies puppy's waren een complete, onhygiënische chaos. Hoe groter haar hondjes werden, hoe meer Minnie afviel. Alsof ze verslaafd was, dronk ze liters melk, waarna ze zich vermoeid terugsleepte naar de krioelende, gulzige mand, waar de tien kleine snoetjes zich in haar tepels vastbeten. We verplaatsten de mand naar een kleine veekraal bij het raam, verscholen tussen oude deuren en een bank, en bedekten de vloer met krantenpapier. Het werkte niet: de puppy's klauterden over alle vormen van omheining heen, liepen wankelend weg en piesten overal waar het hen uitkwam. Minnie werd rap uit de mand verdreven en was de hele onderneming al snel zat. De onverantwoordelijke troela kneep ertussenuit en 'vergat' haar kinderen. Ze maakten geen moedergevoelens in haar los; integendeel, het was duidelijk dat ze zich beperkt voelde door haar kroost. Dus gaf ze zich over aan het wangedrag van een feestnummer, kwam op de vreemdste tijdstippen thuis, deed alsof ze in een hotel woonde en nodigde zelfs haar campovrienden uit.

Oscar snapte helemaal niets van de puppy's en bracht zichzelf telkens in de problemen door te dicht bij hen in de buurt te komen. In het begin was Minnie heel beschermend en gaf ze hem een uitbrander zodra hij binnen bijtafstand kwam. Hij bood deze crisis het hoofd door zelf een baby te bemachtigen: een afschuwelijke knaloranje speelgoedaap die Dan met Kerstmis van Spigs had gekregen. Als je erin kneep kwam er een blikkerig melodietje uit en overal in huis klonk een afgeknepen versie van het Taiwanese volkslied, totdat er door Oscars overstelpende liefde niets meer van over was dan een rafelig oranje vod. Hij was een waardeloze moeder: hij gooide zijn baby constant in de lucht en schudde hem aan zijn poten. Maar als er zich iemand bij hem in de buurt waagde, gromde hij overtuigend. Minnie werd blasé en het moederschap steeds meer beu; het interesseerde haar niet dat er steeds minder hondjes waren omdat de bouwvakkers een voor een voor hun charmes vielen en er eentje mee naar huis namen.

Onze chaos werd alleen maar erger door de verschillende logés die tijdens die zomer langskwamen, onder wie mijn nichtje Polly en haar onstuimige tweejarige dochtertje Martha May. Martha is schattig, grappig en onweerstaanbaar – ideaal, behalve wanneer haar liefde te groot wordt. Ze was zo dol op de hondjes dat ze ze allemaal heel hard bij hun keel tegen zich aan drukte en ze dan op de grond smeet om de volgende te knuffelen. Zij leken er niet onder te lijden, maar mij baarde het zorgen en ik liep Martha overal achterna, ving rondvliegende puppy's op als zij er genoeg van had en probeerde voorzichtig haar sterke armpjes los te wikkelen van de nek van de laatst uitverkorene.

Maar Minnies overgebleven puppy's waren vast van plan om te overleven. Ze klampten zich vast aan haar borst zodra ze de kamer binnenkwam en bleven daar hangen, zelfs als ze wegliep wanneer ze de balen had van de moederlijke zorgen. Ze ontdekten andere voedselbronnen, van plundertochten onder tafel tot Oscar in verlegenheid brengen door bij wijze van experiment aan zijn rudimentaire tepels te gaan hangen, waarvan hij er twee heeft. Ze raakten al snel gewend aan koemelk en de kleinere puppy's eisten een grotere portie op door tijdens het drinken in de bak te gaan staan. Ze vielen constant van de galerijen en probeerden omver gelopen te worden. Dan zaten ze verborgen onder een stoel en raceten eronder vandaan zodra er een voet in zicht kwam. Intussen rende Martha, als ze niet bezig was om puppy's te kelen, met ware doodsverachting op het zwembad af of liet zichzelf van de trap vallen. Er waren een paar rustmomenten op de dag, als ze in bad werd gedaan in een plastic koffer, ondergedompeld in schuim, buiten op het terras op het westen. Maar als we haar binnenhielden, dan onderwierp ze de lichaamsopeningen van de honden aan een minutieus onderzoek en ze gooide cd's en andere dingen die daar niet geschikt voor zijn in het vuur.

Om tegenwicht te bieden aan de angsten die we uitstonden om de overdaad van al die wezentjes met doodsverachting, legden Polly en ik ons serieus toe op yoga. Polly had een video meegenomen waarop een snelle Australiër en een sullige Californiër onmogelijke houdingen voordeden, begeleid door serieus commentaar over de weldadige uitwerking op de ingewanden. Te fanatieke yogabeoefening kan je rug verpesten, en ik heb nog steeds last van mijn laatste uitsloverij. Ik moest van mezelf steeds verder buigen en langer balanceren, terwijl een genegeerde Dan op de achtergrond mompelde: 'Nee hoor, ga jij je gang maar, ik zal wel weer koken. Jouw yoga gaat natuurlijk voor alles.' Ik probeerde hem er ook enthousiast voor te maken, en in theorie was hij zeer geïnteresseerd. Maar die ene keer dat ik hem voor de video wist te krijgen, hield hij het elf seconden vol en zei toen: 'Ik vind er niets aan. Ik zie het nut er niet van in.'

Polly en ik deden het iedere dag. Het was zwaar, maar we hadden er heel veel behoefte aan in die chaotische periode. Het was vooral ook noodzakelijk met het oog op de stompzinnige vragen die gasten altijd leken te hebben: waar is jullie aerobicssteps? Hebben jullie een rubberen ring voor de stofzuiger? Waar is de trechter? Heb je mijn boxershorts gewassen? Ik doe nog bijna elke dag een uur yoga. Je zou denken dat ik er inmiddels zou uitzien als Cindy Crawford, maar helaas. Ik moet eerder denken aan die keer dat ik kennismaakte met een vriend van me, toen ik hem vroeg wat hij later wilde worden als hij groot was. Hij zei dat het zijn ultieme levensdoel was om de hersenen van Raquel Welch en het lijf van Evelyn Waugh te krijgen. In mijn geval kun je ze verruilen voor respectievelijk Baby Spice en Golda Meir, en je begrijpt wat ik bedoel. Het helpt natuurlijk niet mee dat Minnies zoon Alfie mijn yogamatje heeft opgegeten.

Net nadat Minnies puppy's waren geboren, besloot een paartje zwaluwen dat het hoogste punt van het plafond in onze woonkamer de ideale nestplek voor ze was. Ze hadden nog wat andere plekken bekeken: de gordijnrails, de huiscentrale van de telefoon, de glazen kast, waarbij ze klodders poep achterlieten op de plekken die ze hadden afgewezen, op de muren, banken en mijn computer. Maar na rijp beraad hadden ze besloten dat de hoogste balk van het plafond de beste locatie was. Dit was een slechte ontwikkeling. Een dun streepje spetters op de grond duidde op de plek van hun keuze, die zich op ongeveer vijfeneenhalve meter hoogte bevond en waar we onmogelijk bij konden. Ze hielden zich er schuil, verborgen achter de balk, en zodra je de glazen voordeur achter je dichttrok, schoten ze naar beneden en stootten hun kop tegen het glas. Als je de deur open liet staan, bleven ze op hun balk zitten kniezen.

Vanuit de woonkamer zijn er drie deuren die toegang geven tot de buitenwereld. Als het je al lukte om de zwaluwen er via één deur uit te werken, dan kwamen ze stiekem door een andere deur weer naar binnen. Deze vermoeiende bezigheid bleef weken doorgaan, en ik was constant met bezems, tennisrackets en stokken naar onze onwelkome gasten aan het zwaaien. Oscar sloeg deze voorstelling met belangstelling gade, en na een paar dagen realiseerde hij zich dat dit mens geen paringsritueel aan het uitvoeren was, maar een fobie had voor vogels. Omdat het een behulpzaam beest is, droeg hij zichzelf op om te helpen.

Oscar heeft de vorm van een ton en is niet gebouwd op snelheid, en dagenlang was in de heuvels zijn gehijg te horen terwijl hij heen en weer rende op jacht naar de vliegende graal. Zijn gedrevenheid werkte aanstekelijk en al snel nam ook Minnie deel aan de jacht. Intussen deden de zwaluwen tikkertje en grinnikten besmuikt in hun veren om hun lompe achtervolgers. Minnie is een serieuze hond. Als ze ergens haar zinnen op heeft gezet, dan doet ze het ook goed en vergeet ze al het andere waar ze mee bezig was. Op een avond zat Dan vredig rond zwaluwjachttijd op het terras te tekenen. Plotseling hoorde hij een harde plons. Minnie was zo in de jacht opgegaan dat ze het zwembad in was gerend. Oscar stond aan de kant en probeerde haar er met alle macht aan haar oren uit te trekken. Dan viste haar eruit en droogde haar af, waarop ze onmiddellijk weer haar vogelverplichtingen op zich nam.

De puppy's hadden Martha's liefdesbetuigingen heelhuids doorstaan en waren nu overgeleverd aan die van Leo. Hij was hier niet zomaar naartoe gekomen. Hij had iets te vertellen, maar is de laconiekste man met wie ik ooit een gesprek van meer dan drie woorden heb geprobeerd te voeren. Hij is zelfs bijna net zo erg als Dans zoon Ted. We hoorden pas wat hij te vertellen had, beseften tot op dat moment zelfs niet eens dat hij iets te vertellen had, na de vreselijke gebeurtenissen op zijn laatste avond bij ons.

Hij had die week voornamelijk buiten in de zon liggen slapen, omringd door een horde puppy's. Zijn lievelingspuppy was een grote, helemaal wit met een minuscuul bruin vlekje achter op zijn kop. Zijn keuze was terecht: de puppy kon je op een vertederende manier diep in de ogen kijken met een gerichte, wijze blik die je niet van een puppy zou verwachten. Maar er was nog een leuke met een gevlekte neus die een beetje op Oscar leek, en die twee konden het ook goed met elkaar vinden. Dat is vast een zoon van Oscar, dacht ik, dus hielden we hem en noemden hem Alfie, naar de vlam van Oscar Wilde. We weten inmiddels dat hij met geen mogelijkheid de zoon van Oscar kan zijn, maar ondanks zijn vernielzucht zijn we erg op hem gesteld geraakt.

Als Leo niet buiten in de zon met de puppy's bezig was, dan zat hij apparaten te repareren, waar hij onverwacht veel aanleg voor bleek te hebben. We hadden een treurige verzameling apparaten die het maar half deden: een Dyson-stofzuiger die overal stof uitspuugde, twee televisies en een videorecorder waar we helemaal niets van begrepen en die we niet aan de praat konden krijgen. Ik zei tegen Leo dat ik van plan was ze naar een elektricien in Malága te brengen om te vragen of hij ze kon maken, of om ze weg te gooien als dat niet lukte.

'Dat moet je niet zeggen, mam,' zei hij, mij beleefd corrigerend, 'het zijn goede apparaten. Als je dat tegen hem zegt, dan verkoopt hij ze gewoon.' Soms voel ik me oerdom – die mogelijkheid was nooit bij me opgekomen. Ik vroeg me af hoeveel spullen ik op die manier aan hem had toevertrouwd die nog prima te repareren waren geweest.

Rustig en geduldig haalde Leo de kapotte apparaten uit elkaar, controleerde alle mechanismes en maakte ze schoon met een penseel en een dun kartonnen mondstuk dat hij zelf had gemaakt en aansloot op de stofzuiger die het nog wel deed. Tot mijn grote schande moet ik zeggen dat ik dacht: nou ja, erger kan het toch niet worden, en ik legde me er dan ook bij neer dat er door de hele woonkamer kapotte machineonderdelen lagen. Dat was wel vaker voorgekomen. Maar uiteindelijk slaagde Leo er niet alleen in om alle kapotte apparaten te repareren, hij maakte ook Dans onwillige computer en deed iets waar ik nog steeds gemengde gevoelens over heb, maar dat er wel voor heeft gezorgd dat dit boek er is gekomen: hij haalde FreeCell van mijn laptop. 'Het is in je eigen belang, mam. Ik weet hoeveel tijd je kunt verspillen aan computerspelletjes en jij hebt wel wat beters te doen.'

Op zijn laatste avond verdween Leo in de badkamer en ik verwachtte dat hij er zoals gewoonlijk pas vier uur later uit zou komen. Maar vrijwel onmiddellijk stoof er een angstaanjagende verschijning uit tevoorschijn: een gezicht vol scheerschuim, op blote voeten en hinkend. Omdat ik dacht dat hij de kerstman op één been nadeed, kletste ik op mijn dijen van het lachen. Fout. Hij was gebeten door een schorpioen (hij was erop gaan staan) en dacht dat hij doodging. Ik moest weer lachen, zo van: 'Wat een aanstelleritus over zo'n onbenullig schorpioentje', ervan overtuigd dat het makkelijk op te lossen was met een kop zoete, hete thee.

Voor de zekerheid belde ik Barbara even. 'Ga onmiddellijk met hem naar de dokter!' gilde ze. Mijn gezicht betrok, ik duwde de halfbebaarde hinkelaar het busje in en Dan reed ons met topsnelheid naar Almogia. Leo had de boosdoener in een glazen potje meegenomen. Het beest zag er een beetje versuft uit, maar was toch verbazingwekkend vrolijk voor een schorpioentje waar net een gezonde man van één meter tachtig met enorme voeten op was gaan staan.

Toen we aankwamen was de dokter er niet, maar een montere, flirterige zuster nam de boel waar. Ze onderzocht de beet, gilde toen ze de boosdoener in het potje op haar bureau zag en gaf Leo twee injecties: een tetanusinjectie en een anti-ontstekingsinjectie. Dit was typisch zo'n situatie waarin we profijt hadden gehad van wat elementair Spaans, maar zoals gewoonlijk zaten we maar wat te stamelen en flapten we er '*dolor*' en '*caliente*' uit als ons eindelijk weer een vluchtig woordje te binnen schoot. Gelukkig bleef het ons bespaard om een schorpioen uit te beelden. Toen de dokter kwam, belde hij onmiddellijk met een zeer ernstig gezicht de toxicoloog in Malága. Hij had nog nooit eerder een schorpioen gezien en bleef al griezelend, maar vol fascinatie in het potje turen. Voor het eerst kwam het bij me op dat ik me misschien wel zorgen moest maken. O god, dacht ik, misschien raakt Leo wel verlamd. Misschien kan hij de rest van zijn leven alleen nog maar gepureerde prut eten en is hij niet eens meer in staat zijn om de afstandsbediening voor de televisie te gebruiken. Dat was te erg om over na te denken. Op van de zenuwen luisterden we hoe de stem van de dokter klonk. Eerst taterde hij opgewonden in de hoorn, waarna het een hele tijd stil was, af en toe onderbroken met een ernstig '*Comprendo*'. Vervolgens stelde hij een vraag. Uiteindelijk kwam hij bij ons terug met de mededeling dat er geen levensbedreigende, giftige diersoorten zijn in Spanje. Hij klonk teleurgesteld.

Intussen had de zuster druk in een woordenboek zitten bladeren. 'De schorpioen heeft jou één prik gegeven, maar ik geef jou twee.' Ze glimlachte triomfantelijk. Blozend hinkte Leo terug naar de auto.

Toch zitten hier giftige beesten. Het schijnt dat de brommende padden die de nachtlucht met hun *sotto voce* van een bastoon voorzien zo giftig zijn dat een kleine hond eraan dood kan gaan. En er zijn andere beesten die daar ook toe in staat zijn. Dan kwam er zo een tegen toen ik in Engeland zat. Hij was gaan slapen in de ezelstal en lag zoals gewoonlijk lekker in zichzelf te praten en te lachen, toen hij zich vagelijk bewust werd van een kietelend gevoel bij zijn voeten. Hij krabde wat aan zijn benen en wilde zo snel mogelijk weer terug naar de cocktailparty die hij altijd in zijn dromen bezoekt. Er volgden nog een paar minuten feestgeklets. Toen voelde hij iets over zijn gezicht schieten. Gepikeerd veegde hij het ergens het bed in en greep naar de kaarsen en lucifers. Hij had in bed gelegen met zo'n vijftien centimeter lange rode duizendpoot die gemeen kan bijten en die zich onder stenen verborgen houdt. Waarschijnlijk woonde hij al zijn leven lang in de ezelstal, evenals generaties voor hem.

'Ik moet jullie iets vertellen,' kondigde Leo aan toen we weer een beetje van het drama bekomen waren en naar huis reden. Voor zijn doen waren dat een heleboel woorden achter elkaar, en ze dwongen dan ook de volle aandacht af. 'Ik word vader.'

Dan reed bijna van de weg af – we waren net op het gevaarlijke punt bij het ravijn van Ken en Olive. We hadden niet eens geweten dat Leo een vriendin had. Plotseling begrepen we waarom hij zich zo intensief had beziggehouden met de puppy's. Hij had gewoon zitten oefenen.

Uitgebreide ondervraging leverde een naam op, Saki, en dat ze elkaar sinds vlak voor Kerstmis kenden. Saki woonde in een appartement vlak bij Finsbury Park. Ze werkte bij hetzelfde arbeidsbureau als waar ik twintig jaar geleden had gewerkt en ze hadden niet echt een relatie. Leo deed vaag en ontwijkend. Dat is niet het soort nieuws dat je als moeder graag wilt horen en het leverde me een heel nieuw scala aan zorgen op, vooral omdat Leo in die tijd geen vast inkomen had.

Ik ontmoette Saki pas toen hun dochter een week oud was, dus ik had me heel wat maanden druk gemaakt voordat ik ontdekte dat zij het beste was wat Leo kon overkomen.

De schorpioen heeft een spannend leven gehad. Leo smokkelde hem mee terug naar Engeland, als verjaardagscadeau voor Spigs, die gek is op alles wat dodelijk is. Hij doopte hem Kanu, naar een voetballer van Arsenal die na elk doelpunt schijnbaar een soort schorpioendans uitvoert. Spigs stopte hem in een verwarmde glazen bak met wat speeltjes erin, waaronder een stiertje van Osborne sherry, en voerde hem met sprinkhanen die hij bij een dierenwinkel kocht en spinnen die hij zelf ving. Toen Spigs bij ons in Spanje ging logeren, nam Leo het verzorgingsprogramma voor de schorpioen over en koesterde hij zijn niet bijster aaibare beschermeling een paar maanden. Na een tijdje vond hij dat Kanu er een beetje pips uit begon te zien, alsof hij heimwee had en naar de zon verlangde. Dus ging de reizende schorpioen weer terug naar Spanje en kreeg op ceremoniële wijze zijn vrijheid terug van Spigs en Leo, in de ruïne naast ons pad, waar hij zijn vrienden ongetwijfeld nog steeds vol snoeverij onthaalt op verhalen over zijn wereldreizen.

Polly's Spaanse stoofpot

Polly deed aan aerobics in de keuken, waarbij ze kwistig bleekselderij over de keukenvloer strooide. Maar wat ze ook klaarmaakte, het was zalig en simpel, vooral de gerechten voor Martha. Super. Dit maakt ze omdat het haar aan Spanje doet denken, en wij maken het omdat het ons aan haar doet denken.

uien, gepeld en gesnipperd
bleekselderij, in stukjes gesneden
wortels, in stukjes gesneden
chorizo picante, in plakjes
knoflook, gepeld en fijngehakt
aardappels, geschild en in stukjes gesneden
groentebouillonblokje
laurierbladeren
een groot blik witte bonen

Bak uien, bleekselderij, wortels en chorizo zachtjes en voeg dan knoflook en aardappel toe. Giet er groentebouillon over tot alles onder staat en steek er een paar laurierbladeren tussen. Kook alles ongeveer een uur op heel laag vuur, en voeg aan het eind de bonen toe zodat ze even warm kunnen worden.

Leo's bijzonder eenvoudige kip

Op luie winterdagen leven Dan en ik op Leo's kip met diverse groentevariaties. Echt eten kan haast niet eenvoudiger dan dit.

voor twee personen

4 paprika's, rood, oranje of geel, in vieren gesneden
olijfolie

knoflooktenen, gepeld
4 kippenbouten, met vel
zout en peper

Leg de paprikastukken op een met olijfolie ingevet bakblik en rooster ze tien-vijftien minuten op 190-200°C, tot ze beginnen te geuren. Verdeel de hele knoflooktenen erover, leg de kippenbouten ernaast, druppel er olijfolie over en braad ze iets meer dan een uur tot ze bruin en knapperig zijn. Serveer er linguine of broccoli bij.

ROMANTISCH INTERMEZZO

In de zomer van 2000 werden we omstuwd door onze dierbaren. Afgezien van de laatste schoonheidsfoutjes en de tuin waar we nog iets van moesten maken, was ons huis zo goed als af en iedereen kwam logeren. Dan en ik vierden het eind van een halfjaar constant chaperonneren met een korte, hevige ruzie waarin hij de dooddoener uit iedere B-film in de jaren zestig gebruikte: 'Nou, het was leuk, maar nu ga ik ervandoor.'

Iedere keer dat ik betrokken ben bij een gevecht op leven en dood (een enorme botsing die een aardverschuiving tot gevolg heeft en grote scheuren achterlaat in iets heel waardevols) wordt dat gekenmerkt door een overdaad aan cliché. Als Dan de herfst daarvoor niet had gezegd: 'Hoezo relatie?' en die daarvoor: 'Ik heb wat ruimte nodig', zou ik er helemaal kapot van zijn. Ditmaal was ik voorbereid en sloeg ik keihard terug. 'Leuk?' krijste ik. 'Noem jij dit leuk?'

Het probleem was niet alleen dat er aan het huis werd gewerkt, maar ook dat we geen enkele privacy hadden als er logés waren. Vanaf de eerste gast die in april arriveerde tot de laatste die in september vertrok konden we geen gesprek voeren zonder dat iemand anders kon meeluisteren en aan het eind van de zomer waren we het allebei beu, moe, arm, er elk van overtuigd dat de ander niet genoeg deed. We stonden eindeloos te koken, lakens te wassen en op te ruimen. Het is misschien niet zo aardig om te zeggen, maar vakantie voor hen betekende werk voor ons. We begaven ons alleen of met z'n tweeën naar Antequera, laadden het busje vol met een angstwekkende hoeveelheid boodschappen en konden twee dagen later weer opnieuw beginnen. Geen van onze behoeftigen leek te kunnen rijden en omdat ze nooit deelnamen aan de uitputtende inkoopslagen bij Carrefour, dachten ze dat ze nergens voor hoefden te betalen. Dat leidde altijd tot onze jaarlijkse, afsluitende ruzie.

We waren dan ook nogal van slag toen we met op elkaar geklemde tanden elk afzonderlijk een reis naar Engeland boekten om zo lang mogelijk bij elkaar uit de buurt te zijn. Dan moest er voor zijn werk naartoe en ik moest mijn oude Citroën laten keuren en verzekeren. We waren van plan hem samen terug te rijden naar Spanje. Natuurlijk verlangden we alweer naar elkaar nadat we elkaar tien minuten niet hadden gezien, en al snel zaten we onze telefoonrekening te spekken en prijzige lievigheden te fluisteren. Nou ja, ik dan. Tot op heden heb ik geen enkele man ontmoet die een telefoon benadert als iets vriendelijkers dan een handgranaat.

Dan is een man van daden, dus was hij het die onze huwelijksreisachtige cruise van Portsmouth naar Bilbao regelde en honderdtwintig pond extra betaalde voor een hut met een raampje. Dit was ons uitje, onze vakantie voor twee waarin we onze gehavende affectie voor elkaar konden oplappen en voeden. En we zouden er de tijd voor nemen en wat rondkijken in het land waar we waren gaan wonen. Verlekkerd stippelden we de route uit: Bilbao met het Guggenheim, Burgos, twee dagen Toledo, misschien zelfs een omweg om de Picos de Europa te bekijken. Zoals gewoonlijk laadden we de auto voller dan verstandig was en vertrokken op een avond met keiharde wind en natte sneeuw. Het was een nationale feestdag en toen de boot Portsmouth uit manoeuvreerde, was er ter ere van ons vertrek een luwte in de storm en het glinsterende gefonkel van een rood, zilver, blauw en groen vuurwerksaluut dat voor ons alleen uiteenspatte in de donkere lucht en weerkaatste in het inktzwarte water. Terwijl we van Engeland weggleden, stonden we aan dek en Dan zei bewonderend: 'Jemig, wat een joekel van een boot. Zo'n jongen krijgt niemand omver.'

Ik weet dat het stom is, maar dit was het spannendste reisje dat ik ooit had meegemaakt: een romantisch intermezzo, geregeld door mijn man. Ik had zelfs mijn vale oude ondergoed van Marks & Spencer afgezworen ten faveure van iets waarop mijn favoriete heteroseksueel niet zou afknappen.

Het begon goed, met champagne en gerookte amandelen in onze hut, genietend van het uitzicht door ons prijzige raam op een kalme zee onder de sterrenhemel. We gebruikten een verrassend lekker diner in 'Le Bistro' en luisterden een poosje naar een buitengewoon goede band die opzwepende folkmuziek speelde. Giechelend liepen we terug naar onze hut en ik sliep heerlijk, gesust door het rustgevende, zachte gebrom van de motor. De volgende dag liet ik me lekker verwennen in de Steiner-salon: ik onderging een volledige aromatherapiemassage en knipbeurt en voelde me geweldig. De kapitein van het schip hield af en toe een praatje tegen ons door de luidspreker, en toen we ergens midden in de Golf van Biskaje aan tafel gingen, waarschuwde hij dat we de orkaan die de Britse eilanden had geteisterd misschien niet konden vermijden. Vannacht, zei hij, 'hebben we misschien nogal wat deining'.

'Ha ha,' grijnsden we. 'Reken maar.'

Het diner was prima, al duurde het eigenaardig lang. De reden waarom werd duidelijk toen we ons terugtrokken in de comfortabele leunstoelen in de rookkamer en onze koffie van het tafeltje zagen glijden en tegen de betimmering slaan. Toen viel het ons op dat de korrelige, kleverige substantie onder onze voeten geen anti-slipmat was, maar de suiker en melk van de vorige koffiedrinkers.

Maar we waren in een opperbeste stemming, we hadden er zin in en maakten een hoop lol. We treuzelden wat boven onze petitfours en luisterden naar het orkestje dat moedig het gehele Hank Wangford-repertoire doorwerkte terwijl het van de ene kant van de bar naar de andere gleed, waarna we ons lachend naar onze kamer begaven. We smaalden toen we langs het bord met de weersvoorspelling liepen, waarop een zware storm van windkracht negen werd voorspeld.

Zo begon de langste nacht van mijn leven. Het voordeel van een patrijspoortje werd al snel duidelijk: je ziet een wisse dood in de ogen die tegen het glas slaat, je kunt de klinknagels horen springen en de kolkende woede van de zwarte zee aanschouwen die weldra je graf zal zijn; je kunt je afvragen of het het ijskoude water is dat je ondergang betekent of juist de griezelige kracht waarmee het je in dertig meter hoge golven tegen het wrak van het schip doet smakken. Het ene moment was ons raampje gevuld met de inktzwarte lucht, het volgende met de ziedende zee. Tussendoor werd alles onzichtbaar vanwege het uitzinnige schuim dat tegen het glas sloeg. Ik peinsde er niet over om misselijk te worden of dat soort nonsens. Dit was duidelijk Het Einde; er was geen tijd voor onnozelheden. Ik vroeg me af of er iets binnen handbereik was om de ruit mee kapot te breken voor als het schip zou zinken, of dat we beter konden blijven zitten en het laatste beetje lucht moesten inademen terwijl het ten onder ging. Ik ben nogal bang in kleine ruimtes, neem niet graag de lift of de metro, maar ik dacht dat zuurstoftekort krijgen in goed gezelschap nog niet eens zo'n slechte manier was om te sterven. Dan sliep rustig de hele nacht door.

Zo fris als een hoentje werd hij wakker, met naast zich een vrouw van honderd jaar oud. 'Ontbijt!' riep hij. 'Maar eerst ga ik aan dek.' Ik kreunde en was blij dat de kapitein net op dat moment aankondigde dat niemand het ook maar in zijn hoofd moest halen om aan dek te gaan omdat het 'nog wat woelig' was. Hij bekende zelfs dat hij het nog nooit zo erg had meegemaakt. Er waren windsnelheden gemeten van honderdtachtig kilometer per uur, en hij had vier uur lang bij moeten gaan liggen toen het schip om middernacht onbestuurbaar was geworden. De storm raasde nog steeds en we zouden ruim vier uur te laat in Bilbao afmeren.

Hoentje en Asgrauwe Grijsaard gingen het ontbijt inspecteren en zagen dat de vloer bezaaid was met kapot servies, mensen die behoedzaam routes planden van niet meer dan drie meter, verscheidene bejaarden op een kluitje bij de receptiebalie, terwijl de voorheen beheerste kalmte van de Steiner-salon eruitzag als een huiveringwekkend detail uit een helletafereel van Jeroen Bosch. Spiegels, lotions, rollers, föhns, verf en shampoo waren allemaal gemixt tot een kamerbrede elektrochemische smurrie.

Ik kon het nog niet helemaal geloven maar was blij dat ik nog leefde, en bij daglicht had ik het gevoel dat ik zelfs naar Bilbao kon zwemmen als dat nodig was. Wij hadden geluk. De helft van de arme mensen op onze boot waren halverwege een 'minicruise', die zo was opgezet dat ze aan boord van het schip zesendertig uur lang konden drinken, dan een spannend dagje Bilbao en dan weer zesendertig uur zuipen op de terugweg. Ze hadden maar net tijd om zwak, ziek en misselijk door de havens te zwalken en leken niet echt uit te kijken naar de slemppartij op de terugreis.

In mijn ogen werd Bilbao gekenmerkt door eigenaardig golvende trottoirs en een gevoel van geslotenheid. De grond bleef nog drie dagen na onze reis deinen. Het beloofde hoogtepunt van onze reis, het Guggenheim, was op maandag gesloten, evenals bijna alle andere gebouwen, ontdekten we. Terwijl wij tot die ontdekking kwamen, probeerde er iemand in te breken in de auto; hij forceerde de sloten en was toen zo flauw om uit frustratie een band door te snijden. Dan schakelde over op de Superman-powerfunctie, haalde kalmpjes de tjokvol gestouwde achterbak leeg die als een puzzel was ingepakt, ging niet schreeuwen toen hij er te laat achter kwam dat al onze spullen uitspreiden op de parkeerplaats niet nodig was geweest en verwisselde de band. Geen centje pijn.

De zon scheen nog steeds en we reden door prachtig gebied naar Burgos. We kwamen aan in de schemering en hadden Avila overgeslagen. Ik vrees dat dat het enige is wat ik me kan herinneren. Toen we eindelijk in Burgos aankwamen was er bij mij een heel klein beetje hersenactiviteit te bespeuren omdat Dan, die de hele dag had gereden, niet van plan was zijn kromme Spaans uit te proberen op onze zoektocht naar een hotel. Bij toeval stuitten we op de VVV en ik vroeg naar het oudste hotel van de stad. We boekten een kamer in een middeleeuws paleis met uitzicht op de kathedraal. Op onze kamer wachtte ons een fles champagne en we sloegen hem te gretig achterover om de uitnodiging te zien dat we hem ook voor een gekoelde konden ruilen. Het kon ons niet deren; we hadden een waanzinnige suite boven in het schitterende oude gebouw voor weinig meer dan wat je neertelt voor een stapelbed in een jeugdherberg en we hadden een bad met onbeperkt warm water, en dat staat bij mij voor luxe en opperste gelukzaligheid.

Er bestaat een mop over Burgos dat de zomer er begint op St. Jacobus, 25 juli, en eindigt op St. Anna, 26 juli. Toen we die avond naar buiten kwamen om een restaurantje te zoeken, ontdekten we hoe waar dat is. Burgos ligt grotendeels op een hoog plateau en de wind geselt je als een rondvliegende gletsjer. Met een druppel aan onze neus hobbelden we wat rond totdat we een geschikt restaurant vonden, en rilden bij het vooruitzicht terug te moeten lopen naar het hotel. Ik had het te koud en was te moe om me te herinneren wat of waar we aten.

De volgende dag scheen de zon en we gingen winkelen, onder andere voor een dikke wollen sjaal voor Dan, die ervoor had gekozen een T-shirt en kippenvel te dragen, en zetten onze reis voort. We hadden besloten om de volgende nacht door te brengen in Toledo en stelden ons in op een lange rit. Dat was het ook en we kwamen in het donker aan. Toledo krijgt in elke reisgids sterren, dus waren onze verwachtingen hooggespannen en we hadden er twee hele dagen voor uitgetrokken. Ik wilde de oude stad zien, de kronkelstraatjes en het legendarische staal dat er wordt gemaakt; ik heb een onverklaarbare voorliefde voor zakmessen en leuke inklapbare instrumentjes.

We waren moe toen we aankwamen, en de ommuurde stad heeft een ondoorgrondelijk systeem van eenrichtingsverkeer. We namen het eerste hotel dat we tegenkwamen, zo aan de buitenkant te zien bescheiden chic. In de eerste kamer waar we de sleutel van kregen was het bed flink overhoop gehaald, pas achtergelaten door een stel zeer fitte rampetampers. Toen we hem hadden omgeruild voor een kamer die minder van lokstoffen was doortrokken, liepen we de avond in. Toledo leek in de greep te zijn van een ziekte. We liepen kilometers lang door ijskoude straten zonder ook maar één teken van leven, en de enige eetgelegenheid die we vonden was McDonald's. Dat nooit. We gingen terug naar het hotel en bestelden eten in het restaurant. Dat was een grote vergissing. Dan zat de hele nacht op de wc. Als hij niet ontplofte, zat hij te kreunen. Ik lag de minuten te tellen van de zoveelste slapeloze nacht.

Dan dacht dat hij doodging, dus reed ik hem de volgende dag door vliegende stormen terug naar huis, waarbij ik op een gegeven moment een fatale omweg nam die ons door achterland en over zandweggetjes voerde waar ze nog nooit zo'n geavanceerd vervoermiddel hadden gezien. We maakten bochten en lussen en helden regelmatig over en onderwijl lag Dan te snurken.

'Ik hoop maar dat er niets van de andere kant komt,' zei hij op de momenten dat hij helder was, als hij niet knikkebolde en er geen kwijl uit zijn openhangende mond droop.

Die avond kwamen we thuis bij die fantastische Spigs van mij, die iets heerlijks voor ons had klaargemaakt, en ons eigenste, ijskoude, heerlijk gastvrije bed. Het was dan misschien nog niet gedaan met de romantiek, maar wel bijna met ons, en ik voegde me weer dankbaar in onze veilige, vertrouwde routine.

Een winters roerbakgerecht

voor 2 personen

Deze roerbakschotel dient op koude, grijze winterdagen als centrale verwarming. Volgens de Chinezen is gember een anti-depressivum, en dus gaan we fluitend weer aan het werk, niet ontmoedigd door tien centimeter regen en een lekkend dak.

2 eetlepels zonnebloem- of arachideolie
1 eetlepel sesamolie
2 wortels, geschrapt en in dikke lucifers gesneden
een handvol dunne sperziebonen, afgehaald en in stukjes van 1 cm gesneden
1 rode paprika, in stukjes van 1 cm
2 stengels bleekselderij, in de lengte in drieën gesneden, en daarna in kleine blokjes
4 spruitjes, in dunne plakjes, of een geraspt stuk kool, of broccoli verdeeld in kleine roosjes
een stuk gember ter grootte van een walnoot, geschild en geraspt
1 hete chilipeper, rood of groen, in heel dunne ringetjes
4 tenen knoflook, in plakjes
1 ui, fijngesnipperd
1 prei of 2 lente-uien, in dunne ringen
1 courgette, in dikke lucifers gesneden
1/2 bakje taugé
1 eetlepel miso
2 eetlepels teriyakimarinade
3 eetlepels sojasaus
1/2 blikje kokosmelk

Giet de zonnebloem- of arachideolie in een wok, laat hem heet worden en voeg een paar soorten of alle groenten toe, in de aangegeven volgorde. Bak ze op een hoog vuur en roer regelmatig tussen het fijnhakken van de groenten door.

Voeg de miso, teriyakimarinade, sojasaus en kokosmelk toe en blijf roeren tot de courgette gaar is en alles ongeveer een minuut in de kokosmelk is gesmoord. Het resultaat is een smakelijk, pittig mengsel van groenten in een heerlijke saus, waar u op het laatste moment ook nog voorgebakken kip, varkensvlees of zalm aan toe kunt voegen, evenals geroosterde sesamzaadjes. Of u kunt onschuldige maar saaie tahoe gebruiken. De smakeloosheid ervan is geen enkel probleem in deze aanval op de smaakpapillen.

EEN ROTDAG IN CASA MIRANDA

Aan het eind van 2000, bijna een jaar nadat de navelstreng met Londen en mijn werk was doorgesneden, ging ik even door een donkere tunnel. Al bij het ochtendgloren was het guur, bewolkt en koud. Een storm had al mijn was in het zwembad geblazen en toen ik die eruit viste, redde ik ook een jong kikkertje dat er vrolijk rondjes zwom. Antonio, de jonge Antonio en Manolo droegen dikke jassen met sjaals toen ze de dakpannen op de imponerende antieke Mongoolse poort legden die we bij een *brocante* in Torremolinos hadden gekocht. Ik bracht ze kommen linzensoep toen ze zich voor de lunch terugtrokken in de beschutting van mijn studeerkamer – of ze het hebben opgegeten om lekker op te warmen of aan de honden hebben gevoerd als een verdacht, onbekend goedje zal ik nooit weten. Spanjaarden zijn nogal behoudend op culinair gebied.

We waren weer bedolven onder het meubilair, een Manhattanachtige skyline van dozen en ontmantelde kleerkasten, de laatste resten uit mijn flat in Brighton, die ik had verhuurd. Ik had geen huis meer in Engeland, nu was Spanje mijn thuis. Ik woonde hier nu bijna op de kop af één jaar. Mijn jaartje vrij. Het jaartje vegeteren dat ik mezelf had beloofd.

Die dag, een van de ergste die ik me kan herinneren, begon met mensenmishandeling door honden. Ze waren dolblij om me te zien toen ik opstond om koffie te zetten voor de bouwvakkers, stormden naar buiten en verdwenen over de heuvel zodra ik de deur opendeed. De zitkamer zag eruit alsof er een troep ziedende gorilla's had huisgehouden; de hi-fi lag op de grond met daaromheen allemaal stukgebeten cd's, van muur tot muur lagen er kranten, waarvan sommige half waren opgegeten. Mijn enorme koffietafelboek over de Spaanse keuken, *Culinaria*, had een rafelig, doorweekt litteken op de plek waar de rug had gezeten, evenals Dans geliefde *Times Atlas*. Mijn prachtige bril met luipaardpatroon had geen glazen en pootjes meer. De inhoud van de prullenbak lag verspreid over de kranten en Alfie, Minnies puberale zoon, had bij wijze van experiment aan de insecticide gelebberd die ik had gekocht om onze houten balken mee in te smeren, en besloten dat hij de voorkeur gaf aan mijn favoriete zwarte muiltjes met plateauzolen à la Martina, die hij grondig had vernield. Hij had ook een van mijn afzichtelijke Ecco-sandalen opgegeten. O ja, en er lagen vier hondendrollen op mijn Marokkaanse kelim.

Dan was op zijn allerirritantst; na drie maanden lang niet veel inspannenders te hebben gedaan dan een theekopje naar zijn lippen brengen, was hij een paar dagen eerder acht uur lang met Giorgio gaan paardrijden. Twee keer was hij van zijn paard gevallen, waarvan één keer op zijn ellebogen en rug, maar het idee dat zijn kwalen misschien wel iets te maken hadden met de rit veegde hij minachtend van tafel. 'Ik lijd helse pijnen,' kreunde hij, 'alles doet pijn. Wat zou het toch zijn?'

'Een naderende dood, hoop ik,' antwoordde ik vinnig terwijl ik in mijn eentje vertrok naar onze wekelijkse Spaanse les.

Ik had de pech om Pantalon Paco tegen te komen, die rondhing bij Paco's bar, hopend op een lift naar Almogia. Zwak als ik ben stopte ik, en hij zat nog geen vijf minuten in de auto of het oude liedje begon. 'Groot huis hebben jullie.'

Ik knikte met getuite lippen omdat ik al wist hoe deze monoloog verder zou gaan.

'*Mucho dinero*,' voegde hij er met een verlekkerde grijns aan toe. '*Tu eres capitalista rica*.'

Het is bijzonder vervelend om ten onrechte te worden uitgemaakt voor dikke, vette, schatrijke kapitalist, en al helemaal door een ongewenste passagier. Het was slimmer geweest om hem op dat moment uit de auto te zetten, maar ik keek hem zo dreigend mogelijk aan en wees hem erop dat ik me twintig jaar lang uit de naad had gewerkt en dat ik ieder B-2-blok had verdiend.

De rest van de rit zat hij lekker te murmelen hoe triest, nat en duur Engeland toch was en hoe dramatisch zijn relatie met zijn Engelse vriendin Elspeth. Het Verbranden van de Kleren was de laatste ontwikkeling: tijdens een van hun schermutselingen had ze zijn hele garderobe in de hens gestoken. Even voelde ik een heerlijk leedvermaak, waarna ik hem minder hardhandig uit de auto zette dan ik had gewild en doorracete naar Juans kantoor, waar de Spaanse les wordt gegeven.

Op kantoor was het tijd voor de rekeningen voor de bouwwerkzaamheden. Beverley van de andere kant van de heuvel, bij wie sinds begin dat jaar zeven bouwvakkers aan haar huis hadden gewerkt, kreeg van Juan een rekening van 2400 peseta's. Elvia van onder aan de heuvel kreeg een rekening van 2350 peseta's; haar huis was binnen een jaar af. Ik kreeg een rekening van 285 000 peseta's. Deze capitalista rica onderhield blijkbaar de hele vallei. Na drie jaar financiële aderlatingen had ik nog steeds geen studeerkamer en Dans atelier was op het komische af geventileerd omdat er geen ramen en deuren in zaten. Ik durfde niet uit te rekenen hoeveel we precies hadden uitgegeven, of hoeveel we nog moesten betalen. En ik kon met geen mogelijkheid bedenken waar we de laatste smak geld vandaan moesten halen om het huis af te laten bouwen.

De Spaanse les die volgde, bood een perfecte gelegenheid om mijn neurose verder uit te werken. Alle anderen hadden hun huiswerk gedaan, woordjes geleerd en wisten overal antwoord op. Als er een achterste schoolbankje was geweest, dan had ik er gezeten en kauwgum in het haar van het meisje voor me geplakt en 'Pauline is een verwaande trut' in mijn bureau gekerfd.

Helaas zaten we met z'n allen om de ronde vergadertafel en verwachtte onze leraar dat we ons als volwassenen gedroegen. Voor mij zat er weinig anders op dan het knopje van mijn balpen in- en uitdrukken. Met de staart tussen de benen en het gevoel dat ik de dertiende fee was kwam ik de les uit en reed over de gladde kronkelweg vol kaarsvet (het was net Pasen geweest) naar de bank om wat geld te halen voor Juan. Maar sinds mijn laatste bezoek had iemand het hele dorp volgezet met het Spaanse equivalent van gele pijlen en een eenrichtingssysteem ingesteld (dat had al veel eerder gemoeten, maar waarom uitgerekend nu?), zodat ik pas kon stoppen toen ik het hele rondje naar Juans kantoor had gemaakt.

Bekijk het maar, dacht ik, en peerde 'm, terug naar huis.

In de hoop op wat medeleven vertelde ik Dan over mijn beproevingen. 'Maak je over dat geld toch geen zorgen,' zei hij. 'Dat is wel het laatste waar je je druk om moet maken. Dat komt altijd wel ergens vandaan. Ik ken niemand die zich zo druk maakt om geld als jij.' Hij is van het slag mensen in wier wereld altijd wel ergens geld vandaan komt. In de mijne beul je je twintig jaar af, en dan geeft een of andere ambtenaar je een boete. Ik wilde hem bij de oren grijpen en van onaangenaam dichtbij roepen: 'Doe normaal!' In plaats daarvan droop ik af, overlopend van zelfmedelijden.

Terwijl ik met veel moeite Spaans had zitten leren was er elders aan de horizon een nieuw, opwindend probleem gerezen. Tijdens mijn afwezigheid was Tomas gearriveerd met zijn graafmachine en hij leek op het punt te staan een gat te slaan in de olijfgaard aan de horizon boven señor Arrabals finca. Gek van bezorgdheid voer ik uit tegen Spigs en Dan, die als een stel vadsige buidelratten in de zon lagen.

'Maak je toch niet zo druk. Ze gaan er heus geen huis bouwen,' zeiden ze allebei loom. Ze kunnen niet eens gaan bouwen, ze kunnen er niet komen. Wat ben je toch een neuroot,' voegde Dan eraan toe op zijn neerbuigendste Luister-eens-mevrouwtje-u-moet-dat-lieve-hoofdje-niet-breken-over-dat-soort-mannenzaken-toon.

Vanuit het niets had zich een menigte rondom Tomas en zijn machine verzameld: elf onbekenden en señor Arrabal. Ik stak de wei over die ons van elkaar scheidde om uit te zoeken wat hier gaande was. Nee, ze gingen geen huis bouwen, nu nog niet tenminste. Voordat het zover was gingen ze een kleine oprit uitgraven voor een parkeerplaats. En te oordelen naar de omvang van de parkeerplaats zou het geen klein huis worden. In een halfuur tijd had Tomas met zijn graafmachine de aanvankelijk voor onmogelijk gehouden toegangsweg uitgegraven. Weldra zou zich aan de perfecte horizon ten westen van mijn huis, waar de grillige vormen van de oude olijfbomen geliefde en vertrouwde gestalten waren in mijn rituele avondbeeld, een enorm bouwwerk vol lachwekkende torentjes en kronkelende kantelen bevinden.

Toen ik het aan Spigs en Dan ging vertellen zag ik een Engels ogende dame, vergezeld van drie anderen, die hevig geïnteresseerd leek te zijn in de ruïne ten oosten van hen. Ook dat nog. Van beide kanten zouden we inkijk hebben en als het aan de bouwlieden en 'architecten' lag, dan zou ons uitzicht worden vervuild door twee spuuglelijke creaties van Bungalow Bliss. Met toenemende wanhoop aanschouwde ik hoe de Engelse vrouw de ruïne een halfuur lang in zich opnam, en dat is heel wat voor slechts twintig vierkante meter dakloos puin. Aan beide kanten van ons huis was opgewonden gekwebbel te horen en ik voorzag dat we op een gegeven moment niet alleen onze privacy, maar ook onze rust kwijt zouden zijn.

'Ach, een uitzicht kun je niet kopen. Vroeg of laat zou het toch gebeuren,' spraken de inwonende sukkels vanachter hun respectievelijke computerspelletjes toen ik kwam binnenstormen om hun het vreselijke nieuws te vertellen. Ze keken niet eens op. Ik verwenste ze allebei.

Voor het eerst was dit een rotoord. Er ging een kleine tornado tekeer die voor mijn ogen de klimstruik van de pergola rukte, de klimstruik die ik net de vorige dag had staan vastmaken, als de Heilige Sebastiaan doorboord met miljoenen splinters, wankelend op een ladder.

Er schoot me een gedachte te binnen die ik als kind vaak had gehad en die ook nu heel toepasselijk was: 'Niemand houdt van me, iedereen vindt me stom. Ik ga wel wormen eten in de tuin.' Omdat wormen hier een luxe zijn, at ik er geen. In plaats daarvan stampvoette ik, schreeuwde en ging verontwaardigd tegen mezelf tekeer. Ik bewerkte onverwachte dingen met de hamer waarmee ik de struik had willen vasttimmeren en gooide hem toen kribbig op de grond. Ik vervloekte mijn medebewoners, zowel mensen als honden. Ik wond me steeds meer op en vroeg me voor het eerst af hoeveel dit huis me waard was. Ik keek naar het heuphoge leger onkruid dat van alle kanten oprukte en vroeg me af of ik me een zolderkamertje in New York kon veroorloven als ik dit huis verkocht. Ik bedacht wat een heerlijk vrij gevoel het zou zijn om op mezelf te wonen in een nette, lege loft met uitzicht op boomtoppen en een boekhandel om de hoek. Ik bedacht hoe prettig het zou zijn om een gesprek met de buurtbewoners te kunnen voeren van meer dan drie woorden, uit een woordenschat die meer omvatte dan loodgieterstermen, en me erin te kunnen uitdrukken. Om in staat te zijn mijn taalgebruik te kruiden met nuance, subtiliteit en grapjes in plaats van grove kluiten hakkelige werkwoorden, want meer krijg ik hier niet voor elkaar. Ik stelde me voor hoe heerlijk het zou zijn om geen sporen meer te hoeven volgen van aangekoekte borden en vuile sokken.

Ik gaf aan mezelf toe dat ik me hier alleen voelde, heel erg alleen, zonder ook maar één goede vriendin. Er was hier echt niemand van wie ik op verdraagzaamheid en begrip kon rekenen, bij wie ik onbedaarlijk kon huilen en die ik kon opzadelen met diepzinnige gedachten als: 'En ze heeft alleen maar een string aan... En hij had nog het lef om te zeggen: "Maak je niet druk"… Hij komt voor een vakantie en nu zit hij hier al acht maanden… Straks zit ik jaren tussen de vrachtwagens en rotzooi en cementmolens en uiteindelijk ook nog eens tussen twee afgrijselijke huizen…' tussen het snikken door.

Het voelt altijd een beetje nep, janken in je eentje. Ik huil eigenlijk bijna nooit, alleen bij films over honden en aan het eind van musicals. Maar ook al is het niet een van mijn grootste gaven, ik geloof in de therapeutische werking van een flinke huilbui. Dus omdat ik mezelf heel, heel erg zielig vond, deed ik behoorlijk mijn best.

Nog nasnikkend wandelde ik naar onze olijfgaard, waar Dan met een zeis een deel van het schouderhoge onkruid had weggemaaid. Terwijl ik wat rondbanjerde door deze jungle, stuitte ik op een platgetrapt stuk grond waar de honden verzaligd hadden liggen rollen en dollen en elkaar hadden besnuffeld. Ik ging er zitten, omringd door ruisend graan, rogge misschien? Geen idee, dat hoge spul met aren in ieder geval, die oplichtten in de avondschemering, en ondanks mezelf dacht ik: wat zalig hier.

Na een poosje riep Dan mijn naam vanuit het huis. Met tegenzin krabbelde ik overeind en klauterde de westhelling op. 'Telefoon. Je broer.' Toen onze vader stierf had hij ons schijnbaar allemaal wat akkerland nagelaten en nu wilde iemand het kopen voor een bedrag dat, na verdeling met mijn twee zusters en broer, zo ongeveer genoeg was om het huis af te maken. Dan had dus toch weer eens gelijk. Mijn humeur begon op te klaren.

Ik belde Leo om te horen hoe het daar ging. Hij klonk goed, zei dat de baby, Chilali, een hele bos bruin haar had en al kon lachen. Ik hoorde haar brabbelende en gebiedende commentaar aan de andere kant van de lijn. Met een steek voelde ik opeens hoe erg ik ze miste. Midden in het gesprek slaakte Leo een diepe zucht en zei: 'Nog tweeënhalve week. Het vervelende van zo vroeg een reis naar Spanje boeken is dat we nu al wekenlang de dagen zitten af te tellen. Saki en ik staan te trappelen, mam.'

Opeens had ik heel veel zin om ze vet te mesten met mijn zelfgemaakte brownies, waarvoor ik net een talent had ontdekt. Nog maar een paar weken. Wiegje, lakentjes, luiers, helemaal opgewonden maakte ik in gedachten een lijstje van wat we allemaal nodig zouden hebben, alsof Chilali mijn eigen kind was.

'Waar is Spigs?' vroeg ik aan Dan, die aan zijn computer gekluisterd zat om tekeningen te maken voor zijn nieuwe smerige boek.

'Geen idee,' zei hij behulpzaam.

Toen ik naar de andere kant van het huis liep, liep ik Spigs bijna van de ladder. Hij stond moedig te worstelen met de klimstruik om te redden wat er te redden viel; de rest kapte hij weg. Toen hij me zag, kwam hij naar beneden en liep met me mee naar de keuken. We dronken samen een kop thee.

'Je kunt een uitzicht niet bezitten, mam,' herhaalde hij, maar nu vriendelijker, 'en er is genoeg voor iedereen. Die mensen zullen zoveel rijker worden als ze door al dat moois worden omringd. Daar heeft iedereen behoefte aan.' Hij keek naar het dode-kraaieneffect van uitgelopen mascara om mijn ogen. 'Ik vind dat je je heel flink houdt.' Deze ene keer wist ik dat hij het niet ironisch bedoelde en dat hij me niet belachelijk maakte. Hij zei alleen maar dat hij wist hoe ik me voelde en dat hij voor me klaarstond.

Met zijn angstaanjagend accurate voelspriet voor verse thee kwam Dan een paar minuten later binnendrentelen. 'Vanavond kook ik wel,' zei hij. Toen sloeg hij zijn armen om me heen en zei: 'Ik hou echt van je, weet je dat? Niet alleen maar omdat je een rijke kapitalist bent. Ik zou met niemand anders kunnen samenleven, en ik zou niets doen om wat wij hebben in gevaar te brengen. Ik hou van jou, alleen maar van jou.'

Dat noem ik nou een min of meer goede afloop. Of een goed begin. Ik weet niet precies welke van de twee. Ik geloof niet in ongecompliceerd geluk. Iets dat te mooi lijkt baart me zorgen, en vervolgens vraag ik me af wanneer de goden een beetje gaan zitten stangen. Maar hier in Andalusië, in Casa Miranda met mijn gezin om me heen, ben ik zo gelukkig als ik maar zijn kan. En ik denk dat ik met een gerust hart kan zeggen dat hetzelfde geldt voor Dan en voor Spigs. En voor de honden, nu ik erbij nadenk.

Verse vijgen met serranoham

Zalig. Voor een wat gecompliceerder geheel kunt u er plakken buffelmozzarella, een scheutje olijfolie of walnootolie, sap van een citroen en wat rucola aan toevoegen, zodat het een salade wordt.

Dans pesto

Afhankelijk van wat u ter beschikking hebt, kunt u de hoeveelheden en de ingrediënten variëren. Andere kaassoorten kunnen heel interessant zijn (vooral geraspte manchego of verkruimelde geitenkaas in olijfolie) maar voeg er in dat geval geen zout aan toe.

een hele grote handvol basilicum of rucola
meer knoflook dan u aannemelijk acht, gepeld
3 eetlepels Parmezaanse kaas, geraspt
3 eetlepels pijnboompitten, zonnebloempitten, pistachenootjes of amandelen
een flinke scheut olijfolie
zout en peper

Doe alle ingrediënten in een vijzel en stamp ze net zolang tot er een grove puree ontstaat. Voeg zout en peper toe en een lepel heet pastawater. Schep de pesto op warme, met olijfolie besprenkelde pasta. Voilà.

2001

EIGEN HUIS EN TUIN

In januari zat ik me bij Dan hardop af te vragen hoelang het nog zou duren voordat onze werkkamers klaar waren en hoorde hem tot mijn ontsteltenis zeggen dat dat zeker niet eerder zou zijn dan maart.

'Maart?' riep ik uit. 'Maar dat duurt nog twee maanden!'

Van alle kamers in het huis leken de werkkamers de belangrijkste, omdat ze zouden bevestigen dat we ook echt mensen waren die meer deden dan alleen maar slapen, eten, tandenpoetsen en oude video's kijken. Op de een of andere manier zijn de maanden verstreken en nu is het opeens eind juli.

Vandaag staan Antonio en zijn zoon, de jonge Antonio, buiten in de verzengende hitte de laatste hand te leggen aan de binnenplaats, een paar scheuren in het dak te repareren, de schoorsteen op te hogen zodat we niet meer in een zwarte rookwolk zullen hoesten en proesten tijdens een poging onze voeten te warmen in een nu nog totaal ondenkbare winter. De Antonio's zijn veruit de beste werklieden die we hebben gehad; alles wat ze doen voeren ze uit met een nauwgezet perfectionisme. De werkkamers zijn nog niet helemaal klaar omdat Manolo Metálico nog steeds geen ruiten in de deuren heeft gezet, maar we kunnen allebei eindelijk in onze eigen studio zitten met een superklein citroenboompje tussen ons in, in de hoop dat we al die dure ruimte recht doen. Dan, die de afgelopen drie jaar luidkeels heeft lopen klagen dat hij zonder atelier absoluut niet kon schilderen, is er nu van overtuigd dat hij absoluut niet kan schilderen vanwege al die overstelpende pracht. Hij zit er patience te spelen en zich klein te voelen, wachtend tot er een muze langskomt.

De bouwvakkers zal ik met lede ogen zien vertrekken. De jonge Antonio was bleek, te dik en hopeloos onhandig toen hij voor het eerst kwam. Hij is veranderd in een bruine, knappe, gespierde jonge kerel, nog steeds vertederend zwijgzaam van verlegenheid. Momenteel experimenteert hij met een sikje à la de 'Lachende Cavalier', maar ik hoop dat het van voorbijgaande aard is. Ik heb een mooie fles whisky van vijftien jaar oud voor zijn vader, die zich heel opgelaten zal voelen maar hem wel zal moeten aannemen. De Antonio's hebben fantastisch werk geleverd, eindeloos geduld gehad met ons krakkemikkige Spaans en onze absurde fantasieën en ons onsamenhangende gemompel vertaald in perfecte galerijen, achthoekige fonteinen en een reeks vlakke terrassen, waar we altijd onder Dans gele parasol zaten te kijken hoe onze drankjes de heuvel af gleden.

Er zijn dingen waarin ik afgrijselijk koppig ben geweest. Een daarvan was mijn pertinente weigering om een tussendeur te laten plaatsen tussen de noordkant en de zuidkant van het huis. Het zijn twee afzonderlijke gebouwen.

In de zomer wonen Dan en ik in het noordelijke huis, in de koele, volop aanwezige schaduw, zo nu en dan met privacy. Deze helft van het huis bestaat uit drie belangrijke kamers. We hebben een ruime slaapkamer met een krakend antiek Spaans gietijzeren bed, waar een stichtelijke negentiende-eeuwse patchworkdeken van chintz boven hangt met religieuze citaten in donkerbruine koperdruk, waarvan 'Komt tot Mij en Ik schenk u Rust' het toepasselijkst is voor een slaapkamer, al vind ik ook 'Bereid mij een rein hart, mijn Heer, en herschep in mij een rechtvaardige geest' een mooie. Vroeger waren dit twee kamers, onze oude zitkamer en slaapkamer, en hij heeft een hoog plafond en de originele dikke muren met twee kleine, diepliggende ramen.

'In dit land weet de zon je altijd te vinden,' zegt Barbara. En dat is waar: 's ochtends vroeg al stroomt er een rivier van zonlicht binnen, gefilterd door blauw-met-witte tijkgordijnen (met dank aan een van mijn boeken over stof), die opbollen bij de ramen en de deur. De deur (waar vroeger onze voordeur zat) leidt rechtstreeks naar het buitenterras waar Dan en ik in een beschut hoekje incognito in de ochtendzon koffie zitten te drinken, hij slechts aantrekkelijk gehuld in zonlicht.

Er is ook een deur van de slaapkamer naar de enorme zitkamer met zijn hoge balkenplafond; omdat we die *rústico* robuustheid zo mooi vonden besloten we op alle plafonds ruwhouten balken aan te brengen, die ook geliefd zijn bij huiszwaluwen. Wat we toen niet wisten was dat ook allerlei kleine hongerige, kriebelende, houtdoorborende beestjes er erg van hielden en er hun intrek zouden nemen. Ze lieten een spoor van verschrikkelijke bergjes zaagsel achter en waren van plan de balken in Bros te veranderen. Je kon ze zelfs ons huis horen opeten, vooral de slaapkamerbeestjes om vier uur 's nachts. Paco, die bekendstaat als Puro vanwege de dikke sigaar die altijd uit zijn mondhoek steekt, schilderde het hele huis vanbinnen en vanbuiten, meestal met gebruik van een vijf centimeter dikke kwast, en nog langzaam ook. Hij schilderde ook de balken heel langzaam met zijn vijf centimeter dikke kwast, met een of ander giftig goedje om de kriebelbeestjes te ontmoedigen, en met opmerkelijk veel succes. Geen spoor meer van de bedrijvige tunnelgravertjes.

Midden in de woonkamer staat de compacte open haard waar je op de rand kunt zitten om je billen te warmen, met daartegenover openslaande deuren naar een piepklein balkon op het noorden dat uitkijkt op El Torcal. Dit was vroeger het nieuwe gedeelte van het huis, dat van zijn fundamenten schoof en afzakte richting pauwen. In de zomer is het in deze kamer aanmerkelijk koeler dan in welke andere kamer ook. Een Bennison-bank die ooit mooi is geweest en die ik van Judy heb gekregen staat vlak achter de voordeur, meestal getooid met een drietal honden die hem met succes hebben gereduceerd tot een enorme wolmand, een jammerlijk geval van rafels en flarden. Mijn moeders eikenhouten hoekkast staat hier te glinsteren van het glas, en boven de boog hangen twee van Dans krachtige tekeningen van oude locomotieven. De ruwwitte muren hangen vol met zijn schilderijen.

Aan één kant zitten onze voordeur die uitkomt op de binnenplaats en het aangebouwde piepkleine badkamertje; aan de andere kant bevinden zich twee treden naar beneden die uitkomen in de grote keuken. Die wordt gedomineerd door een schitterende hardhouten tafel van mijn ouders die ze uit China hebben meegebracht, waar ze dertig jaar hebben gewoond, en die is doortrokken van herinneringen aan kerstlunches met de familie en enorme Chinese kliedermaaltijden geserveerd op een dik tafelkleed van kranten. Tegenover de openslaande deuren naar het terras op het westen staat nog een bank die te lijden heeft gehad van de overstelpende affectie van honden. Vroeger was hij blauw met wit, maar nu is hij blauw met bruin en dankzij de scherpe geur van onvervalste hond zoeken gasten meestal een ander plekje om te zitten. Helaas zijn wij inmiddels gehard en ruiken we zelf waarschijnlijk naar een stel oude honden. Een mahoniehouten keukenkast met glazen deuren die ik van Jocasta heb gekregen herbergt stapels Chinees blauw-wit porselein, Spaans boerenaardewerk en heldergroen en aquamarijn keramiek uit Marokko.

Dit is het appartement waar we in de zomer wonen, heerlijk afgewend van de zon. Het is zo ontworpen dat het stroperige, verblindende middaglicht er niet kan komen en dat is gelukt; zalig als het buiten duizelingwekkend heet is, zo'n 45 graden Celsius. Bovendien kunnen we dan alle deuren open laten staan en waait er een koel briesje doorheen.

Als het hoogzomer is, krijgen we een toevloed van zonaanbidders die maar al te graag liggen te bakken. De laatste tijd worden we overspoeld door jonge kerels van diverse pluimage, vrienden van Ted en Spigs, en een handjevol vriendinnen van Doris. Ze hebben één grote gemene deler: ze komen logeren als de zomer op zijn hoogtepunt is, en wat je ook tegen ze zegt, hoe belerend je ook met je vinger zwaait, ze rennen naar buiten, zitten de godganse dag in de brandende zon en voelen zich op het eind beroerd. Behoefte aan zon is een verslaving die ik wel kan begrijpen. We smeren hun vlammend rode huid in met koel aloësap, vers uit onze tuin, geven ze aspirine en zeggen nooit: 'Ik heb je gewaarschuwd.' Hier zijn ze speciaal voor gekomen.

Zij logeren in het zuidelijke huis. In dit gastenverblijf wilde ik zoveel mogelijk slaapkamers: voor familie, vrienden, hun vrienden en volslagen vreemden die zouden betalen om hier te verblijven. Dat was een idee van mijn vriendin Sophie: een pijnloze manier om wat bij te verdienen en zo mijn schrijfsels en Dans kunstwerken te kunnen subsidiëren. In werkelijkheid zit het huis natuurlijk altijd vol vrienden en familie, en het is een leuke manier om heel arm te worden en geen tijd te hebben om te doen wat we van plan waren. Maar voor de verrassende en gedenkwaardige etentjes bereid door inventieve gasten, want we eisen gewoon dat ze minstens één keer koken, het gegiebel, de moordende spelletjes rummykub tot diep in de nacht, is armoede een geringe prijs. We hebben nog nooit zo veel lol gehad, hoe erg Dan ook zucht en steunt.

Wij zijn hier niet gekomen voor de zomerzon en Dan en ik zitten net zo vaak in de zon als een slak of houtworm. Ik zit de hele zomer binnen achter mijn computer en spurt alleen even naar buiten als het echt niet anders kan, en Dan wankelt regelmatig verduisterde kamers uit voor een duik in het zwembad. Alleen pubers zitten in de zon, royaal ingesmeerd met de laagste factor zonnebrand die ze zich kunnen veroorloven zonder hun hele vel als een gebraden slang af te moeten stropen.

De zon is niet waar het om gaat, al is het misschien benijdenswaardig om op kerstavond met blote armen buiten te zitten. Wat werkelijk fantastisch is, is het licht. Weg met die saaie brillen. Als het moest zou ik zonder hulp het complete alfabet kunnen lezen, al hoef ik dat goddank niet meer. 's Zomers is het licht zo genadeloos dat de bloemen erin verbleken. De geraniums die 's ochtends granaatrood opengaan, zijn 's avonds eigenaardig streperig en beslist lelijk te noemen zalmroze. Maar in de winter, als de zon weer gaat schijnen na de regen, lijkt de lucht wel van diamant.

In de herfst, als iedereen is vertrokken, verhuizen wij naar het gastenverblijf op het zuiden om ieder beetje warmte en licht op te vangen, en daar zijn we dan dankbaar voor. Ik ben niet van plan het toe te geven, en al helemaal niet aan Dan, maar in de winter lijkt het inderdaad waanzin om door de gietregen naar het noordelijke huis te rennen om de rijstpan te halen, de honden te voeren, naar bed te gaan, te bellen of gebeld te worden. Maar het is mijn finca en als ik dat wil, word ik drijfnat.

De zuidkant van het huis heeft drie slaapkamers, waarvan er een, een geheime kamer in het midden, wordt gedomineerd door een prachtig Javaans bed met houtsnijwerk. Het heeft meer gekost dan ik ooit voor enig ander meubel heb betaald. Ik weet niet wat me bezielde, maar ik schreef de cheque met meerdere nullen uit en niet veel later kwam het bed in zo'n dertig stukken aan. Bram, een Nederlandse vriend die zo vriendelijk was om ons te helpen het geval in elkaar te zetten, zei ernstig: 'Ik denk dat dit een puzzel is.' Het was nog eens een onvoorstelbaar ingewikkelde puzzel ook, en we hadden er onze vereende krachten voor nodig (we waren met z'n vieren) om ieder stuk naar zijn uiteindelijke plek te tillen. Er volgde een heleboel hoofdgekrab terwijl we probeerden uit te vogelen wat waar hoorde en in welke volgorde. We deden er de hele middag over en ik moest, totaal ongepast, huilen van het lachen toen die kerels allemaal plechtig probeerden dit stukje bij dat te zetten, achteruitliepen om het resultaat kritisch te bekijken, waarop de hele creatie in duigen viel. Maar uiteindelijk lukte het ons, en daar staat het in volle glorie, met bewerkte massieve bedstijlen waarop een enorme blauw-met-witte lappendeken rust die Judy heeft meegebracht uit India en met een getande kruisbalk waarvan je een rij pijnlijke afdrukken in je hoofd kunt krijgen, zoals Dan een keer ontdekte toen we – Dan groen van jaloezie (wíj hoorden in dat bed te slapen) – een nacht doorbrachten in al die besluierde pracht en praal.

In de andere grote slaapkamer in dit deel van het huis staat een hoog, mooi houten bed uit India, het midden van het hoofdeinde ingelegd met spiegeltjes. Op de stijlen rust een staketsel waarover een lange bonte doek van scharlakenrode-en-gele tulbandmousseline is gedrapeerd om muggen te weren; in theorie een fantastisch idee, behalve dan dat het frame vaak op nietsvermoedende logés valt als ze iets actievers doen dan zachtjes snurken. We hebben deze kamer geschilderd in het paarsgrijs van verre heuvels bij avondlicht, met als gevolg dat het er altijd flink donker is, op het droefgeestige af. Het andere probleem van dit prinselijke boudoir is dat padden nogal gevoelig zijn voor dit rustgevende duister en hun geronk vaak bij het gesnurk van de gasten voegen. Ik had mijn zinnen gezet op die kleur en omdat ik niet graag toegeef dat ik fout zit, zal het wel een paddenplek blijven. Althans voorlopig. Deze kamer heeft openslaande deuren naar het smalle terras op het zuiden, dat volstaat met planten. Op een dag zal er de vlekkerige schaduw van de nog jonge vijgenboom en de *Cercis siliquastrum* op vallen, die hier niet bekendstaat als judasboom maar als liefdesboom, vanwege zijn hartvormige bladeren. Zware katoenen gordijnen, Nederlandse cafégordijnen van een kleine rommelmarkt in Brighton, versluieren de deur en het raam voor wat privacy, en bizarre gordijnen van bedrukte chintz uit het calicot-museum in India houden het oogverblindende ochtendlicht buiten. Er staan grillige bergen, bomen, vogels en apen op, en als je er te lang naar kijkt, krijg je gegarandeerd nachtmerries.

Daarnaast bevindt zich een kleine, eenvoudige witte slaapkamer met een lap fris blauw-met-witgestreept Guatemalteeks katoen voor het raam. In deze twee kamers moeten mensen slapen die elkaar goed kennen, want tussen de ene en de andere kamer is iedere discrete zucht of scheet van de anderen duidelijk hoorbaar.

De keuken in het zuidelijke deel heeft een hoog plafond met ruwe, feloranje muren, versierd met het schokkend oranje-met-roze fruitschilderij van Tony Daniel en een luxe marmeren aanrecht; hier is marmer ongeveer net zo goedkoop als kunststof, iets wat ik graag had willen weten toen we onze eigen keuken bouwden. Er zijn grote openslaande deuren die uitkomen op een met wijnranken en passiebloemen overladen pergola en een oude grijze teakhouten tafel en stoelen waar je in de zomer kunt eten, beschut tegen de middagzon. Van daaraf leidt een trapje naar het zwembad. Er leidt ook een trapje van de keuken naar de zitkamer op het westen, die wat lager ligt. Deze kamer is grof geverfd in een prachtig, vol geel. Er staat een zwartgeblakerde roze schouw waar Dans bijzonder fraaie grote spiegel op staat en er hangen frisgestreepte, overwegend gele Guatemalteekse gordijnen die in een of ander boek hebben gestaan. Ik vind het geweldig hoe de dingen een plek hebben gevonden; alle rare troep die ik decennialang heb bewaard heeft nu een perfecte plaats. Het is net de uitkomst van een algebravraagstuk: alle stukjes passen eindelijk in elkaar, alle kleuren zijn opeens in harmonie. En het antwoord is $5x^2$.

Overal in huis, noord en zuid, binnen en buiten, liggen terracotta boerentegels op de vloer; geen handige keuze omdat ze wolkjes roze stof veroorzaken en al heel snel doch zeer lokaal een patina hebben gekregen van vet, gemorste melk, thee en wijn, die ze allemaal vliegensvlug absorberen en vasthouden ter herinnering aan vroegere etentjes en rampen, om maar te zwijgen over de bijdragen van de honden. We hebben gehoord dat je de terracotta tegels kunt beschermen door te schrobben met azijn, gevolgd door een laagje olijfolie. Spanjaarden doen het met diesel, maar toen wij dat probeerden kwam er niet alleen een verschrikkelijke stank vanaf, maar bleven de tegels ook nog eens net zo poreus als daarvoor. In de winter leggen we een mozaïek van kleden op de vloer. Het zijn de prachtige Marokkaanse kleden die Dan en ik elkaar ooit voor onze verjaardag hebben gegeven, die van mij roze, die van hem blauw. Ze zijn gemaakt door de vrouwen van een Berberstam en versierd met een verslag van alles wat heeft plaatsgevonden tijdens de afwezigheid van hun rondtrekkende mannen. Het vormt een complexe vertelling van kamelen, feesten, kaarsen, tenten, vissen, bokalen en honden. Judy's prachtige Marokkaanse kelim in indigo, oker, vermiljoen en het grijsbruin van dode bladeren maakt de zuidelijke zitkamer tot een warme en vriendelijke plek als de regen met bakken naar beneden komt. Dit is het kleed dat Alfie heeft uitverkoren als ideale plek voor het kauwen op geitenwervels, schoenen, cd's, helmen (paardrij-, brommer- en fietshelmen), stofblikken, waarvoor hij een enorm zwak heeft, en verrekijkers.

Zodra er ook maar een klein plekje wordt bestempeld als 'tuin' stuif ik naar buiten en zet het vol planten. Ik móet gewoon bomen kopen, dat heb ik altijd al gehad, met als gevolg dat alle drie mijn minuscule Engelse tuintjes smalle, donkere gangen vol slakken waren waar insecten en natte dingen in je nek vielen en alleen de onverschrokken fotofoben van het plantenrijk het goed deden. Gelukkig kun je hier niet zo'n vochtig schemerduister vol spinnenwebben creëren, maar toch heb ik weer twee grote kersenbomen, vier citroenen, een perzik, een nectarine, een sinaasappel, een kumquat en zijn trieste familielid de limequat (de dwergcitroen), een abrikoos en twee ziekelijke mango's bij de plaatselijke kwekerij vandaan gehaald om onze binnenplaats mee vol te zetten, die al werd gedomineerd door een uitwaaierende vijg; we hebben de hoge muren rondom de oude, knoestige boom gebouwd. En de gehavende bananenboom heeft hier een plek gevonden die minder windgevoelig is; zijn rimpelige bladeren buigen zich beschermend over de oude poort.

De binnenplaats is een grote, ommuurde, verborgen plek aan de oostzijde van het huis, en de bedoeling is hem de beschutting en kalmte van een Moorse tuin te geven. Antonio heeft in het midden een zeshoekige fontein gemaakt en Dans zus Bella gaat hem inleggen met mozaïek; ik heb gebroken servies in gedachten, zoals in Gaudí's Parc Guëll, met hier en daar een stukje spiegel om het zonlicht op te vangen en te weerkaatsen, zoals de spiegelbol in het Palais. Vanachter mijn bureau kijk ik uit op een rand van fruitbomen en een gardenia op mijn vensterbank; een gardenia, tot op heden nog in leven, die zesendertig bloemen heeft geproduceerd die de lucht in mijn studeerkamer van een mierzoete geur vervulden. Exotisch toch?

Ik ben dol op de overdadige, zalige geur van Spaanse bloemen. Als je in maart Málaga komt binnenrijden is een van de grootste weldaden de zoete geur van citrusbloesem van de sinaasappel- en citroengaarden langs de weg. Onze vier citroenbomen krijgen onevenredig veel aandacht en extra water omdat ik die geur het hele jaar door wil kunnen ruiken, binnen de omsluiting van de muren op de binnenplaats, net als dat zweempje doornappel en dama de noche. We zitten op het terras voor onze slaapkamer met onze emmer Pimm's naar de zonsondergang te kijken die El Torcal onderdompelt in oranje licht. We doen backgammon op het geurige, ingelegde thujabord dat we in Marrakech hebben gekocht (voor mij is het een morele kwestie; ik wil leren verliezen zonder spugen en mokken), en hoop dat iemand anders het eten klaarmaakt. 's Avonds hebben we de lampjes in de vijgenboom aan en is de kloostergang voor mijn studeerkamer, die overdag in schaduw is gehuld, net een klein, helder verlicht toneel dat lichtbanen werpt op de fontein en citroenbomen.

Voor mij zijn tuinen metaal of suikerspin. Ik hou van allebei, maar samen, dat gaat niet. Metaal, dat zijn de yucca's, bananenpalmen, de monumentale planten waarvan de dramatische schaduwen al net zo interessant zijn als de herkomst ervan. Groen, grijsgroen, de kleuren van kopergroen en koper, brons en aluminium, perfect voor de wilde, openliggende randen van ons gecultiveerde land. Met suikerspin bedoel ik alle pluizige dingen die Gertrude Jekyll en Marjorie Fish als met verfijnde penseelstreken hebben geplant: impressionistische, pointillistische, vluchtige en soms geurende bloemen met sprookjesachtige namen als juffertje-in-'t-groen. Eigenlijk zijn ze te vergankelijk voor deze genadeloze hitte en licht, maar ik blijf het proberen.

De kersenbomen staan in een schaduwrijke hoek bij mijn werkkamer: perfect voor een Tsjechov-achtige sfeer. Ik wil er naar vanille geurende *Clematis armandii* tegenop laten groeien die dan in het heldere licht van de vroege lente volop bloeit. Dit deel van de binnenplaats wordt ook een beetje Japans, met gladde stenen op de grond en wie weet zelfs wat aangeharkt grind. Dan doe ik in de lente mijn kimono en *obi* aan en ga ik onder de bloesem liggen, net als Japanse keizers vroeger deden, en ik stel me zo voor dat ik in de zomer buiten zit en er dikke, rijpe zwarte kersen in mijn mond vallen. Antonio, die wel duizend fruitbomen heeft en een enorme spelbreker is, zegt dat ik zoiets wel kan vergeten vanwege de grond en omdat ik, toen ik in januari bij het planten voor allebei een groot gat groef en ze dichtgooide met kruiwagens vol van de beste grond die we konden vinden, de fatale fout beging er water bij te gooien. Dat schijn je in Spanje niet te doen. Hij klakte met zijn tong en zei dat je hier tot juni geen enkele plant water geeft, en vertelde me wat ik al wist maar liever niet wilde horen: dat kleine boompjes zich makkelijker aanpassen en snel hun achterstand inhalen. Mijn bomen zijn zo groot als ik ze kon vervoeren. Ze zien er beslist minder kwiek uit dan toen ik ze pas had gekocht.

We hadden het kunnen weten vanwege onze ervaringen met

de cipressen: we kochten zes enorme reuzen omdat ze onvoorstelbaar goedkoop waren, en het jaar daarop kochten we zes miniboompjes. We hebben vijf van de reuzen langzaam zien wegkwijnen, hoe vriendelijk ze ook werden toegesproken, hoe stevig verankerd, hoe liefdevol met water begoten. De enig overgebleven reus, die inmiddels de eigenaardige en niet erg gezond ogende vorm van een roeispaan heeft, is niet groter dan de voormalige peuters.

Langs het uitgesleten pad naar het huis plantte ik dertig eucalyptussen van de urmige zaadjes die ik van Pedro de Paardenman had gekregen, waarvan er twee in leven bleven totdat ze werden opgegeten door een langslopende geit. Hij gaf me ook een stuk of veertig zaailingen van de johannesbroodboom, parasolden en steeneik, die ik met bange voorgevoelens plantte: ze zijn misschien vier centimeter groot, en als ze eenmaal op gang komen is het onkruid minstens vierennegentig hoog. Bovendien zijn de johannesbroodboom en de steeneik niet echt bomen voor mensen die nog minder dan honderd jaar te leven hebben. Alsof dat niet genoeg was, begon Antonio ook nog eens te schamperen over de johannesbroodboom. 'Het is veel te winderig voor johannesbroodbomen, dat weet iedereen,' zei hij tegen me.

Antonio schudde spijtig zijn hoofd over de onverantwoorde en hopeloze manier waarop we onze olijfbomen behandelen, of eigenlijk al onze bomen. Hij stelde lijsten chemicaliën op die we moesten gebruiken, waarbij hij het stompje potlood zo behoedzaam gebruikte alsof het een giftige schorpioen was, de kunstmest, de onkruidverdelgers, de pesticiden en fungiciden, waar we allemaal onze neus voor ophaalden. Toen nam hij op een afgrijselijke manier wraak door de bomen stiekem terug te snoeien tot het nog maar stompjes waren.

Op dit moment hebben we tweehonderd kleine olijfboompjes, overwoekerd door vruchtbaar onkruid, maar dapper strijdend. Plus drie weilanden met een mix van het graan van vorig jaar, de kikkererwten van het jaar daarvoor, misschien een of twee tuinboonplanten van het jaar daarvoor en een wirwar van onkruid. Zo nu en dan kuiert er een rondtrekkende geitenhoeder met zijn kudde doorheen; Manolo gaat er soms met zijn zeis naartoe en maait dan een stukje om mee te nemen voor zijn paard.

We probeerden een soort rust te bereiken, maar werden voortdurend gestoord doordat señor Arrabal steeds onverwacht kwam opduiken, waarop de honden altijd helemaal doorsloegen. Ze hielden van iedereen behalve van onze buurman, van wie ze een hevige afkeer hadden, vooral Alfie. Of señor Arrabal nu te voet kwam of te paard, hij hoefde maar zijn onverstaanbare begroeting te brullen of de honden gingen als gekken tekeer en probeerden hem te bijten. Geen van beide partijen trok er lering uit. Hij bleef brullen en zij bleven blaffen, totdat we besloten dat er maar eens een eind moest komen aan al die herrie. Buiten de binnenplaats zetten we een twee meter hoge omheining neer van zwaar harmonicagaas, zodat de honden vrij konden rondlopen zonder señor Arrabal aan te vallen. Alfie had er tien minuten voor nodig om zich uit te graven. Dan was een hele dag bezig om de fundamenten van het hek in te graven met aarde en stenen. Het hield Alfie tien minuten langer binnen. In onze wanhoop bonden we hem vast aan een boom en kochten vijfhonderd meter kippengaas bij de aardige dame in Villanueva. Toen we terugkwamen stond Alfie ons buiten op te wachten; zijn touw had hij doorgeknaagd. Dan was weer een hele dag bezig om het kippengaas aan het originele hek vast te maken en stevig te begraven onder een lawine van stenen en aarde. Dit hield Alfie een hele ochtend koest, maar uiteindelijk wist hij zich een weg naar buiten te knagen. Oscar en Minnie vonden het prima binnen de omheining en leken geen aandrang te hebben om de vrijheid op te zoeken. Uiteindelijk legden we Alfie aan de ketting binnen de omheining en nemen we ze alledrie dagelijks mee op lange wandelingen in een poging ze moe te krijgen, waar wij weer moe van worden.

Na veel gezeur kocht Dan eindelijk het verjaarscadeau van mijn dromen voor me: een fantastische handgrasmaaier voor het zware werk, een strimmer. Ik was er dolblij mee en rende meteen naar buiten om hem uit te proberen. Het leek me een goed begin om de nieuwe hondenkennel een vriendelijker aanzien te geven door het heuphoge, ondoordringbare gras te maaien dat daar onder de vijgen- en citroenbomen opschoot. Na flink zweten en een verdraaide rug lukte het me om het geval aan de praat te krijgen, waarop alle drie de honden het te lijf gingen. Ik sloot ze op in de binnenplaats, zwaaide de snorrende draden vervaarlijk boven me in de lucht, waarbij ik een citroentak afmaaide, en betrad hun kennel. Aanvankelijk liep het allemaal gesmeerd, boven aan de helling. Naarmate ik lager kwam, realiseerde ik me dat ik van top tot teen groen was, onder het gemaaide gras. Ach wat. Ik hield vol totdat mijn gezicht onder de hondenpoep zat. Op dat moment, toen ik me vagelijk iets onaangenaams herinnerde over *Toxocara canensis*, besloot ik dat ik er genoeg van had en borg de strimmer op. Ik nam een douche, maakte mijn gezicht uiterst zorgvuldig schoon, zocht Dan op en trok me met hem terug in een beschaafder deel van de tuin voor een versterkend glaasje van het een of ander.

Boven aan de westhelling, waar je uitkijkt over de glooiende helling waar de olijfbomen op een dag zullen fluisteren, op de perfecte locatie om naar de zonsondergang te kijken met een glas gin-tonic in je hand, wil ik een klein woestijntje maken met de enorme keien die verspreid over het terrein liggen, op een ondergrond van zand. Niets is lekkerder dan bij zonsondergang op een warme steen zitten. Ik ben van plan er stekelige yucca's en aloë's te planten vanwege hun dramatische silhouet tegen een rozerode lucht, met hier en daar wat vetplanten. Beneden, ingegraven in de westhelling, heeft Dan een geheim zitje van steen gemaakt, waar een opstijgende rookpluim het enige is wat erop duidt dat hij er lekker zit bij te komen.

Mijn salade

Eigenlijk voor vier personen, maar als er de hele middag van wordt gesnaaid voor twee.

Tijdens het hakken en mengen van een hele massa verse groenten ontstaat een soort zengevoel – ik blijf het heerlijk vinden. En deze salade barst gewoon van de vitaminen en aminozuren.

Neem een grote, diepe slakom. Kies een paar of alle groenten uit het volgende rijtje:

1 krop bindsla
1 little gem
1 lollo rosso
een halve krop goed gewassen eikenbladsla
1 hele krop gladde of krulandijvie
een handvol basilicum
een handvol lamsoren
een handvol waterkers
een handvol rucola

Voeg daar aan toe:
1 kleine komkommer of courgette in kleine reepjes gesneden
ongeveer 10 kerstomaatjes, gehalveerd
een handvol alfalfa
een handvol hazelnoten
een handvol gezouten zonnebloempitten
een handvol gepelde en gezouten pompoenpitten
wat sesamzaad om te bestrooien

Als u het lekker vindt, kunt u eraan toevoegen:

- kleine blokjes feta
- hardgekookte kwarteleitjes
- tonijn
- uitgebakken spekjes

Hussel alles goed door elkaar en giet er 2,25 dl olijf-, walnoot- of hazelnootolie over. Meng de olie goed door de salade, pers er dan twee teentjes knoflook over en meng opnieuw. Giet er 1 dl balsamicoazijn en een flinke scheut sojasaus of teriyakimarinade over. Hussel opnieuw.

LAATSTE NIEUWS

Nu, na onze lange en enerverende reis, voelt Casa Miranda echt als thuis. Ik vind het oneindig interessant, verrassend, aangenaam en mooi. Wat me aanvankelijk zo bekoorde is me niet gaan tegenstaan; integendeel, hoe vertrouwder het is, hoe mooier het wordt. Ik krijg nog steeds een kick als ik tussen de sinaasappelbloesem door naar Málaga hobbel en bedenk hoe mijn leven er vroeger uitzag. De lente weet me nog steeds compleet te overrompelen met zijn schoonheid; terwijl het strijklicht van de januarizon langs de pas ontloken hellingen rolt en een luchtig roze *corps de ballet* van amandelbloesem vanachteren beschijnt, dansen er dikke wolken blaadjesconfetti over het asfalt. Het is nog steeds een voorrecht om door een majestueus landschap van grillige bergen en keurige, pronte olijfgaarden te rijden om, heel gewoontjes, boodschappen te gaan doen, in de rij te staan voor puur mineraalwater uit de kletterende straal onder aan El Torcal, door roze, paarse en mauve wilde bloemen te waden als we de honden meenemen naar de top van onze heuvel, onze eigen amandelen te roosteren, onze eigen olijven in te maken, manden vol van onze eigen vijgen, pruimen en perziken, abrikozen en nectarines te plukken en ze vers van de boom naar binnen te werken. Onze diepgewortelde liefde voor deze plek en voor elkaar is extra vurig door alle beproevingen die we hebben doorstaan.

Er is enorm veel veranderd in dit deel van Spanje sinds we de finca hebben gekocht. Behalve onze twintig behoorlijk indrukwekkende straatlantaarns heeft de Junta de Andalucía een aantal verkeersborden in het dorp neergezet, zodat iedereen weet dat hij de Barriada de Pastelero heeft bereikt en de weg kan vinden naar de grotere en betere nieuwe school, gemeentehuis en sporthal. Dit kunnen voornemens of glasharde leugens zijn, of misschien wel borden die iemand nog had liggen, want we hebben hier nooit iets gezien dat op een gemeentehuis of sporthal lijkt. De tweeënveertig haarspeldbochten hebben nu vangrails om te voorkomen dat je van de berg af stort, er is een gloednieuwe, snellere weg naar het vliegveld met maar vijf plekken waar je voor je leven moet vrezen en een waterreservoir waar nog maar twee jaar geleden een boerderij stond die was omringd door prachtig onderhouden sinaasappelgaarden. Almogia is bestempeld tot buitenwijk van Málaga en er wordt momenteel gediscussieerd over een nóg directere weg naar Málaga.

Giorgio en Martina hebben hun restaurant omgebouwd tot een onvoorstelbaar chic Rainbow Hotel, dat op internet te vinden is onder www.arcadiaretreat.com. Dan geeft 's zondags nog steeds les aan hun kinderen en waggelt 's avonds laat naar huis, propvol pizza of lamsvlees dat Martina heeft bereid. Paloma's laatste bevlieging is een ambitieuze kikker die graag baantjes trekt in het zwembad, en die ze mee naar binnen neemt om voor te stellen aan bevoorrechte eetgasten.

Maar op iedere helling staan nog steeds kuddes geiten met bezadigde volharding te grazen; ze dwalen nooit af naar de gewassen op het land maar halen hun voedsel tussen de rotsen of langs de weg vandaan. In de zomer hoor je nog steeds het geluid van geitenbellen en krekels. Je moet voorzichtig rijden, want om de volgende bocht kan de weg worden geblokkeerd door een kudde treuzelende geiten met uiers die als zware knapzakken heen en weer zwiepen, of vol liggen met suïcidale slapende honden en rondscharrelende kamikazekippen, die hun leven minder zeker zijn naarmate het aantal auto's toeneemt. Toen we hier voor het eerst kwamen, was het een hele gebeurtenis als er vanaf de kust een auto kwam aanrijden. Nu is Pastelero een geliefd doel voor dagtochtjes naar het platteland, en er schuiven voortdurend vierwielaangedreven gevaartes met rambeugels over de weg naar Villanueva. Zowel in Almogia als in Villanueva kun je in de supermarkt terecht met je creditcard, tenzij de stroom is uitgevallen, en in dat geval is de zorgvuldig opgemaakte jongedame niet veel beter af dan mevrouw Paco en moet ze de openbare martelgang van ingewikkelde optelsommen met cijfers achter de komma ondergaan, op een vodje papier met een stomp potlood en een luidruchtige horde klanten die commentaar staat te leveren. En de optimistische koper moet de helft van de spullen terugzetten omdat hij tot zijn schande niet genoeg contant geld bij zich heeft, want als het heeft geregend of gewaaid doet de flappentap het ook niet.

Maar dit is een weldadig oord dat onvermoede, aandoenlijke kanten naar boven brengt in iedereen die hiernaartoe komt. Ons lijstje oude getrouwen is alles wat we ons kunnen wensen en meer dan dat. Vrienden hebben ons voorgesteld aan vreemden die onmiddellijk deel van ons leven zijn geworden. Mensen bij wie we onze bedenkingen hadden (te stijfjes, te chagrijnig, te egoïstisch) bleken het tegenovergestelde te zijn van wat we vreesden; ze kookten en lachten en luisterden en dronken.

Ik moet zeggen dat we niet hadden verwacht dat Spigs een jaar zou blijven toen hij hier voor een vakantie naartoe kwam. We dachten dat onze jongens waren uitgevlogen en we klaar waren met praktisch opvoeden, maar zijn aanwezigheid en groeiende zelfvertrouwen zijn een van de mooiste dingen die me hier zijn overkomen. Hij bracht jeugd en energie, sprankelende conversatie en een grenzeloze moed in ons nogal gezapige leventje. En Dan kreeg er een echte vriend bij, ook al gromde hij van tijd tot tijd en barstte hij een enkele keer uit in kreten als: ‘Of hij eruit, of ik.’ Meestal waren het net twee ondeugende schooljochies die samen eindeloos potjes Farao zaten te doen op de computer, high werden en een echte band kregen. Door Spigs' aanwezigheid heelde een wond uit Dans verleden, en wat Spigs betreft, die herstelde stukje bij beetje van het gebrek aan volledige aandacht van twee ouders waaraan het hem in zijn puberteit had ontbroken. Van een verbolgen man veranderde hij in een gevatte, positieve, filosofische man, een geweldige gesprekspartner en een onverschrokken, gewillige kok. Uiteindelijk ging hij bij ons weg om in Barcelona een cursus Engelse les voor anderstaligen te volgen, en van daaruit naar Nederland om les te geven aan Chinese en Vietnamese immigranten, wat een enorm Spigvormig gat in ons leven achterliet.

Dit was immers de reden waarom ik dit huis had gekocht: om te proberen iets goed te maken van de afgrijselijke nachtmerrie die het was geweest om bij hun overwerkte alleenstaande moeder te wonen. Ik hoopte dat we als volwassenen opnieuw konden beginnen, met een schone lei, op een plek waarvan de rust een heilzame werking zou hebben. Ik wilde iets terugdoen voor het minimum aan lol dat we hadden gehad toen ze opgroeiden, toen ik werd overmand door zorgen, helemaal de weg kwijt was en er niet veel te lachen viel. Ik wilde dat de jongens hier kwamen voetballen, met de honden over de heuvel zouden rennen, wat rond zouden spetteren in het zwembad en gewoon zo uitgelaten konden zijn als kinderen.

Op zijn gebruikelijk stille, vastberaden manier vond Leo zijn eigen introspectieve weg en gaf hij zijn geluk gestalte met Saki en zijn gezin. Hun verhaal was romantischer dan ik had begrepen uit de laconieke beschrijving die hij had gegeven tijdens de schorpioensteek: ze hadden elkaar ontmoet toen ze respectievelijk zestien en zeventien waren en hij had Saki om vier uur 's nachts lopend thuisgebracht na een feestje ergens ver weg.

'Op de prille leeftijd van zestien jaar was ik behoorlijk gevleid door zoiets hoffelijks, en al waren we allebei nog te verlegen en te onervaren om er iets mee te doen, het werd er niet minder romantisch om,' vertelde Saki me toen ze voor het eerst met Leo en hun prachtige dochter kwam logeren. Pas tien jaar later kruisten hun wegen elkaar opnieuw. 'Rhiannon, een schoolvriendin, had een toneelstuk geschreven dat werd opgevoerd in de schouwburg van Southwark,' ging ze verder. 'Ik ging op zaterdagavond kijken, kwam Rhiannon tegen tussen het publiek en na afloop gingen we met z'n allen naar de kroeg om wat te drinken. We zaten bijna de hele avond bij te praten en herinneringen op te halen, en pas aan het eind van de avond zei Rhiannon: "O, trouwens, dit is Leo." We hadden de hele avond met de rug naar elkaar toe gezeten.

We keken elkaar aan en ontdekten dat we elkaar al eens eerder hadden ontmoet. Ik had het altijd jammer gevonden dat ik hem nooit meer had gezien. Op de een of andere manier wist ik dat we toen een kans voorbij hadden laten gaan en dat zou ons niet nog eens gebeuren.

We kregen iets met elkaar en het was puur uit angst voor wat er met ons gebeurde waardoor we later uit elkaar gingen.' Ik heb altijd geweten dat Leo verschrikkelijk terughoudend was als het om gevoelens gaat, en Saki blijkbaar ook. 'We wisten al heel vroeg dat ik zwanger was, maar wilden de werkelijkheid liever niet onder ogen zien: het vooruitzicht een kind te krijgen en het feit dat we elkaar nodig hadden. We hielden elkaar op afstand omdat we allebei van die types zijn die alles eerst zelf uit moesten denken voordat we elkaar van nut konden zijn. Maar Leo is nooit echt weggegaan. Er ging zelden een week voorbij dat ik hem niet zag.

Toen Leo naar Spanje ging en dat kwam vertellen, had ik hem net een kort briefje geschreven, waardoor hij twee weken wegbleef. Zodra hij terugkwam uit Spanje brachten we weer steeds meer tijd met elkaar door. Op de dag dat Chilali werd geboren had Leo me minstens drie keer gebeld. Naarmate de dag vorderde begon ik de onontkoombare werkelijkheid onder ogen te zien. Ik had net mijn eerste weeën. Toen mijn moeder me rond halfzeven belde toen ze uit haar werk kwam, barstte ik in tranen uit. Ze zei dat ze me naar het ziekenhuis zou brengen. In de taxi had ik zoveel pijn dat ik niet de kracht had om Leo te bellen, maar ik gaf Kathy zijn nummer en zij belde hem.

Leo hield tijdens de hele bevalling mijn hand vast. Toen wist ik dat Leo en ik dit samen zouden gaan doen, en dat doen we nog steeds. Leo en ik denken allebei dat het geen toeval is dat we elkaar op die manier hebben ontmoet, en onze prachtige twee dochtertjes zijn daar het bewijs van.'

'Hij is een geboren vader,' zei Saki's moeder Kathy tegen me. 'Zodra het kind op de wereld was, hield hij haar in zijn armen met het zelfvertrouwen dat je zou verwachten van een vader van vijf kinderen.' En daarin is hij niet veranderd.

Ze noemden hun eerste dochter Chilali, een indianennaam die 'Witte Vredesduif' betekent, en de eerste prestatie die ze op aarde leverde was een heel belangrijke: een hechte band scheppen tussen haar ouders. Waarop ze al snel een hereniging tussen Leo en zijn vader Brendan liet volgen, en daarna tussen Saki en haar stiefbroer. Niet slecht voor iemand die nog geen drie woorden spreekt.

Twee jaar later is een van de weinige dingen die ik jammer vind van hier wonen dat ik niet kon en kan zien hoe Chilali toen en haar kleine zusje Maizie nu leren zitten, tandjes krijgen, de eerste woordjes zeggen, hun eerste stapjes zetten.

Dans zoon Ted, de Zwijgzame, ging terug naar Sudbury, deed eindexamen Spaans (hij verbetert onze grammatica met stille binnenpret) en ontdekte een talent voor het mixen van muziek. Hij had zoveel succes dat de provincie hem een beurs gaf om muziek te maken, en diverse dj's uit de buurt hebben interesse getoond voor Teds werk. Inmiddels woont hij in Londen en bekostigt hij zijn muziek met zijn baan overdag: hij is de lange, knappe, gevatte vent die verdwaalde kinderen in het Victoria and Albert Museum de weg wijst.

Doris komt bij ons logeren zodra ze even niet hoeft te werken aan haar identiteit als echte *Übermensch.* Ze studeert nog steeds kunstgeschiedenis en heeft alles in zich om de wereld te leiden. Ik ben heel blij dat ik me kan koesteren in de weerschijn van haar glorie.

Tijdens haar laatste bezoek was ze ook nog eens een echte goede fee. Toen ze aankwam was ze slank, elegant en nog stralender dan anders. Zelfs zozeer dat het Dan opviel en hij er iets over zei.

'Ik heb net een ontslakkingskuur van zes weken gedaan,' zei ze zwoel, 'en ik heb er zoveel energie van gekregen.'

'Dat moet ik dan ook maar eens proberen,' zei hij in het bijzijn van getuigen. 'Ik ben de laatste tijd wat aangekomen en nogal down.' Op deze mededeling volgde een ongelovige stilte. Zwaar depressief, zo zou ik het eerder omschrijven, en ik maakte me er hevig bezorgd om, maar hij had altijd geweigerd toe te geven dat er iets mis was. Doris stuurde ons de aanwijzingen voor haar zesweekse ontslakkingskuur op, en de eerste pakweg tien dagen zonder thee, koffie, sigaretten, alcohol, vlees, zuivelproducten of granen waren Dan en ik gevaarlijk giftig en sisten en spogen we als we zo dom waren om elkaar tegen te komen.

Maar toen begonnen er merkbaar dingen te veranderen: Dan raakte zijn buikje kwijt, iedere ochtend werd hij fris en monter wakker, hij rende met de honden over de heuvel, en het beste was nog wel dat zijn peilloze bron van neerslachtig nihilisme uitdroogde en er een van pure, aanstekelijke blijdschap voor in de plaats kwam. Misschien was het de koffie (Dan was zwaar verslaafd aan cafeïne) of het brood. Misschien had hij wel last gehad van chronisch slaapgebrek en had het nieuwe onvolprezen dieet daar verandering in gebracht. Misschien had hij gewoon besloten dat het tijd werd om positief in het leven te gaan staan en was hij daarom überhaupt aan het dieet begonnen. Wat de reden ook mag zijn geweest, de verandering in Dans gedrag was onthutsend. Zijn somberheid is als sneeuw voor de zon verdwenen en nu is alleen nog maar de vriendelijke, positieve, energieke man te zien van wie we af en toe tussen de wolkbreuken door een glimp hadden opgevangen. Hij is halverwege zijn eerste roman en heeft zijn roeping gevonden. Het enige wat er met mij gebeurde was extra achterwerk.

Hoe het ons allemaal in Londen zou zijn vergaan zal niemand weten. Ik vind het niets minder dan een wonder dat Dan en ik oprecht dol zijn op elkaars kinderen. Zelfs zonder familiesores is het een delicate aangelegenheid, een nieuw leven beginnen. En al helemaal in een nieuwe taal, met een nieuwe partner, in een nieuw land. Een groot deel van het leven bestaat uit een opeenstapeling van bekende handelingen en gedrag, die onmerkbaar overgaan in gewoontes. Iedereen die met mij heeft samengewoond heeft me te verstaan gegeven dat ik onmogelijk ben en ik zal, mijn verbijstering ten spijt, moeten accepteren dat er iets van waarheid in schuilt, want ze vonden het allemaal. Maar in Londen bestond ik voor een heel groot deel uit frustratie over het werk, zorgen om de jongens en geld en woede jegens de meedogenloze, eentonige, bureaucratische, onmenselijke moloch die de stad in mijn ogen was. Ik wist niet wat verhuizen naar Spanje in me naar boven zou brengen, maar ik bedacht dat het niet veel slechter kon worden, en toen mijn rugpijn op zijn hoogtepunt was, dacht ik dat als ik niet weg zou gaan, ik binnen de kortste keren dood zou zijn. En niet prettig dood, als iemand aan wie de mensen liefdevol terugdachten, maar met distels op mijn graf. Laaiend, verontwaardigd en onaangenaam rondspokend dood.

We hebben kleine, hevige pijnscheuten ervaren in de tijd dat we onszelf aanpasten aan elkaar en aan het nieuwe leven, maar niet zo'n eindeloze macabere, grijze tunnel. En ik zeg niet dat zonneschijn en een adembenemend uitzicht alle wonden doen genezen en een garantie zijn voor geluk, maar het helpt wel en geeft je een veel positievere kijk op de dingen. Niemand hoeft meer tegen me te zeggen: 'Kop op, misschien komt het niet eens zover.' In Londen, waar dat een dagelijkse uitspraak was, was het doorgaans allang gebeurd. Ik geloof dat het mooiste wat je je kinderen en kleinkinderen, of misschien wel iedereen, kunt meegeven is ze te laten zien dat geluk mogelijk is, en hoe het eruitziet. *Carpe diem*, voor je het weet is het leven voorbij. Geluk is besmettelijk. In een onzekere, grillige wereld geeft het leven je meestal terug wat je erin stopt. Maar goed, of het nou waar is of niet, het is een geweldig excuus om egoïstisch te zijn en meer plezier te hebben.

Wat mijzelf betreft, wat ik hoopte en verwachtte dat zou gebeuren als ik naar Spanje zou verhuizen, was dat ik me zou gaan vervelen, zo erg zelfs dat ik wel aan De Roman zou moeten beginnen die me al sinds Cambridge en daarvoor achtervolgt. Dat is nog steeds niet gebeurd, maar ik denk dat dat komt doordat het me nog steeds niet echt is gelukt om me rot te vervelen. Ik dacht er niet eens over na of ik me alleen zou voelen, omdat het in Londen juist het probleem was dat elke dag een zootje ongeregeld te hoop liep; ik verlangde er juist naar om alleen te zijn.

Ik wilde dolgraag tijd hebben om niets te doen, niets te denken, langzaam wortel te schieten en af en toe een blaadje of bloesem te produceren als ik daaraan toe was, en me iedere dag te vergapen aan het landschap. Ik dacht na over zelfdiscipline en of ik, zonder paniek en deadlines, een nutteloze dromer zou worden. Op dit moment is mijn antwoord op die vraag: en wat dan nog?

Maar al woonden we nu in het paradijs, toen het huis in de loop van de winter tot rust kwam, realiseerden we ons dat we op de een of andere manier iets misten, niet alleen onze kinderen en vrienden, maar een stad. We wisten niet welke stad, alleen maar dat het geen Engelse stad was. We begonnen beslist het lawaai te missen, buitenkansjes, een wisselend gezelschap, onverwachte gebeurtenissen, onvoorspelbare uitkomsten. We krabden ons op het hoofd en bespraken de mogelijkheden van een appartement in Parijs of een huis in de buurt van Uzès, de allure van de Italiaanse Marche in vergelijking met een bouwvallig *palazzo* in Venetië. Onmogelijke dromen, maar tot op heden zijn dromen geen misdaad. Vooral toen er een onverwachte erfenis onze kant op kwam: een paar jaar na de dood van mijn moeder werd er eindelijk een vergeten stuk bos van haar verkocht, en plotseling waren we in de gelegenheid om eens serieus over het plan na te denken.

Op dat kritieke punt gingen we toevallig naar Marrakech, waar Dan als een blok voor de charmes van Marokko viel, en we stortten ons in een nieuw avontuur met een prachtige, afgelegen riad en een sfeervolle *marakchi.* Ik ben heel benieuwd hoe dat gaat uitpakken, maar ik kan niet al te lang uit Spanje wegblijven; als ik een paar dagen ergens anders ben, verlang ik alweer naar de rust, de eenzaamheid, het vertrouwde ritme van het leven daar en de schoonheid van ons huis.

Dit oord, dit leven heeft iets speciaals waardoor je je hart openstelt, dat je een veilig en optimistisch gevoel geeft, dat tobbers die alleen maar nagels zitten te bijten tot rust brengt. Wat was er nou zo erg aan dat Spigs opeens met de deur van de koelkast in zijn hand stond? En dat de gebrekkige bevestiging van de planken daarboven het begaf en er een kliederboel van jam, honing, thee en cafetières op de grond terechtkwam? Of dat het pannenrek met zijn zwaarmetalen lading op tafel landde, theepotten en kommetjes verpletterde en ternauwernood de eetgasten miste? Wat geeft het dat Francisco een denuncio heeft uitgevaardigd tegen onze vreselijke honden? En dat Spigs tijdens zijn eerste rijles de koppeling verwarde met de rem, helemaal vergat te sturen en Dans busje in volle vaart tegen een rotswand reed? Ik ben vergeten hoe ik me druk moet maken. Ik ben gestopt met lijstjes opstellen. Alles op z'n tijd. En nu is het tijd om te eten.

Hasta la vista, schoonheid.

DANKWOORD

Ik wil de plaatselijke helden bedanken die ons een dak boven ons hoofd hebben gegeven en ons zo gastvrij hebben onthaald: Chris en Barbara Stallwood, Giorgio en Martina Melis (www.arcadiaretreat.com), Juan Romero Fernandez en Antonio Moreno Nadales; Selina Walker en Araminta Whitley, die een rommelig, korzelig en eigenwijs boek hebben getransformeerd tot iets dat niet bijt; Deirdre McSharry en Suzy Smith die me allebei, op zeer verschillende wijze, hebben begeleid op het enge pad van het onvoorspelbare.

Kijk vooral eens op onze website:

www.marocandalucia.co.uk.

BP 04/05
HA 6/06
ME 12/2008
BP 2/2010

RECEPTENINDEX